D1531954

LE FRANÇAIS, LANGUE DES AFFAIRES

Deuxième édition

ANDRÉ CLAS
D.Ph. (Tübingen)

PAUL A. HORGUELIN
M.A. (Montréal)

Professeurs au Département de linguistique et philologie
de l'Université de Montréal

LE FRANÇAIS,
LANGUE DES AFFAIRES

Deuxième édition

Préface de Robert Dubuc

McGRAW-HILL, ÉDITEURS

Montréal • Toronto • New York • Saint Louis • San Francisco •
Auckland • Beyrouth • Bogotá • Düsseldorf • Johannesburg •
Lisbonne • Londres • Lucerne • Madrid • Mexico • New Delhi •
Panama • Paris • San Juan • São Paulo • Singapour • Sydney • Tokyo •

Les illustrations des pages 82, 99, 197, 231 et 274 sont des Productions Nilem Inc.

LE FRANÇAIS, LANGUE DES AFFAIRES

Copyright © 1979, 1969, McGraw-Hill, Éditeurs. Tous droits réservés. On ne peut reproduire, enregistrer ou diffuser aucune partie du présent ouvrage, sous quelque forme ou par quelque procédé que ce soit, électronique, mécanique, photographique, sonore, magnétique ou autre, sans avoir obtenu au préalable l'autorisation écrite de l'éditeur.

Dépôt légal 2ᵉ trimestre 1979   Imprimé au Canada
Bibliothèque nationale du Québec
 567890   B.I. 79   876543
ISBN   0-07-082737-0

PRÉFACE

On parle beaucoup du statut du français au Québec. Dans cette question aux implications multiples, on oublie trop facilement qu'un texte de loi ou des mesures protectionnistes ne peuvent remédier au problème fondamental que pose la qualité de la langue que nous parlons dans le commerce, l'industrie et le monde de la technique.

Le français qui circule dans ces divers domaines est une langue hybride, métissée d'anglais, qui tient plutôt du sabir que d'une langue véritable. Devant cette situation, on peut se demander si la grande priorité n'est pas d'abord d'acquérir une langue commerciale et technique vraiment française.

À cet égard, MM. Clas et Horguelin nous mettent entre les mains un excellent outil auquel il faut souhaiter une large diffusion. Les auteurs, par leur travail, nous donnent la clé qui nous permettra d'utiliser le français d'une façon fonctionnelle dans le monde des affaires. Pour y parvenir, ils n'ont rien ménagé. Ils ont voulu asseoir sur une base linguistique solide le français commercial qu'ils nous proposent. Sur ce fondement théorique, ils se sont appliqués, par l'élaboration de règles, de principes et d'exemples, à mettre au point un traité de français commercial adapté aux besoins des Nord-Américains que nous sommes. Ce souci est particulièrement visible dans le choix des exemples qui traduisent en un français simple mais correct les réalités quotidiennes du travail de bureau.

En cherchant à faire la part des réalités propres à notre milieu, les auteurs ont proposé une méthode de lutte contre les diverses formes d'anglicismes. C'est la première fois, à notre connaissance, qu'un manuel aborde cette question de façon systématique. Il était temps de combler cette lacune, car de plus en plus l'anglicisme devient le grand facteur de détérioration de la langue que nous utilisons.

Bref, voici un traité de français commercial sérieux et étoffé. Ce n'est certes pas un manuel de «français rendu facile». Les auteurs n'ont pas cru devoir reculer devant la difficulté: ils voulaient sans doute que leur ouvrage serve à former de véritables usagers du français. Par sa qualité, son sens de la langue et sa rigueur, ce traité se distingue bien nettement des nombreux travaux d'amateurs qui ont souvent fait école dans ce domaine jusqu'ici.

Robert Dubuc
Chef adjoint au Service de linguistique
Radio-Canada

PREFACE

AVANT-PROPOS

Le français, langue des affaires peut paraître, au premier abord, un titre prétentieux pour un ouvrage qui ne vise pas à faire l'apologie d'une langue, ambition un peu désuète à notre époque de rapprochements linguistiques, mais plutôt à mettre un outil de travail entre les mains des jeunes Québécois qui se destinent à une carrière commerciale et de leurs aînés déjà lancés dans le monde des affaires. Par ce titre nous avons simplement voulu affirmer — avant de le prouver par de nombreux exemples — que le français dispose de toutes les ressources nécessaires pour exprimer les réalités de l'activité commerciale en Amérique du Nord.

Notre préoccupation constante, en rédigeant le présent ouvrage, a été de répondre aux besoins des usagers de la langue commerciale au Québec. C'est dire que, sans écarter systématiquement les notions de caractères théorique ou culturel, nous nous sommes efforcés de nous en tenir aux règles et usages d'utilisation pratique, quotidienne, et de combler des lacunes que l'on peut constater tous les jours dans les imprimés commerciaux ou copies d'étudiants. En d'autres termes, nous avons tenté de répondre aux questions que peuvent se poser tous ceux qui sont appelés à rédiger une lettre d'affaires ou un texte commercial. Ce faisant, nous n'avons pas eu la prétention d'inventer une nouvelle grammaire ou un nouveau traité de français commercial, mais de réunir en un seul ouvrage de consultation pratique la plupart des renseignements qu'il faut habituellement puiser à plusieurs sources: dictionnaires, grammaires, traités de bon usage, formulaires commerciaux, codes typographiques, etc. Plus qu'un manuel scolaire que l'on relègue aux oubliettes à la fin de l'année d'études, *Le français, langue des affaires* est donc un ouvrage de référence que la secrétaire et l'homme d'affaires auront l'occasion de consulter pendant toute leur carrière.

Ce qu'on a coutume d'appeler «la langue commerciale» est plus exactement «un style commercial»: l'homme d'affaires, soucieux de transmettre un message clair, utilise la langue commune, c'est-à-dire le français correct. C'est pourquoi nous avons cru utile de rappeler certaines notions pratiques de grammaire, de syntaxe et d'orthographe, sans la connaissance desquelles on ne peut prétendre rédiger correctement un texte commercial. L'étudiant ou l'usager pourra ainsi procéder à une dernière révision générale des règles d'usage avant d'aborder l'étude du français commercial proprement dit. Cette étude est agencée autour de quatre grands thèmes: savoir écouter, savoir lire, savoir écrire et savoir dire. Une place importante est évidemment réservée à la rédaction des lettres d'affaires, rapports, notes et communications diverses. Pour chaque type de communication écrite, nous avons indiqué un schéma de rédaction applicable à la majorité des cas, suivi d'un «modèle» ou exemple. Chaque chapitre se termine par une abondante bibliographie, et nous avons ajouté en annexes des conseils pratiques sur la présentation des manuscrits et les corrections typographiques ainsi qu'une liste des abréviations et des expressions et symboles métriques usuels. Une table des matières détaillée et un index permettent de trouver rapidement les renseignements cherchés.

Comme chacun sait, il existe en correspondance commerciale des divergences de style et de présentation entre le Québec et les pays francophones d'Europe. En proposant une norme, nous avons tenu compte des directives d'organismes tels que l'Office de la langue française du Québec et le Service de linguistique de Radio-Canada, et aussi des usages suivis par certaines grandes entreprises qui sont soucieuses d'assurer la qualité de la communication linguistique. La synthèse ainsi faite reste dans les normes du français universel, tout en faisant une place aux particularités canadiennes de bon aloi.

Grâce à la collaboration de nos éditeurs, nous avons pu accorder une attention toute spéciale à la présentation graphique. Le choix des caractères, l'emploi de la couleur et la reproduction de nombreux dessins devraient, croyons-nous, rendre plus agréables la lecture et l'utilisation du présent ouvrage; en outre, la numérotation décimale ne peut qu'en faciliter la consultation.

L'excellent accueil qu'a reçu la première édition nous permet de conclure que notre ouvrage répondait à un réel besoin et que nous avons atteint notre objectif. Nous tenons à remercier sincèrement les personnes qui ont bien voulu communiquer leurs suggestions et commentaires; ces derniers nous furent d'une aide précieuse lors de la rédaction de cette deuxième édition. Les modifications apportées comprennent notamment une refonte des premiers chapitres, une mise à jour des usages en matière de correspondance commerciale, des corrections nécessitées par l'adoption du système international de mesures, et enfin un nouvel index plus détaillé. Nous espérons que *Le français, langue des affaires,* ainsi revu et corrigé, continuera de rendre service à ses utilisateurs, dans les écoles et les bureaux.

LES AUTEURS

TABLE DES MATIÈRES

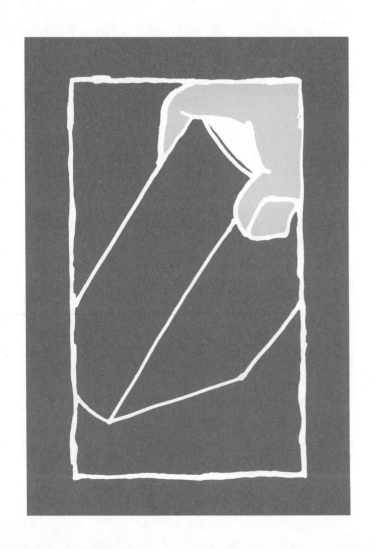

Chapitre

I

Le poids des mots

Écrire proprement sa langue est une des formes du patriotisme.
Lucie DELARUE-MARDRUS

SECTION 1

Langage et communication

1.1 ORIGINE DE LA LANGUE

La caractéristique la plus saillante et qui a le plus frappé tous les observa-
teurs, c'est la diversité des langues. Un très grand nombre de personnes ont
cherché à découvrir les origines du langage et ont échafaudé les théories les
plus diverses. Pour les uns, le langage était un don des dieux, pour les autres,
il provenait de l'imitation des sons de la nature; enfin, certains déclaraient
qu'il s'était formé à partir des exclamations de surprise, de joie, de douleur,
etc.

Pourquoi ne pas appeler cette chose «ouille»... plutôt que feu?

Toutes ces théories n'ont évidemment rien de scientifique et demeurent de pures spéculations. Vouloir faire remonter l'origine du langage à l'onomatopée reproduisant le son d'un chien qui aboie ou d'un coq qui chante est sans rapport avec la réalité. On ne peut imiter les sons des animaux ou de la nature que par des sons qui appartiennent déjà à la langue. De plus, ce que les usagers de la langue française perçoivent comme «cocorico» est entendu «kikiriki» par les Allemands, «chicchirichi» par les Italiens et «cock-a-doodle-doo» par les Anglais. Par ces exemples on peut facilement constater que les divers peuples perçoivent de façon fort différente le même son naturel et que, si on n'est pas initié à la signification des onomatopées dans une langue, il est impossible de découvrir la réalité que ces sons y recouvrent.

Lorsqu'on parle de théories sur l'origine du langage, il faut aussi mentionner les expériences faites par le pharaon Psammetik, par Frédéric II de Sicile et par Jacques IV d'Écosse. Dans chacun des cas, on a essayé d'isoler des enfants avant qu'ils ne commencent à parler, pour voir s'ils pouvaient créer un langage à eux. Mais ces expériences n'ont conduit à aucune conclusion, car elles se faisaient sans contrôle scientifique. D'autres observations faites sur des enfants qui auraient grandi parmi des animaux n'ont pas, non plus, apporté de conclusions.

Pour éviter les spéculations où la connaissance scientifique même la plus minime n'a pas de place, la Société de linguistique de Paris a interdit à ses membres de présenter des communications qui traitent de l'origine du langage. C'est là une sage décision. Tout ce que l'on peut affirmer, c'est que chaque langue parlée tire son origine d'une langue plus ancienne et que certaines langues ont une origine commune.

De toute façon, la question la plus importante est de connaître la nature du langage et non son origine.

1.2 QU'EST-CE QUE LE LANGAGE?

Le langage est la faculté que possèdent les hommes de communiquer entre eux au moyen de signes vocaux. Il engendre un système de signes conventionnels que doivent respecter les individus qui composent un groupe, car, sans l'observance de cet ensemble de conventions, le corps social ne peut communiquer. L'individu s'exprime et communique sa pensée à l'aide de ce code.

Mais ce n'est qu'au moment où un auditeur comprend ce qu'un locuteur veut signifier qu'il y a acte de communication. La communication ne peut donc se faire que s'il y a, d'une part celui qui veut signifier quelque chose, c'est-à-dire l'*émetteur*, d'autre part celui qui reçoit et comprend la chose signifiée ou le message, c'est-à-dire le *récepteur*.

On représente traditionnellement l'acte de communication par le schéma suivant :

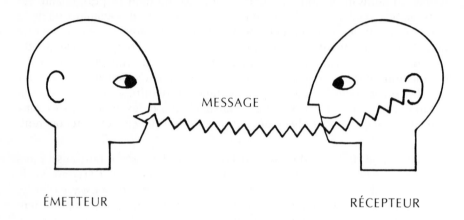

Ce schéma demeure cependant quelque peu simpliste car, comme on l'aura deviné, l'acte de communication est soumis à un grand nombre de facteurs qui tiennent à la physique (pour la transmission des ondes, par exemple), à la physiologie (coordination des muscles servant à produire les sons), à la psychologie, etc.

On pourrait donc compléter le schéma ci-dessus et représenter de la façon suivante l'acte de communication entre un sujet parlant et un sujet entendant :

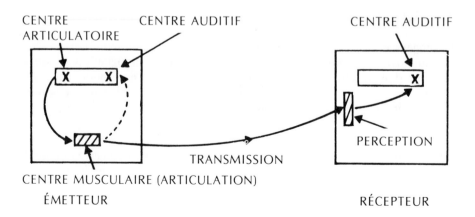

On peut ainsi affirmer qu'avant l'émission effective de sons, il se produit une transformation psychique qui génère ce qu'on est convenu d'appeler la pensée. La pensée sert de point de départ au langage qui ne fait que traduire par des mots, des phrases, les idées élaborées. La formation et le développement du langage apparaissent comme intimement liés à la pensée humaine. Il ne faudrait cependant pas conclure que le mot exprime parfaitement et totalement l'idée, il ne fait que l'évoquer, mais en même temps elle ne peut exister sans lui.

1.3 SIGNE — SIGNIFIÉ — SIGNIFIANT

«Comprendre un mot, une phrase, ce n'est pas avoir l'image des objets réels que représente ce mot ou cette phrase, mais bien sentir en soi un faible réveil des tendances de toute nature qu'éveillerait la perception des objets représentés par le mot[1]».

Le mot est une unité fort complexe, et beaucoup de linguistes se refusent à utiliser ce terme. Ils préfèrent, à la suite de Ferdinand de Saussure[2], parler de *signe linguistique*.

Le signe linguistique est une unité à deux faces, le *signifié* (concept) et le *signifiant* (image visuelle ou acoustique). On peut schématiser le signe linguistique de la façon suivante :

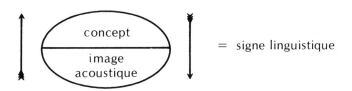

Le signifiant n'est que le support matériel du signifié. Ainsi, pour reprendre l'exemple de Ferdinand de Saussure, le signifiant du signe linguistique «arbre» a comme représentation graphique les lettres *a, r, b, r, e* et comme symbole acoustique [aRbR][3], le signifié ou concept étant le sens du mot. On voit immédiatement que le rapport entre le signifié et le signifiant est totalement fortuit et que le signe linguistique est une unité arbitraire. Ainsi, quand on utilise un signe linguistique, on ne désigne pas la chose elle-même, mais l'idée que l'on s'en fait. Le signifié n'est que la représentation psychique de la chose et n'a aucune attache naturelle dans la réalité.

---

1. Leroy, *Le langage*, p. 97, cité par A. Dauzat in *La philosophie du langage*, Paris, Flammarion, 1912, p. 10.
2. Ferdinand de Saussure, *Cours de linguistique générale*, Paris, Payot, 1915, p. 157.
3. Les caractères entre crochets représentent les phonèmes tels que les note l'alphabet phonétique international (API). Voir tableau de l'Annexe II.

Au point de vue pratique, il convient de se rappeler que la forme des mots ne nous est pas imposée par le concept. D'un autre côté, il n'est pas loisible à chaque sujet parlant de modifier à sa guise le signe linguistique qui est, rappelons-le, imposé par un groupe social donné.

À chaque concept correspond un signe linguistique, signe que nous devons respecter si nous voulons communiquer avec nos semblables. Un mot nouveau doit correspondre à un concept nouveau.

Ex. : Minimarge (substantif masculin) : magasin de vente au détail pratiquant une politique de vente avec des marges bénéficiaires réduites (cf. anglais : discount-store).

1.4   DOUBLE ARTICULATION ET FONCTIONS DU LANGAGE

Le langage est un outil, un instrument de communication. Mais ce qui distingue spécifiquement les langues humaines des autres systèmes de communication est, selon le linguiste A. Martinet, la double articulation. Il ne faut pas comprendre par cette expression que tout message est articulé deux fois, mais tout simplement qu'il y a utilisation d'un code à deux articulations superposées. Tout d'abord le message est reçu et découpé mentalement en unités ayant un sens; ces unités significatives ou signifiantes constituent la première articulation. Elles ne correspondent pas toujours à ce que l'on appelle traditionnellement un mot. Ainsi, dans *père* il y a une unité significative de la première articulation, mais dans *recommençons* il y en a trois : *re-* «idée de faire à nouveau», *commenç-* «idée de débuter, d'entreprendre, etc.», *-ons* «idée incluant celui qui parle et une ou plusieurs autres personnes, et une idée de présent».

Ces unités de la première articulation se décomposent à leur tour en unités plus petites qui ont une forme phonique mais pas de signifié : ces unités de la deuxième articulation sont les phonèmes ou sons du langage. Ainsi l'unité *père* est formée de $/p/ + /\varepsilon/ + /r/$ et les unités de *recommençons* sont : $/R/ + /ə/ + /k/ + /ɔ/ + /m/ + /ã/ + /s/ + /ɔ̃/$.

Jusqu'à présent nous n'avons délimité que la fonction de communication du langage, c'est-à-dire cette possibilité d'utiliser le langage comme outil pour entrer en rapport avec autrui et pour assurer la compréhension mutuelle. Il est évident que la fonction de communication est fondamentale et que les autres fonctions du langage ne sont que des modalités non essentielles. Quoi qu'il en soit le langage possède encore une fonction expressive ou émotive, celle par laquelle le locuteur traduit son affectivité. Cette fonction se manifeste à la fois par le choix de certaines unités de la première articulation: le débit de parole, le rythme, l'intonation pour la langue parlée; les signes de ponctuation pour la langue écrite. Une autre fonction, appelée appellative, est celle qui utilise le langage pour provoquer chez le locuteur un certain comportement. Les orateurs, les acteurs, les publicitaires utilisent cette fonction, de même que les propagandistes. On peut encore trouver une fonction phatique dans le langage, c'est-à-dire celle qui cherche simplement à créer et à maintenir un contact entre le locuteur et l'allocutaire. C'est notamment le cas dans les formules de politesse vides («allô!» au téléphone), les bavardages sociaux sur des riens, etc.

Même si chaque fonction du langage peut être analysée grâce à l'utilisation de traits propres, il n'en reste pas moins que le message est dans la plupart des cas une réalité composite où l'élément communication est essentiel, bien que tel ou tel autre aspect peut dominer parfois.

1.5   HISTOIRE DE LA LANGUE FRANÇAISE

Le français vient du latin. Le gaulois, langue parlée par les habitants de la France, autrefois appelée la Gaule, a été supplanté par le latin, langue introduite par les Romains lors de leur conquête. Ce latin a cependant évolué d'une façon particulière et, même s'il ne subsiste dans le français qu'une centaine de mots qui tirent leur origine du gaulois (**ex.:** *alouette, bec, bouleau, charrue, chêne, glaner, raie, sillon, soc*), les habitants qui ont peu à peu appris la langue des conquérants l'ont transformée pour lui donner une physionomie particulière et très originale.

Le français a transformé et complété le système des sons du latin. Ainsi aux cinq voyelles latines, le français a ajouté les sons *u* [y] , *eu* [ɸ ~ œ] de même que le e muet [ə] et les voyelles nasales (*an* [ã], *in* [ɛ̃], *on* [ɔ̃], *un* [œ̃]).

Au système consonantique, le français a ajouté les consonnes *v* [v], *z* [z], *ch* [ʃ] et *j* [ʒ]. Le vocabulaire français a aussi comme base le vocabulaire latin, mais combien renouvelé et complété au cours de l'histoire! Cet enrichissement progressif s'est fait par des emprunts aux langues et aux dialectes voisins, et par des créations : dérivés, composés, formations métaphoriques ou métonymiques. Le français a aussi été constamment enrichi et vivifié par des emprunts directs (mots de formation savante) au latin et au grec. Encore de nos jours, ces deux langues jouent le rôle de langue-souche du français.

Il convient de rappeler que ce n'est pas le latin littéraire qui est à l'origine du français, mais le latin vulgaire, c'est-à-dire celui que parlaient les soldats, les colons, les commerçants, etc. Cette langue, sans doute pauvre en termes abstraits et en tours syntaxiques, développait cependant des procédés de dérivation, créait des formes métaphoriques et empruntait de nombreux termes commerciaux et techniques au grec. Le latin d'église apporta lui aussi un nouveau contingent de mots et de suffixes qui servirent à la formation de nouveaux termes.

Ce latin vulgaire a connu de nombreux changements de sens : les métaphores pittoresques étaient très souvent renouvelées et remplaçaient les termes originaux. Ainsi *testa*, petit pot, a remplacé peu à peu *caput* pour désigner la tête; *manducare*, manger, est tiré de *manducus,* surnom de glouton; *tibia*, os de la jambe, signifiait tige; *pacare*, apaiser, est à l'origine de payer.

L'usure phonétique oblige à des renforcements par des procédés de dérivation : ainsi *apis* est devenu *apicula*, d'où abeille; *sol, soliculus*, d'où soleil. Cette même usure fait disparaître les déclinaisons, car les finales de mot se confondent, et modifie les temps et modes des verbes, car la langue populaire n'est pas sensible à certaines nuances.

On assiste alors à la création de temps composés, qui répondent à un besoin d'expressivité, à la formation d'outils grammaticaux, notamment l'article, à la généralisation de l'emploi des prépositions pour exprimer les différents rapports autrefois marqués par les cas.

On peut donc affirmer que tout l'édifice grammatical latin est profondément bouleversé: le latin, langue flexionnelle, est devenu le français, langue analytique, où les rapports sont exprimés à l'aide d'outils grammaticaux : articles, adjectifs, pronoms, prépositions, adverbes. L'ordre des mots correspond aux rapports grammaticaux :

> liber Petri / Petri liber → le livre de Pierre

En 432, les Barbares mettent Rome à sac, et l'Empire romain d'Occident s'écroule en 476. La Gaule s'isole des autres provinces et subit l'installation de peuples germaniques qui seront bientôt absorbés par la population autochtone. Ainsi, les Wisigoths se sont installés dans la région de Toulouse, les Burgondes en Bourgogne, les Saxons en Picardie, les Normands en Normandie et les Francs dans tout le nord et le nord-est de la Gaule.

Les Francs étendent peu à peu leur domination sur toute la Gaule; leur roi, Clovis, après avoir refoulé les Alamans et subjugué les Wisigoths, prend pour capitale Paris, qui allait devenir le centre de la nouvelle Gaule. Mais, à l'inverse de ce qui s'était produit après la conquête romaine, ce sont les vainqueurs qui adoptent la langue des vaincus. En même temps, la langue se transforme davantage et se pénètre de nombreux termes germaniques. Citons, entre autres exemples, banc, blanc, bleu, brun, échine, frais, gage, garder, guerre, guetter, honte, jardin, jaune, orgueil, riche, soin, etc.

Pendant cette période, assez longue, d'invasion de mots germaniques dans le vocabulaire, se produisent aussi de grandes transformations phonétiques et grammaticales.

Certaines voyelles, en syllabes toniques libres, se diphtonguent.

> *pĕdem* : pied
> *sēta* : seide > seie > soie
> *dolorem* : dolour > douleur

Les voyelles, en syllabes atones, s'amenuisent et disparaissent, sauf la voyelle *a* qui devient e muet en position finale.

> *quando* > quand
> *ripa* > rive
> *alterum* > altre > autre

Les voyelles, devant *m* et *n*, se nasalisent. Les consonnes ([p], [t], [k], [b], [d], [g]) s'affaiblissent : les sourdes ([p], [t], [k]) deviennent sonores, puis disparaissent, sauf [b] qui est devenu [v].

>
> *aqua* > agua > ewe, ée > eau
> *ripa* > riba > rive
> *magister* > maistre > maître
> *pacare* > paier > payer

Une autre transformation est la palatalisation (articulation mouillée) des consonnes suivies d'un *e* ou d'un *i*. Ainsi, *l* et *n* deviennent [j] et [ɲ].

>
> *filia* > fille [fij]
> *vinea* > vigne [viɲ]

c et *t* deviennent *ts*, puis *s*.

>
> *glacia* > glace [glas]
> *captiare* > chasser

d devient *j*.

>
> *diurnum* > jour [ʒuːr]

Plus tard, *c* et *g* se palatalisent à nouveau devant *e, i* et *a*.

>
> *vacca* > vache

Après cette période troublée mais fertile en innovations linguistiques, le calme renaît et le français se développe avec ses propres ressources.

Les Croisades, favorisant le contact avec les Arabes, apportent un certain nombre de mots qui pénètrent par des voies différentes dans le français. Citons, parmi ces emprunts, les mots alcool, algèbre, chiffre, élixir, magasin, orange.

Le français s'enrichit encore en faisant des emprunts aux dialectes voisins : normand *(bateau)*, picard *(matelot)*, et développe les procédés de dérivation, souvent inefficaces car le latin savant interférait. La prononciation du français réduit de plus en plus les sons complexes, les diphtongues changent, *l* se vocalise, les hiatus se réduisent, etc. La déclinaison, qui n'avait plus que deux cas, est réduite encore. L'emploi de l'article s'étend progressivement, la négation se renforce.

Avec la transformation de la société, on assiste aussi au changement de vocabulaire. Le français emprunte de plus en plus au latin savant, et par le latin, au grec. Un grand nombre de mots du français populaire sont remplacés par une forme savante, tirée directement du latin. En même temps, le français tire un certain nombre de mots du provençal (aigu, cadenas, cigale, cigogne) et puise largement dans l'italien (artichaut, banque, banqueroute, céleri, chicorée, escarole, faillite, flageolet).

Le XVIIᵉ siècle s'oriente vers la période moderne et cherche à établir une codification de plus en plus rigoureuse de la langue. Les contacts avec l'Italie amènent une véritable invasion de termes musicaux (allegro, opéra, solo, virtuose); l'Allemagne fournit des termes scientifiques (cobalt, gneiss, quartz) et l'Angleterre des termes de marine, de commerce et tout un vocabulaire politique (budget, club, congrès, flanelle, jury, paquebot, parlement, session, vote).

Rappelons aussi qu'au fur et à mesure où le français se substituait au latin, celui-ci, avec le grec, servait de base d'emprunt qui permettait de créer une terminologie scientifique et technique.

Comme nous venons de le voir, le latin vulgaire de la Gaule a subi une évolution particulière qui lui a permis de se transformer et de devenir le français que nous connaissons aujourd'hui. Innovations phonétiques et morphologiques, emprunts au grec, au latin classique, à l'arabe, au néerlandais, à l'allemand, à l'espagnol, à l'italien, à l'anglais, le tout, lentement transformé, amalgamé, épuré, renouvelé et complété par des créations originales, a donné naissance au français contemporain.

1.6   LE FRANÇAIS INTERNATIONAL

D'abord limité à une petite partie du territoire, le français a achevé de conquérir la France grâce à l'école obligatoire et au service militaire. Même s'il subsiste des régions où les dialectes et les patois sont encore vivants, on peut affirmer que tout Français comprend et parle le français.

Il est aussi la langue officielle et, dans certains cas maternelle, de plusieurs pays: Belgique wallonne, Suisse romande, Québec, Haïti. Il se répand chaque jour davantage en Afrique noire (Mauritanie, Mali, Niger, Sénégal, Haute Volta, Tchad, Guinée, Côte d'Ivoire, Togo, République du Bénin, Cameroun, Empire Centrafricain, Gabon, République du Congo, Zaïre, Ruanda, Burundi, Madagascar). Tous ces pays et d'autres sont en voie de s'unir linguistiquement pour former un groupement culturel d'une très grande importance: la francophonie. Cette nouvelle entité ne pourra cependant s'échafauder, se maintenir et se développer que si le dénominateur commun entre tous ces peuples est le français international.

Il est certain que la prononciation de certains sons du français varie et que les habitants de tel pays ont un accent différent de ceux de tel autre. La prononciation du français au Québec est différente de la prononciation du français au Sénégal, et l'accent de Paris n'est pas celui de Marseille! Cette différence n'a rien de gênant ou de scandaleux puisque la compréhension n'est pas empêchée dans la plupart des cas. Il en est de même d'un certain nombre de termes et d'expressions. Là aussi il peut exister des variantes d'un pays à l'autre sans que cela entrave la communication. Ces variantes sont d'ailleurs naturelles et normales puisqu'elles correspondent à des réalités différentes et à des expériences humaines particulières. Il est à noter d'ailleurs qu'elles appartiennent pour la plupart à la langue orale et ne franchissent les limites territoriales que dans de rares cas. La langue écrite est d'ailleurs beaucoup plus homogène et renferme le commun dénominateur linguistique qui fait coïncider, pour l'essentiel, la norme du Québec avec celle de Dakar ou de Paris.

La communication entre tous les pays de la francophonie n'est donc gênée en rien, et les échanges culturels entre tous les pays de la francophonie peuvent se dérouler tout à fait normalement, chacun faisant profiter l'autre de sa propre richesse culturelle.

1.7   LA LANGUE FRANÇAISE AU QUÉBEC

L'histoire du français au Québec et, d'une façon plus générale, au Canada reste encore à écrire. Nous n'indiquerons ici que quelques traits généraux qui permettront, nous l'espérons, de mieux éclairer la situation.

Les premiers colons qui venaient de diverses régions de France (Maine, Poitou, Vendée, Normandie, etc.) apportèrent avec eux un français régional. Il ne pouvait en être autrement puisque l'unité linguistique de leur pays n'était pas encore réalisée. Cependant ces parlers régionaux, à cause des nécessités de la communication, fusionnèrent très tôt et il en résulta un français commun, intelligible par tous les habitants de la Nouvelle-France. D'ailleurs les variantes n'étaient peut-être pas si nombreuses ni si importantes, et il s'agissait d'un français couvrant d'abord les besoins immédiats : vie familiale, rurale et artisanale.

Après la cession à l'Angleterre, le parler canadien va évoluer en vase clos et progressivement subir, du moins dans certains secteurs, la pression de l'anglais. Il ne participe donc pas aux mouvements qui ont transformé le français de France. On comprend alors que l'on puisse retrouver dans le français du Canada des traces de français régional, des archaïsmes, des formes dialectales et des créations autochtones. On comprend aussi qu'à partir de 1760 l'économie et le commerce passent par l'anglais et que plus tard l'industrialisation se soit faite aussi en anglais.

Mais la scolarisation et le développement culturel font de nouveau participer le Québec et le Canada français tout entier aux courants généraux de l'évolution du français. Le rétablissement des contacts avec la France et, plus récemment, les rapports avec les autres pays francophones introduisent le Québec dans le mouvement du français universel. D'autre part une conscience nouvelle de l'identité québécoise est née, qui revendique pour la culture québécoise un rôle original au sein de la francophonie. En effet un grand nombre d'intellectuels en sont venus «à affirmer que le français québécois est une variété du français qui ne sera et ne peut être indentique aux autres variétés de cette langue, à contester l'hégémonie des institutions françaises en matière de langue, à définir une conception de la «francophonie» comme lieu de rencontre de partenaires à part entière, y compris sur le plan linguistique [1]».

---

1.   Jean-Claude Corbeil, «Le français au Québec», in *Langue française,* n° 31, septembre 1976, p. 14.

Comme on le constate, le français n'est plus monolithique, et la norme, que certains définissaient de façon assez rigide en affirmant qu'elle était représentée par la société cultivée de la région parisienne, ne se conçoit plus de cette façon. Le français a accepté de faire une place à ses variétés géographiques, sociales et culturelles.

Une langue ne peut évidemment pas se passer de norme : l'efficacité et la clarté de la communication en seraient gênées, car la fantaisie individuelle triompherait. La norme, qui au Québec exige certaines contraintes particulières, correspond à la langue utilisée dans l'enseignement et par l'État dans ses communications avec les citoyens. Les canadianismes de bonne frappe sont donc parfaitement normaux s'ils correspondent à une réalité particulière tant matérielle que culturelle. Comme le disait le linguiste belge Maurice Piron, «le respect de l'unité du français n'exige pas l'allégeance à un bon usage exclusif [1]».

Les mots suivants sont donc tout à fait admissibles et appartiennent au français universel [2] : Abatis — Achigan — Atoca — Avionnerie — Banc de neige — Batture — Bleuet — Bleuetière — Boisseau [3] — Bordages — Brûlot — Brunante — Cacaoui — Canot — Canton — Carriole — Catalogne — Cèdre — Ceinture fléchée — Débarbouillette — Doré — Drave(ur) — Épluchette — Érablière — Fin de semaine — Frasil — Goglu — Huard — Magasinage — Maskinongé — Ouananiche — Ouaouaron — Outarde — Poudrerie — Pruche — Rang — Raquetteur — Savane — Souffleuse — Suisse — Tire — Traversier — Tuque — Vivoir — etc.

1.8   LE MOT, MATIÈRE VIVANTE

Les mots, expressions de la vie des hommes, traduisent en sens intelligible pour tout le groupe humain, les aspirations, les volontés, les désirs, les sentiments et la pensée de l'individu. Ils sont donc la manifestations pleine et entière de la vie humaine.

La très grande partie des mots qui composent le vocabulaire français nous ont été transmis par les générations qui nous ont précédés. Le fonds le plus ancien, nous l'avons vu, est composé de mots latins, grecs, gaulois, germaniques, que l'usage a lentement rabotés. Ces mots, bien qu'ils aient été déformés, sont restés des mots racines, c'est-à-dire qu'ils ont encore une certaine «physionomie» qui atteste leur origine.

À ce fonds héréditaire, les scribes des XIV ^{e} et XV ^{e} siècles ont ajouté un grand nombre de mots directement tirés du latin parce qu'ils croyaient que le

---

1. «Pour une contribution du français régional de Belgique au français universel», Palais des Académies, Bruxelles, 1968.
2. Un certain nombre de ces mots figurent d'ailleurs dans les dictionnaires français.
3. Il est évident que l'introduction du système métrique va modifier le vocabulaire des masses et mesures.

français ne possédait pas encore tel ou tel vocable pour exprimer telle ou telle réalité. Cela donna naissance à ce qu'on appelle les *doublets,* c'est-à-dire à deux mots, l'un de formation populaire, l'autre de formation savante, qui ont la même origine. Citons à titre d'exemples les doublets suivants :

— chétif (formation populaire) et captif (formation savante), tous deux du latin *captivum;*

— forge (formation populaire) et fabrique (formation savante), tous deux du latin *fabrica;*

— frêle (formation populaire) et fragile (formation savante), tous deux du latin *fragilem.*

L'«ignorance» des clercs a donc permis l'enrichissement de la langue, enrichissement utile puisqu'il sert à marquer des nuances de pensée inconnues auparavant. Enfin, outre les doublets et les nombreux emprunts, le vocabulaire français a aussi profité de ce qu'il est convenu d'appeler les créations. On peut répartir les mots du français, peu importe leur origine, en plusieurs grandes catégories: les mots simples ou mots radicaux, les mots construits, les mots composés, les mots recomposés, les locutions, les abréviations et les sigles.

1.8.1 Les mots simples

On appelle mot simple tout signe linguistique qui ne peut être raccourci, c'est-à-dire qu'on ne peut amputer un élément sans que le reste du signe soit un mot inexistant dans la langue. Il est entendu que les verbes peuvent perdre leurs terminaisons, mais pour en recevoir d'autres; cela ne contredit en rien la définition donnée plus haut. Il est certes possible d'amputer certains mots, mais on crée alors des formes spéciales avec un contenu sémantique particulier, **ex. :** manifestation — manif. Cette question sera reprise au moment de voir la création de mots.

On peut d'habitude reconnaître assez facilement le mot simple dans la série groupant les mots d'une même famille, à condition que le lien entre eux soit resté phonétiquement ou graphiquement assez semblable. Ainsi dans la famille : noir, noirâtre, noiraud, noirceur, on peut dégager sans difficulté le mot simple de départ. Il est déjà un peu plus difficile de retrouver le mot simple dans la famille : nombre, nombreux, nombrable, dénombrer, dénombrable, dénombrement, indénombrable, innombrable, surnombre, numéro, numéral, numérique, numériquement, numération, numératif, numérateur, numératrice, numériser, numérisation, numériseur, surnuméraire. Si l'on considère la famille suivante : oeil, oeillade, oeillère, oeillé, oeillet, oeillard, oeilleteuse, oeilleton, oeilletonner, oeilletonnage, oculaire, oculariste, oculé, oculiste, oculistique, oculogyre, linoculaire, intraoculaire, monoculaire, monocle, il est clair qu'il faudra dégager à la fois un mot simple et un radical inexistant comme mot simple, les deux servant de point de départ à une série.

1.8.2   Les mots construits

On appelle mot construit tout signe linguistique qui se compose d'au moins deux éléments, soit deux mots simples (usine-pilote), soit un radical et un mot simple (thermomètre), soit un mot simple et un suffixe (bonté), soit un mot simple et un préfixe (refaire).

Les mots simples sont arbitraires, c'est-à-dire qu'il n'y a pas de lien nécessaire entre le signifiant et le signifié, sauf, dans une certaine mesure, pour les mots ayant une origine onomatopéique (coucou, piailler, ronron, brouhaha, froufrou, murmure, etc.). Par contre, les mots construits sont motivés, c'est-à-dire que leur forme laisse percevoir le mot simple ou le radical de départ. Ainsi *jardinier, jardinage* sont des mots construits et motivés parce qu'on peut retrouver le mot simple qui sert de base : *jardin*. On comprendra que cette motivation est intra-linguistique et n'a de sens que parce qu'elle renvoie à une forme simple préexistante qui elle est arbitraire ou non motivée. La forme graphique d'un mot peut parfois induire en erreur : par étymologie populaire ou attraction paronymique, on établit un lien entre des mots alors qu'il n'en existe aucun. Ainsi on rapproche abusivement *ouvrable* d'*ouvrir*, alors que ce mot dérive d'*ouvrer*, ancien verbe signifiant travailler; des *jours ouvrables* sont donc des jours où l'on travaille. De même *faubourg* est interprété comme *faux bourg,* alors qu'il provient de *fors bourg,* c'est-à-dire en dehors du bourg.

On groupe généralement les mots construits en deux grandes catégories : les mots dérivés et les mots composés.

1.8.2.1   Les mots dérivés

Les mots dérivés sont des mots construits à partir de mots simples ou de radicaux. Les radicaux sont des formes inexistantes individuellement, mais qui servent de base pour la formation de mots. Les mots dérivés sont formés à l'aide d'un ou de plusieurs affixes, c'est-à-dire par adjonction de préfixes ou de suffixes.

1.8.2.1.1   La préfixation

On appelle préfixation l'ajout d'un préfixe à un mot ou à un radical, le préfixe pouvant être défini comme une particule qui figure à l'initiale d'une forme lexicale. Il est entendu que l'addition de plusieurs préfixes successifs est possible; **ex.:** in-dé-com-posable. Il faut noter aussi que le préfixe ne change pas la catégorie grammaticale à laquelle appartient le mot recevant l'ajout; **ex. :** *prévoir* est un verbe au même titre que *voir,* et *coproduction* est un substantif comme *production.*

On compte environ 260 préfixes dans la langue française; c'est le chiffre que l'on trouve dans le tableau du *Nouveau Petit Larousse* (1972) si l'on accepte comme tels les préfixes proprement dits et les radicaux d'origine grecque ou latine servant à construire des mots. En regroupant à titre d'exemple quelques préfixes selon leur contenu sémantique, on obtient le tableau suivant :

Préfixes privatifs

a-	apolitique; acéphale
an-	analphabète; anarchique
dé-	déchausser; décompresseur
dés-	déshydrater; déséquilibre
il-	illettré; illisible
im-	impropre; immobile
in-	inaltérable; inadmissible
ir-	irréparable; irresponsabilité

Préfixes intensifs

archi-	archimillionnaire; archifaux
extra-	extraordinaire; extra-fin
hyper-	hypertension; hypermarché
super-	supercarburant; superfin
sur-	surtaxe; suralimentation
ultra-	ultra-long; ultrapression

Préfixes indiquant un rapport de temps ou d'espace

après-	après-guerre; après-midi
post-	postdater; postscolaire
avant-	avant-coureur; avant-goût
pré-	préliminaire; prélude
anté-	antédiluvien; antépénultième
co-	coaccusé; coacquéreur
con-	concitoyen; concurrent
entre-	entrefenêtre; entrejambe
inter-	intercontinental; interdépendant
extra-	extra-territorialité; extra-légal
ex-	ex-coupon; ex-ministre
trans-	transcanadien; transocéanique

Préfixes indiquant un sentiment d'hostilité, d'opposition ou de sympathie

anti-	antidémocratique; antialcoolique
contre-	contre-offensive; contre-pied
pro-	prochinois; procommuniste

Les principaux préfixes entrant dans des mots construits se répartissent, selon leur origine, en trois classes :

a)   Les préfixes français

	Valeur	Exemples
a-	positif ou négatif	abandon, acompte
après	postériorité	après-midi, après-dîner
avant-	antériorité	avant-propos, avant-goût
bien-	degré	bienveillant, bienséant
chez-	localisation	chez-moi, chez-soi
contre-	opposition	contredire, contrepoison
en-, em-	intériorité	enfermer, enrouler
	état	embaumer, encrasser
	dimension	encolure
	distance	enlever, emmener
entre-	réciprocité	s'entraider, s'entre-tuer
	milieu	entrecouper, entrefilet
	moitié	entrouvrir, entrebâiller
hors-	dépassant les limites	hors-jeu, hors-texte
mal-, mau-	négation	malcommode, maussade
mé-, més-	négation	mécontent, mésentente
moins	degré inférieur	moins-value, moins-perçu
non	négation	non-sens, non-lieu
outre-	dépassant les limites	outrepasser, outremer
par-	achèvement	parfaire, parachever
plus-	augmentation	plus-value
pour-	obstination	poursuivre, pourchasser
	but	pourboire
	proposition	pourcentage
pré-	antériorité	préavis, préhistoire
presque-	négation partielle	presqu'île
sans	absence	sans-façon, sans-abri
sous-	localisation plus basse;	soussigné, souligner
		sous-bois
	degré de subordination;	sous-chef, sous-comptoir
	inférieur à la normale	sous-développé, sous-tension
sur-	au-dessus	surélever, surpeuplé, surtaxe, surplus
sus-	au-dessus	susdit, susnommé
tré-	degré	tressaillir, trépasser

b) *Les préfixes d'origine latine*

	Valeur	Exemples
ab-, abs-	distance	abjurer, abstention
ad-	direction	adjoindre, adverbe
anté-, anti-	antériorité	antécédent, antidater
bi-, bis-	double	bipartite, bissextile
circon-, circum-	autour	circonscrire, circumpolaire
co-, col-	avec	copropriété, collaborateur
com-, con-		compatriote, concurrent
cor-		correspondant, corrélation
contra-	opposition	contradictoire
dé-	séparation	démonétisation, démettre
dés-		déshonneur
dis-	séparation	disjoindre
	différenciation	disproportion, disqualifié
ex-	localisation	exporter, exproprier
	différenciation	ex-ministre, ex-directeur
	cessation	
extra-	qualité supérieure	extra-fin, extra-sec
	hors de	extraordinaire, extra-gouvernemental
il-, im-, in-, ir-	négation	illégal, impossible, inexpérience irrégulier
	dans	immerger, infiltration, irrigation
infra-	au-dessous	infrastructure, infrarouge
inter-	entre	international, interligne
intra-, intro-	à l'intérieur	intraveineux, introverti
juxta-	à côté de	juxtaposer, juxtalinéaire
ob-	au-devant	obnubiler, obvier
per-	à travers	perforer
post-	postériorité	postdater, postscolaire
pro-	en avant	proposer, projeter
quasi-	presque	quasi-contrat, quasi-délit
r-, ré-	de nouveau	rallonger, réimprimer
rétro-	en arrière	rétro-cession, rétrograder
semi	à moitié	semi-rigide, semi-conducteur
simili-	semblable	similicuir
sub-	sous	subalterne
super-, supra-	au-dessus	superfin, supranational
trans-	au delà de	transférer
	de part en part	transpercer
ultra-	au-delà de	ultra-conservateur, ultraviolet
vice-	à la place de	vice-roi, vice-doyen

c) *Les préfixes d'origine grecque*

	Valeur	Exemples
a-, an-	négation	analphabète, apolitique
amphi-	double	amphibie
	de chaque côté	amphithéâtre
ana-	de nouveau	anabaptiste, anaphorique
	en arrière	anachronisme
	contraire	anaphylaxie
anté-, anti-	opposition	antéchrist, antidote
apo-	éloignement	apostasie
arch-, archi-	placé avant	archiprêtre
	degré supérieur	archimillionnaire
cata-, cat-	sur, vers le bas	cataclysme, cathode
di-	double	diphase
dia-	séparation	diaphragme
	à travers	diagonal
dys-	difficulté	dysenterie
	mauvais état	dyspepsie
ec-	hors de	ecchymose
ecto	au-dehors	ectoplasme
en-	dans	encyclopédie
endo-	à l'intérieur de	endocarde
ép-, épi-	sur	épiderme
eu-	bien	euphorie
exo-	en dehors	exogène
hémi-	moitié	hémisphère
hyper-	excès	hyperactivité
hypo-	insuffisance	hypotension
	au-dessous de	hypocentre
méta-	succession	métaphase, métamorphose
	changement	métalangue
par-, para-	contre	paradoxe
	voisin de	parafiscalité
péri-	autour de	périmètre
pro-	avant	prolégomènes
	favorable à	profrançais
syl-, sym-,	avec, ensemble	syllabe, symétrie,
syn-, sy-		symphonie, synonyme

Remarque : Il est évident que la valeur indiquée pour les différents préfixes n'est que très générale et ne tient donc pas compte de nuances parfois très importantes.

1.8.2.1.2 La suffixation

On appelle suffixation l'ajout d'un suffixe à un mot ou à un radical. Il faut noter encore que certains suffixes peuvent s'ajouter à un nom propre pour en former un diminutif (Pierre + ot = Pierrot) ou pour en faire des mots nouveaux (Sade → sadisme). Le suffixe est défini comme la particule qui s'ajoute à une forme lexicale. Contrairement aux préfixes, la plupart des suffixes font passer le mot d'une catégorie grammaticale à une autre (laver : verbe → lavage : substantif). Les suffixes diminutifs, par contre, ne provoquent pas de changement de catégorie grammaticale (maison : substantif → maisonnette : substantif).

Il est difficile de déterminer le nombre exact de suffixes en français, car des considérations historiques peuvent intervenir et faire exclure certains radicaux grecs et latins. De même, on peut vouloir exclure les suffixes qui, dans l'état actuel des choses, ne sont pas distincts du radical (**ex. :** chevreuil), qui ne sont plus productifs, ou qui sont empruntés à une autre langue (**ex. :** -*ing* : camping; -*er* : reporter, leader). Quoi qu'il en soit, si l'on ne tient pas compte de certaines variantes graphiques et du grand nombre de suffixes particuliers aux diverses sciences, on peut affirmer que le français commun possède une centaine de suffixes qui servent à former des substantifs, des adjectifs ou des verbes. Le seul suffixe vivant qui sert à former des adverbes est — *ment* (**ex.:** rapidement, diablement...)

a) *Suffixes servant à former des substantifs*

	Valeur	Exemples
-age,	action;	codage, doublage, assemblage
-(i)ssage	résultat de l'action	atterrissage
-ement,	action;	groupement, conditionnement
-(i)ssement	résultat de l'action	assagissement
-tion,	action;	finition,
(-ssion,	résultat de l'action	(récession,
-xion,		connexion,
-ation,		indexation,
-ition,)		punition)
-ification/		vérification,
faction		liquéfaction,
-isation		américanisation
-ure,	résultat de l'action; ensemble	droiture, monture,
-is	résultat de l'action	fouillis, éboulis

-isme	doctrine, système, action systématisée	moralisme, platonisme, dirigisme, alpinisme
-ité	qualité	musicalité, lavabilité, solidité
-itude	qualité ou état	vastitude, amplitude négritude
-at	état; fonction	agglomérat, secrétariat, professorat
-ie, -sie, -erie	état ou qualité	mairie, allergie, euthanasie, politicaillerie
-ance, -ence, -escence	qualité	voyance, déficience, convalescence
-eur, -esse, -ise	qualité	noirceur, froideur, faiblesse, vantardise
-eur,	agent d'une action;	vendeur,
-seur, -ateur, -isateur, -ificateur	métier; appareil	autocuiseur, doseur, ordinateur, organisateur, planificateur
-euse, -atrice	machine (féminin des mots en -eur)	agrafeuse, niveleuse, perforatrice, génératrice
-ier/ière,	métier ou fonction;	chansonnier, laitière,
-tière	machine ou appareil	cafetière, coquetier, plafonnier
-aire, -ien/ienne,	métier ou fonction	publicitaire, mécanicien, généticienne,
-iste		dentiste

-oir/oire	appareil ou instrument	dévidoir, passoire
-erie	endroit industriel	cimenterie, conserverie
-et	diminutifs	affichette, balconet,
-ette		camionnette,
-otte		parlotte, jugeotte
-âtre	péjoratif	marâtre
-ade,	collectif ou	cotonnade, bousculade,
-aie,	résultat	roseraie,
-aille	d'une action	ferraille, mangeaille
-ée	contenu	cuillerée

b) *Suffixes servant à former des substantifs et des adjectifs*

	Valeur	**Exemples**
-ain/-aine,	origine (pays, ville)	africain, romaine,
-ais/-aise,		japonais, sénégalaise
-an/-ane,		persan, persane,
-ien/-ienne,		algérien, péruvienne,
-éen/-éenne,		ghanéen, saguenéenne,
-ois/-oise		québécois, grenobloise
-ard/-arde,	péjoratif	chauffard, vantarde,
-asse,		paperasse, blondasse,
-aud/-aude		rustaud, noiraude,
-euse		partageux
-iste	concerne un système	socialiste, activiste

c) *Suffixes servant à former des adjectifs*

	Valeur	**Exemples**
-aire,	qualité représentée	tarifaire,
-al/-ale,	par un nom	vital,
-ial,	ou un verbe	commercial,
-el/-elle,		résiduel,
-(t)iel,	Ces adjectifs	concurrentiel,
-eux/-euse,	peuvent devenir	chanceux,

-ieux, -ier/-ière, -if/-ive, -in/-ine, -ique, -oire, -esque	des substantifs.	glorieux, coutumier, compétitif, blondin, informatique, diffamatoire, livresque
-âtre	qualité; souvent péjoratif	douceâtre
-ot/-ote	diminutif; souvent péjoratif	vieillot
-able/-ible, -uble, -ant/-ante	possibilité ou capacité de faire ou subir l'action	froissable, jetable, audible, soluble, agissant
-isant/ -isante	proximité	gauchisant
-ent/-ente	qualité ou action	polyvalent
-escent/ -escente	qui commence	dégénérescent
-é/-ée, -u/-ue	qualité	dentelé, charnu

d) *Suffixes servant à former des verbes*

	Valeur	**Exemples**
-er, -ir	action	sélectionner, garantir
-ifier, -ser, -ailler, -asser, -eter, -iller, -iner, -ocher, -onner, -oter,	mettre dans un état; diminutifs fréquentatifs. Ces verbes sont parfois péjoratifs.	clarifier, tranquilliser, tournailler, traînasser, tacheter, mordiller, trottiner, flânocher, vivoter,

-ouiller,	barbouiller,
-oyer	tournoyer

Remarque : Les tableaux des préfixes et des suffixes sont inspirés de la préface du *Grand Larousse de la langue française* et de Jean Dubois, *Étude sur la dérivation suffixale en français moderne et contemporain,* Paris, Larousse, 1962.

1.8.3 Les mots composés

On appelle mots composés les signes linguistiques formés de deux mots qui existent comme mots simples ou mots dérivés, **ex. :** timbre-poste, secrétaire-trésorier.

Il est parfois difficile de savoir si on a affaire à un mot composé ou à un groupement libre. Le degré de cohésion du mot composé se mesure par le fait qu'il y a impossibilité d'insérer un qualificatif ou une autre particule devant la deuxième unité.

Ex. : navigation aérienne *et non* navigation plus aérienne
chaise longue *et non* chaise très longue.

Le français connaît un très grand nombre de mots composés : substantifs, adjectifs, verbes, adverbes et mots de relation (prépositions et conjonctions).

À titre d'exemples, on peut établir les modèles suivants qui sont les plus productifs :

a) **Les substantifs**

nom + nom : député-maire,
             timbre-poste.
nom + préposition + nom : boîte aux lettres.
nom + adjectif : coffre-fort.
adjectif + nom : petit-fils.
verbe + nom : porte-manteau.
verbe + préposition + nom : boute-en-train.
verbe + verbe : savoir-faire.

b) **Les adjectifs**

adjectif + adjectif : sourd-muet, ivre-mort.
adjectif + nom : bon marché.
verbe + complément : pince-sans-rire.

c) **Les verbes**

Les verbes qui permettent de former un mot composé sont en général les suivants: avoir, faire, garder, laisser, mettre, porter et rendre.

Ex. cessez-le-feu;
        garde-manger;

laissez-passer;
porte-monnaie;
rendez-vous;

1.8.4   Les mots «recomposés»

On appelle mots recomposés les signes linguistiques dont un élément au moins n'a pas d'existence autonome dans la langue, sauf parfois comme abréviation. Ce sont, en règle générale, les mots formés à l'aide d'éléments grecs ou latins, **ex. :** télévision → télé, tératologie. Les recomposés appartiennent la plupart du temps aux lexiques spécialisés des sciences et des techniques. Certains de ces mots pénètrent dans le vocabulaire courant grâce à la vulgarisation par la presse et la publicité, **ex. :** biodégradable, vermifuge. La plupart des mots ainsi formés sont des substantifs ou des adjectifs. Les verbes sont formés avec les suffixes -*er* ou -*ier,* **ex. :** lithographier. Certains éléments servant à la formulation de ce type de mots peuvent se trouver au début ou à la fin d'un mot, **ex. :** graphologie et orthographe, d'autres, au contraire, sont toujours au début, **ex. :** carni-, multi-, hippo-, ou toujours à la fin, **ex. :** -cide, -fuge, -thèque. Il serait fastidieux, sinon impossible de donner la liste complète de tous ces éléments puisque chaque science ou technique a son propre réservoir et spécialise l'utilisation. Si la chimie forme beaucoup de mots avec -hydrique (chlorhydrique), -oïque (éthanoïque), les sciences naturelles avec -inées (abiétinées) -pare (ovipare), -phage (ophiophage), -gamie (siphogamie), la médecine avec -algie (gastralgie), ptose (néphroptose), etc., on retrouve cependant un certain nombre de ces éléments dans la langue générale. À titre d'exemples, mentionnons :

Élément	Sens	Exemple
aéro-	air	aérodrome
biblio-	livre	bibliographie
géo-	terre	géologie
homi-	homme	homicide
igni-	feu	ignifuge
lacto-	lait	lactose
lingui-	langue	linguistique
pisci-	poisson	pisciculture
simili-	semblable	similigravure
-crate	qui commande	technocrate
-cratie	pouvoir	bureaucratie
-graphe	écrire	dactylographe
-graphie	écrire	sténographie
-logie	science	sociologie
-logue	spécialiste	géologue
-logiste	spécialiste	physiologiste
-phone	voix	francophone

1.8.5   Les locutions

On définit la locution comme une expression formée de plusieurs mots et constituant une unité figée. Les locutions, dans la plupart des cas, n'ont qu'un sens métaphorique. La liste des locutions est fort longue et il est impossible de les citer toutes. On peut cependant tenter un certain classement sémantique et donner quelques exemples :

a)   **locutions tirées de la vie quotidienne**
   voler de ses propres ailes
   tirer la couverture à soi
   marcher sur des oeufs
   acheter chat en poche

b)   **locutions tirées de la vie économique et sociale**
   mettre au ban de
   avoir voix au chapitre
   aller sur les brisées de quelqu'un
   battre en brèche
   jouer cartes sur table
   faire la navette
   faire le bilan de

c)   **locutions tirées de l'héritage culturel**
   tomber de Charybde en Scylla
   pauvre comme Job
   s'en laver les mains
   jeter des perles devant les pourceaux
   tuer la poule aux oeufs d'or

La langue crée aussi des locutions en utilisant ce qu'on peut appeler la fonction ludique du langage, c'est-à-dire par le jeu des mots. Ainsi on trouve des locutions faisant appel à toute une série de procédés stylistiques : exagération (couper un cheveu en quatre, tondre un oeuf), comparaison (mentir comme un arracheur de dents, raisonner comme une pantoufle), allitération (qui vole un oeuf vole un boeuf, qui se ressemble s'assemble), calembour (remettre à la Saint-Glinglin, mettre les pieds dans le plat).

1.8.6   Les abréviations

La formation par abréviation, c'est-à-dire par la suppression de syllabes d'un mot senti comme trop long, est un autre procédé de formation de mots. C'est par ce procédé que véhicule automobile est devenu automobile puis auto. D'habitude on ne conserve que les deux ou trois premières syllabes. À titre d'exemple on peut citer les mots suivants :

métro	de	métropolitain
micro	de	microphone
photo	de	photographie
stylo	de	stylographe

polio	de	poliomyélite
météo	de	météorologie
cinéma	de	cinématographe
ciné	de	cinéma
pneu	de	pneumatique
vélo	de	vélocipède

L'existence d'un certain nombre de mots en *-o*, créés par abréviation, a donné naissance à un nouveau suffixe *-o* que l'on retrouve dans la langue populaire ou argotique :

métallurgiste	→	métallo
apéritif	→	apéro
cuisinier	→	cuistot
mécanicien	→	mécano

Un autre exemple de formation par troncation est l'exemple d'omnibus. Cette fois-ci les premières syllabes ont été supprimées et l'on a obtenu le mot bus et le suffixe bus que l'on retrouve dans des créations telles que bibliobus et autobus.

Certains mots créés par troncation peuvent servir de radical de départ pour la création d'autres mots par composition et dérivation.

Ex. : auto → autoroute, restoroute
ciné → cinéaste, cinéphile
télé → télévisuel, téléroman

1.8.7   Les sigles et les acronymes

On appelle sigle une initiale ou une suite d'initiales qui servent d'abréviation.
Ex. : C.E.G.E.P. → Collège d'enseignement général et professionnel;
U.R.S.S. → Union des républiques soviétiques socialistes.

On appellera acronyme un sigle qui est formé par les premières lettres d'une expression composée et qui se prononce comme un mot.
Ex. : Cegep, Urss, Adac (Avion à Décollage et Atterissage Court), Radar (Radio-Detecting and Ranging).

Ces derniers peuvent devenir de véritables mots de la langue se soumettant aux procédés de dérivation et de composition.
Ex. : adac - adacport, nazi - nazisme, cegep - cégépien.

1.9   SENS PROPRE — SENS DÉRIVÉ

Nous avons dit que l'association entre un signifiant et un signifié donnait naissance à un signe linguistique. Pour qu'il y ait un signifiant, il faut qu'il y ait aussi un signifié, c'est-à-dire un concept qui désigne une réalité de la pensée. La première désignation de ce concept est généralement appelée le *sens propre* du mot.
Ex. : aile, cheval, plume

Mais dès ce moment, par analogie, le signe linguistique peut subir un enrichissement de sens et désigner un concept nouveau. Ainsi, on parlera des ailes d'un moulin, d'une plume de stylo, d'un cheval-vapeur. Dans tous ces exemples, le sens propre du signe linguistique a cédé sa place à ce qu'il est convenu d'appeler le *sens dérivé*.

Remarquons que c'est là un autre mode d'enrichissement du vocabulaire.

1.10   CHANGEMENT DE SENS

Les mots changent de sens. L'évolution des techniques, des institutions, des moeurs force les mots à acquérir des sens nouveaux. Lorsque l'objet change, le signe linguistique qui le désignait voit son signifié changer de nature : la plume pour écrire n'est plus une plume d'oiseau; le papier n'est plus une feuille de papyrus. De même, les progrès de la science livrent une connaissance nouvelle des aspects du réel et transforment le contenu des mots : nous parlons des constituants de l'atome alors que par définition atome désignait autrefois la plus petite partie de la matière, que l'on croyait insécable.

Les changements sociaux imposent, eux aussi, aux mots des valeurs nouvelles en transformant leur valeur affective et leur contenu social : les mots *liberté, démocratie, parlement,* etc. n'ont plus le même sens qu'au XVIIIe siècle.

Très souvent aussi les usagers de la langue oublient le premier sens d'un mot. La valeur étymologique s'estompe peu à peu et le mot prend un sens nouveau. L'exemple le plus connu est sans doute le mot *tête* qui, à l'origine, désignait un pot de terre. La métaphore ainsi créée a peu à peu imposé un glissement de sens et a fini par désigner normalement la chose. Ce procédé métaphorique constitue sans doute le mode le plus riche de nomination.

Ex. : boule-de-neige, étoile de mer, gueule-de-loup, oeil-de-boeuf.

Lorsqu'un mot appartenant à un vocabulaire spécialisé passe dans la langue commune, il subit généralement une transformation de sens. Ainsi le mot *arriver* a perdu son sens d'atteindre la rive et signifie, de nos jours, atteindre un point quelconque. On passe donc ici de la spécialisation d'un terme à une généralisation. Inversement cet élargissement ou extension du sens peut se perdre, et le mot est alors marqué par une restriction de son sens. Un exemple devenu classique est le mot *traire* qui signifie «tirer». L'utilisation de ce terme dans un contexte spécial a éliminé le sens de base et a restreint son aire d'application.

Un mot peut encore changer de sens par *contagion*. Lorsque deux mots sont souvent associés, ils peuvent réagir l'un sur l'autre et ainsi acquérir un sens nouveau. Ainsi étymologiquement «rien», «pas», «point», «aucun» n'avaient pas une valeur négative, mais comme ils se trouvaient la plupart du temps dans des phrases négatives, ils ont fini par acquérir leur sens actuel.

Ces glissements de sens sont particulièrement fréquents parmi les groupes de mots que l'on appelle les «faux amis» (voir chapitre VI, §4.2.1 (b), page 199). Deux langues voisines, comme l'anglais et le français, à cause de la présence d'un vocabulaire étymologique commun, s'influencent réciproquement. La similitude de la forme d'un vocable entraîne une contamination sémantique. L'exemple le mieux connu est celui de «réaliser» qui a fini par acquérir le sens de «to realize», c'est-à-dire de «se rendre compte».

À toutes ces causes de changement, il faut ajouter l'étymologie populaire. On attribue à un mot une origine et une formation fantaisistes. Les exemples les plus connus sont «jour ouvrable», senti comme jour où l'établissement est ouvert (alors que l'adjectif «ouvrable» est dérivé du verbe «ouvrer», se livrer au travail), et «faubourg» compris comme faux bourg et non comme «fors-bourg», c'est-à-dire en dehors du bourg.

1.11   L'ÂGE DES MOTS

Nous avons vu que le signifiant lié au signifié pour former le signe linguistique est arbitrairement choisi mais imposé à la masse parlante. Autrement dit, chaque signe linguistique est marqué par son caractère d'immutabilité, car sans cette valeur la communication serait inefficace. En même temps, toutefois, nous devons constater que le signe linguistique subit des changements :

— changements phonétiques qui modifient le signifiant,
— changements sémantiques qui transforment le signifié.

Il peut donc sembler paradoxal de vouloir mettre en relief à la fois le caractère d'immutabilité et de mutabilité du signe linguistique, mais il ne faut pas oublier que ces changements se font dans le temps et imperceptiblement.

À toutes les époques, la langue apparaît comme l'héritage de l'époque précédente, héritage non pas global mais transmis à l'autre génération par un apprentissage particulier. L'enfant, en effet, apprend les mots qu'il entend prononcer par son entourage et s'exerce à les répéter. C'est ainsi que des associations s'établissent dans son esprit qui peuvent «colorer» certains vocables et leur donner un sens assez personnel. La relation d'apprentissage entre l'émetteur et le récepteur est soumise à toute une série de particularités qui dépendent à la fois du récepteur et des influences transmises par l'émetteur. L'expression orale évolue ainsi d'une génération à l'autre.

Nous avons vu que la transmission orale du latin a donné naissance au français. Dans ce passage, la chute de la syllabe finale (apocope) constitue un changement important (**ex. :** homo > on). Cette même tendance persiste encore de nos jours, et chacun sait que les mots «auto» et «télé» proviennent de l'amputation des termes «automobile» (déjà amputé de voiture) et «télévision». De même tout le monde reconnaît dans «météo», météorologie, dans «stylo», stylographe, «vélo», vélocipède, etc. Il est aussi possible de couper la première syllabe d'un mot (aphérèse) jugé trop long. L'exemple classique est «bus» qui provient de l'amputation d'omnibus. Chaque fois que l'on peut faire une économie en ne retenant que la première partie d'un mot, on ampute un mot jugé trop long.

Il faut encore signaler toutes les transformations que subissent les mots à cause d'une certaine difficulté de prononciation ou même d'une mode qui s'impose. Beaucoup de gens prononcent, à tort, «pneu» comme si le mot s'écrivait «peneu», de même l'on entend «pneumonie» sans percevoir le *p*. Notons aussi en passant la transformation de la prononciation des mots terminés par le suffixe -*isme* où l'on entend, en Europe, de plus en plus le *s* comme *z*; il en va de même pour la nasale «un» que l'on prononce «in».

La langue écrite exerce, elle aussi, une influence sur la prononciation des mots. Le procédé qui consiste à se servir de sigles ou d'assemblages d'initiales de mots pour désigner des organismes ou des choses tend de plus en plus à se répandre. On parle ainsi de l'U.R.S.S., de l'Unesco, de l'ONU, de radar, etc. La lecture influe aussi sur la prononciation. De plus en plus, on entend *gageure*, prononcé comme «heure», *cerf* avec un *f*, etc. La langue subit donc un changement constant où l'action de la langue parlée et celle de la langue écrite jouent un rôle important.

De temps à autre, un terme se cristallise dans une expression et forme une unité figée. Autrement dit, le mot perd son autonomie et subsiste uniquement dans la langue avec une signification très spéciale liée aux circonstances où il s'est trouvé employé. La langue renferme ainsi toute une série de mots figés et qui sont appelés archaïsmes; **ex.:** au *fur* et à mesure, se tenir *coi*, chercher *noise* à quelqu'un, de bon *aloi,* etc. L'existence de ces archaïsmes donne une vie au ralenti à ces termes que l'usage a figés. On peut classer dans cette catégorie les locutions stéréotypées de la langue; **ex.:** se ressembler comme deux gouttes d'eau, menteur comme un arracheur de dents, maigre comme un clou, etc.

L'usage que l'on fait d'un mot décide de sa signification et de son autonomie. Il s'établit une sorte de convention à son sujet. Telle locution nouvelle reçoit une approbation des usagers et s'installe alors dans la langue. Son existence est cependant soumise à toute une série d'avatars : si l'usage a imposé telle ou telle locution à cause d'une certaine mode, il est probable que sa vie ne durera que le temps de la mode, puis le terme sera refoulé et tombera en désuétude. Les langues modernes éprouvent un besoin perpétuel de renforcer le sens des mots, de créer de nouvelles acceptions ou même des termes nouveaux : il suffit de penser à la langue de la publicité ou du journalisme pour s'en convaincre.

Une partie de la langue subit donc sans cesse une certaine transformation qui est encore accélérée par l'utilisation de nombreux termes empruntés aux autres langues.

1.12   LES EMPRUNTS

La langue ne se renouvelle pas seulement à l'aide de son propre fonds mais aussi par des mots venus des idiomes étrangers et par des termes tirés des langues spéciales.

1.12.1   Emprunts aux langues étrangères

Les emprunts de mots sont extrêmement fréquents entre pays voisins ou entre pays avec lesquels il y a contact pacifique ou non.

a)   Emprunts dus aux guerres

La guerre est à l'origine de nombreux apports de termes. Que l'on songe simplement à l'influence des invasions d'origine germanique après la conquête et l'occupation romaine, aux croisades, aux guerres d'Italie du XVIe siècle, aux guerres du XIXe siècle et même du XXe. Citons quelques exemples : bivouac, canon, caporal, cartouche, casemate, cible, fleuret, képi, mousquet, obus, saccager.

b)   Emprunts dus aux échanges commerciaux

Il y a aussi, heureusement, des contacts pacifiques entre les peuples. Les nécessités du commerce et de l'industrie imposent dans les échanges tout un vocabulaire. L'enrichissement de notre terminologie commerciale est dû aux Arabes, durant tout le Moyen Âge, à l'Italie, pendant la même période et par la suite. L'Espagne et le Portugal ont aussi apporté leur contribution. Mais c'est à l'Angleterre, à partir du XVIIIe siècle, que nous devons le plus dans ce domaine. Citons quelques exemples: alcool, orange, banque, banqueroute, coton, douane, escroquer, police (d'assurance), riz, sucre, tarif, trafic, tabac, maïs, est, chèque.

Aujourd'hui, il n'est plus de pays qui puisse, sur le plan linguistique, demeurer à l'écart des grands courants commerciaux, industriels et financiers.

1.12.2   Emprunts aux langues spéciales

Nous rangeons dans cette catégorie les mots qui appartiennent à un groupe social ou professionnel à l'intérieur du fonds national. Les termes empruntés proviennent des vocabulaires spéciaux des professions, des métiers et autres occupations. Il convient de mentionner ici les emprunts faits aux argots. Citons quelques exemples : complexe, débarquer, embarquer, motivation; bûcher, paumer, potasser, rigoler.

1.12.3   Conclusion

Les emprunts dépendent des rapports qui existent entre les peuples. Si ces rapports se multiplient, les emprunts se multiplient aussi à condition que l'un des deux pays possède un domaine où sa supériorité est marquée. Les apports varient suivant les époques et les circonstances sociales. Ces emprunts peuvent subir toute une série de transformations, et il n'est pas inutile de savoir si le mot étranger a été introduit par la voie orale ou par la voie écrite, car sa physionomie change. Si le mot est lu sans que le lecteur en connaisse la prononciation originale, ce mot subit une transformation totale en s'adaptant au système phonétique de la langue emprunteuse; si au contraire, le mot est introduit uniquement par la voie orale, il a tendance à conserver sa prononciation originelle.

Ex. : *riding coat* > redingote; jeep [dʒip].

Notons encore que les emprunts pénètrent dans la langue comme des éléments isolés que l'on peut ranger en deux catégories : les emprunts nécessaires et les emprunts inutiles.

Les emprunts nécessaires permettent de désigner une réalité ou un concept nouveaux. Ces termes subsistent tant que leur nombre ne dépasse pas une certaine limite. Dans le cas contraire, il y a réaction et essai de remplacement, parfois partiel, par des termes autochtones. Cette substitution peut se faire de différentes façons, soit par élargissement de sens d'un vocable qui existe déjà (emprunt sémantique), soit par simple calque, c'est-à-dire par traduction.

Dans la catégorie des emprunts inutiles, il convient de ranger tous les termes qui n'apportent rien de nouveau et qui, la plupart du temps, sont dus soit à l'ignorance du terme déjà existant dans la langue, soit à la recherche d'un pittoresque d'où le snobisme n'est pas exclu.

La liste des emprunts faits par le français est donc fort longue, surtout si l'on y ajoute tous les termes qui ont été empruntés directement au latin et au grec. Ces deux langues ont fourni à elles seules la plus grande partie de notre vocabulaire savant. Depuis les temps les plus anciens et jusqu'à nos jours, le latin et, à un degré moindre, le grec, ont servi de point de départ pour la fabrication des néologismes dont nous avons eu besoin.

1.13 LES NÉOLOGISMES

Nous avons vu que le français formait des mots nouveaux ou néologismes en utilisant les divers procédés de la préfixation, de la suffixation, de la composition, de la siglaison, etc. Rarement la langue crée des mots à partir de rien. Le seul mot inventé de toute pièce est, paraît-il, le terme gaz[1]. En règle générale, la création néologique suit un modèle.

---

1. En réalité ce mot fut créé par Van Helmont d'après le latin chaos.

Par exemple, si on a $\dfrac{\text{réaction} \;\rightarrow\; \text{réactionnaire}}{\text{répression} \;\rightarrow\; ..\;\chi\;..}$, il sera facile de créer *répres-
sionnaire*. Comme on le voit, la création se base sur le principe de l'analogie. La langue ne crée pas des mots par plaisir, mais par nécessité. Le besoin de nommer une réalité physique ou mentale nouvelle impose un mot nouveau. Ce mot nouveau peut être un sens nouveau donné à un mot ancien. Par exemple :

locomotive = personnalité dynamique, prestigieuse, qui a du talent.
Cette entreprise risque de connaître de sérieuses difficultés avec le départ de sa locomotive.

tournant = changement, modification.
Le secrétaire a démissionné parce qu'il n'a pas su prendre le tournant.

parachuter = imposer quelqu'un dans un milieu où il est inconnu.
La direction a parachuté un nouveau cadre.

À côté de ces créations faites à l'aide des ressources internes du français, il existe la création par emprunt. L'emprunt peut devenir un calque, **ex. :** *week-end* = fin de semaine, rester tel quel dans la langue à condition qu'il puisse s'adapter au système phonologique et morphologique, **ex. :** reporter, ou servir de point de départ à une création, **ex. :** *factoring* = affacturage, *allotment* = allotissement, *hot money* = capitaux fébriles, *marketing* = mercatique.

Un autre moyen de créer des néologismes est l'utilisation du procédé appelé formation par mot-centaure ou mot-valise qui consiste à amputer deux mots pour en faire un seul.

Ex. : *futuribles* : formé à partir de *futur* et de *possibles* (exploration des futurs possibles).
publipostage : formé à partir de *publicité* et de *poste* (prospection, démarche ou vente par voie postale).

1.14 COMMENT ENRICHIR SON VOCABULAIRE

La connaissance que nous avons de notre langue est en grande partie fonction de notre culture. Nous avons vu que bon nombre de mots nouveaux apparaissent tous les jours, que d'autres se transforment et changent de sens et que certains termes sont inacceptables soit parce qu'ils ont vieilli, soit parce que leur coloration affective ne sied pas toujours aux circonstances où l'on doit les utiliser.

La seule façon «d'être à jour», et cela est important, car ce n'est qu'ainsi que l'on peut faire face à ses responsabilités, est d'enrichir son vocabulaire par la lecture. La lecture est non seulement un plaisir personnel mais aussi une source de renseignements inégalable. Il faut donc se montrer curieux et chercher à en tirer tout le profit possible.

Une personne cultivée lit beaucoup. On peut diviser les lectures en trois grandes catégories :

a)   *Les lectures générales ou littéraires,* c'est-à-dire les livres qu'il faut lire parce qu'ils sont un élément de culture indispensable et permettent de mieux se pénétrer de toutes les ressources de la langue. Ce commerce intime avec les bons auteurs est aussi une occasion de réflexion sur la vie humaine.

b)   *Les lectures spécialisées,* c'est-à-dire les livres, les articles et les revues liés à un travail ou un domaine de connaissances. Ces lectures peuvent nous apporter des renseignements précieux et nous aider à trouver des solutions à nos problèmes d'ordre professionnel, tout en nous faisant connaître la terminologie propre à notre activité. La lecture est alors un complément de formation, un moyen d'accroître notre compétence.

c)   *Les lectures d'information,* c'est-à-dire les journaux, articles et revues qui concernent surtout l'actualité et qu'il faut lire simplement pour se tenir au courant des événements et pour pouvoir porter des jugements. Un autre moyen pour enrichir son vocabulaire est la lecture de catalogues. Ceux-ci contiennent en effet de nombreux renseignements sur les produits, les outils et les instruments les plus divers.

SECTION 2

Le mot juste

2.1   GÉNÉRALITÉS

L'utilisation de la langue est presque toujours liée à une activité sociale. En effet, nous ne parlons ni n'écrivons pour nous seuls, mais le faisons dans une situation de communication. Pour que celle-ci soit efficace, c'est-à-dire pour qu'il y ait compréhension et réaction de la part de l'interlocuteur, il faut que non seulement le contenu du message, mais aussi la manière de l'exprimer soient bien choisis. La clarté du message est conditionnée par le choix judicieux des mots, des constructions grammaticales et du niveau de langue approprié à la situation.

Parmi tous les mots de la langue française, il n'y en a qu'un seul qui puisse rendre une certaine idée ou désigner une certaine chose. Ce mot juste, on ne le rencontre pas toujours en parlant ou en écrivant, mais il existe. Chaque terme de la langue possède une signification intrinsèque définie rigoureusement par le dictionnaire et qui s'oppose par un nombre plus ou moins grand de traits distinctifs à la signification d'un autre mot qui appartient à la même sphère notionnelle. Il faut cependant rappeler que le mot juste n'est pas forcément un mot rare.

Le mot juste s'oppose essentiellement au mot vague, c'est-à-dire à un terme qui désigne trop de choses ou exprime une idée trop générale. Par exemple, si l'on veut choisir le mot juste pour désigner la rétribution ou la rémunération d'une personne, il faudra parler de *salaire* pour un ouvrier, d'*appointements* pour un cadre, de *dividendes* pour un actionnaire, de *jetons de présence* pour un administrateur, de *commission* pour un vendeur, d'*honoraires* pour un conseiller juridique, de *rentes* pour un retraité; sans parler des nombreux autres termes de cette série synonymique: *allocation, cachet, casuel, émoluments, feux, gages, gratification, indemnité, mensualité, pourboire, secours, solde, subvention, traitement, vacations,* etc. Inversement des expressions comme *livre de comptabilité* et *registre de comptabilité* peuvent être considérées comme des synonymes parfaits, car elles ne dénotent aucune différence de sens, de niveau ni de fréquence.

Si le mot utilisé dans un texte est mal choisi, il ne sert à rien de l'entourer d'une série d'épithètes ou de compléments. L'agencement de mots justes selon un ordre grammatical rigoureux aboutit à la création de phrases dépouillées où chaque terme joue exactement son rôle. C'est là le secret du langage «efficace».

2.2 LES NIVEAUX DE LANGUE

Le langage ne peut être efficace que s'il tient compte de toute une série de facteurs liés au sujet traité, aux circonstances et au destinataire. Si la fonction de communication est constante, — sans quoi il n'y a plus transmission du message, — il n'en va pas de même des autres fonctions du langage. On peut donc tenter un classement des niveaux de langue en se fondant sur la prédominance de telle ou telle fonction du langage. On distingue habituellement quatre niveaux de langue : a) le niveau recherché; b) le niveau correct; c) le niveau familier; d) le niveau populaire.

a)   *Le niveau recherché* — Dans le niveau recherché, la fonction esthétique prédomine. C'est le registre de langue qui sélectionne soigneusement les mots en fonction de leur valeur évocatrice, très souvent à cause de leur rareté ou de leur pouvoir de suggestion. La construction des phrases et leur enchaînement sont aussi choisis avec beaucoup d'attention : phrases complexes, métaphoriques et rythmées. C'est le style que l'on retrouve dans les textes littéraires.

Ex. : père d'un jeune homme = l'auteur de ses jours
          lettre = missive

«J'ai toujours, devant les yeux, l'image de ma première nuit de vol en Argentine, une nuit sombre où scintillaient seules, comme des étoiles, les rares lumières éparses dans la plaine.»

Antoine de Saint-Exupéry
Terre des hommes

«Mais, ce soir-là, veille du départ, tout ce qu'il avait eu la faiblesse de taire lui remontait au coeur. Au feu de cette lampe qui allumait des escarbilles en ses regards, il avait l'air d'un forgeron martelant des pensées de fer.»

Félix-Antoine Savard
Menaud maître-draveur

b) *Le niveau correct* — Le niveau correct se soucie également du mot juste, dans des textes où la subjectivité du rédacteur a moins de part. Les phrases et leur enchaînement sont soigneusement déterminés, quoique sans recherche stylistique. Si la fonction de communication prédomine, on a un style d'exposition de faits, caractéristique des textes officiels et du langage journalistique. Mais, selon les circonstances, le locuteur, tout en respectant la primauté de la fonction de communication, peut aussi utiliser la fonction expressive pour montrer son affectivité (approbation ou désapprobation, par exemple, dans un texte polémique), ou encore la fonction appellative s'il s'agit de provoquer chez l'auditeur certaines tonalités affectives ou incitatives. Cette dernière fonction se retrouve notamment dans la publicité.

Ex.: père d'un jeune homme = le père d'un jeune homme
Avec le dentifrice X, haleine fraîche, dents blanches

«Tout un art de vivre est résumé dans ces pierres. Dans maints châteaux, le visiteur peut suivre de pièce en pièce l'évolution de la société française bien mieux que dans un livre.»

Jacques Houlet
Parcs et châteaux de France

«Objet : Règlement de certaines dépenses occasionnées par les sessions d'information et les stages de formation et de perfectionnement.»

«Tandis que les corps composés sont en nombre considérable, on ne connaît jusqu'ici qu'un petit nombre de corps simples, 80 environ, qui se partagent en deux groupes : les métalloïdes et les métaux.»

P. Massoulier
Éléments de chimie

«Votre épouse, Monsieur, vous saura gré de posséder un tel ouvrage, à l'heure où la promotion professionnelle devient une lutte quotidienne, à l'heure où seuls ceux qui savent aujourd'hui ce que d'autres sauront demain accèdent aux situations élevées et bénéficient ainsi d'une promotion sociale.»

Publicité pour l'Encyclopédie Quillet

c) *Le niveau familier* — Le niveau familier ne se soucie que très peu du mot juste et privilégie le mot le plus commun. Les phrases sont en général beaucoup plus simples. Le locuteur utilise la fonction de communication du langage et, selon les circonstances, peut faire appel aux fonctions expressive et appellative pour provoquer chez l'allocutaire les réactions souhaitées. Le niveau familier est normalement conforme au bon usage, mais compte sur d'autres moyens d'expression, tels le geste et l'intonation, pour compléter le message.

Ex.: père d'un jeune homme = le papa du petit
livre (niveau correct) = bouquin (niveau familier)

«Dans ce temps-là, on n'avait pas toutes ces distractions. Le soir, on allait dehors et on prenait l'air. Les enfants jouaient et les parents causaient.»

«Tu as été chic de m'envoyer ce bouquin pour Noël. Ça faisait longtemps que je voulais le lire et je n'arrivais pas à le trouver.»

d) *Le niveau populaire* — Le niveau populaire utilise une langue relâchée, souvent émaillée d'expressions argotiques. Ce niveau n'est pas conforme au bon usage et privilégie la fonction phatique, d'où toute recherche expressive consciente est absente, mais où souvent une identité sociale marquée peut s'affirmer spontanément.

Ex.: père d'un jeune homme = le dab au môme, le vieux du p'tit
eau (niveau correct) = flotte (niveau populaire)
vin (niveau correct) = pinard (niveau populaire)

«Y m'demande, comme ça, si chus madame Germaine Lauzon, ménagère. J'dis qu'oui, que c'est ben moé. Y m'dit que c'est mes timbres. Me v'là toute énarvée, tu comprends. J'savais pas que c'est dire . . . Deux gars sont v'nus les porter dans'maison pis l'autre gars m'a fait un espèce de discours . . . Y parlait ben en s'il-vous-plaît! Pis y'avait l'air fin! Chus certaine que tu l'aurais trouvé de ton goût, Linda . . .»

(Michel Tremblay,
Les belles-soeurs,
Théâtre vivant 6, p. 8)

2.3   LANGUE PARLÉE ET LANGUE ÉCRITE

Il va sans dire que ces niveaux de langue, qui concernent surtout la *langue écrite*, s'appliquent néanmoins aussi à la *langue parlée*. On ne cherchera évidemment pas à écrire comme on parle et inversement. En effet, la langue parlée est souvent incorrecte et le message linguistique est incomplet, car il est lié à toute une série de facteurs non linguistiques qui s'y ajoutent. Ainsi les gestes, les attitudes corporelles, la mimique, l'intonation, le rythme de la phrase, les particularités de prononciation, de même que le contexte situationnel donnent une série de renseignements visuels ou auditifs immédiats qui facilitent la compréhension.

La langue parlée dispose de plusieurs possibilités phonétiques pour mettre en relief une idée. Elle peut utiliser une gamme articulatoire extrêmement riche pour acheminer le message et l'entourer d'indices stylistiques révélateurs. Elle peut supprimer les e muets, écraser certaines syllabes, ou, au contraire, les faire ressortir. Elle peut encore créer ou supprimer des géminées, varier le débit, déplacer l'accent tonique, marquer des nuances par l'intonation. Ainsi, un débit rapide sera souvent le signe d'une émotion très vive ou la marque d'un intérêt médiocre pour une chose. Un débit lent, saccadé cherchera à montrer une certaine solennité ou une insistance. Le déplacement de l'accent de la dernière syllabe à une autre pourra mettre en relief telle ou telle notion.

Alors que la langue écrite ne possède que des signes de ponctuation, la langue parlée dispose de l'intonation pour marquer certaines nuances et même guider l'interprétation.

Ex. : Il arrivera lundi. (constatation)
Il arrivera lundi? (interrogation)
Il arrivera lundi! (satisfaction, contrariété, etc.)

2.4 LANGUE COMMUNE ET TERMINOLOGIE SPÉCIALISÉE

Chaque profession, chaque métier, chaque secteur de la vie humaine recourt à un certain nombre de termes spécialisés qui lui sont propres. Ces termes, qui ne sont familiers qu'aux usagers de cette sphère d'activité, forment une terminologie particulière. La personne qui exerce tel ou tel métier devra donc être initiée au vocabulaire propre à son activité. Néanmoins, sur le plan grammatical, ce vocabulaire spécialisé s'ordonne selon les procédés normaux du français et fait appel à une bonne part du lexique commun.

La langue commune est celle qui permet à toutes les personnes d'une même communauté linguistique de communiquer entre elles spontanément. On peut représenter la langue commune, dans un schéma, par un cercle qui symbolise le code linguistique connu de tous les sujets parlants et constituant la base sur laquelle s'appuient toutes les terminologies spécialisées. Cette langue commune est formée d'environ 5 000 mots. Si l'on ajoute à ce cercle une série de pointes, on a alors une représentation des terminologies spécialisées: chaque pointe représente un vocabulaire lié à telle ou telle profession, à tel ou tel corps de métier. Par exemple, si la langue commune parle de *facture*, la langue technique fera une différence entre *facture, compte, addition, note, relevé de compte* et *quittance*. De même ce que la langue commune désigne par *article* dans une liste, devient *poste* pour un budget, *rubrique* pour un catalogue et *écriture* en comptabilité. S'il s'agit d'aide financière, la langue commune emploiera *aide* ou *secours* et la langue technique utilisera la terminologie suivante : *aide, secours, assistance, indemnité, allocation, prestation, subvention, subside, encouragement, prime*, etc. Là où le commun des mortels parlera d'*agrafe*, la secrétaire fera une différence entre *trombone, attache de bureau, attache parisienne, agrafe, pince-notes*, etc. Là où nous tous parlons de *taxe* ou d'*impôt*, certaines institutions préféreront utiliser les termes *charge, contribution, cote, droit, fiscalité, levée, patente, prestation, redevance, surtaxe, taxe à la valeur ajoutée* (T.V.A.), etc.

2.5   LANGUE NEUTRE ET LANGUE AFFECTIVE

Il est généralement admis que le signe linguistique contient un noyau significatif qui délimite la notion définie et que, tout autour de ce noyau, du moins pour certains mots, il y a une zone plus ou moins importante, une espèce de halo, qui «colore» le signe linguistique, c'est-à-dire lui transmet un certain pouvoir d'évocation.

Mon expérience personnelle peut pourvoir un mot d'une valeur affective spéciale qu'une autre personne ne connaît pas. Par exemple, le mot chien peut évoquer pour moi ce magnifique petit teckel avec lequel je jouais autrefois et que j'aimais beaucoup, alors que, pour une autre personne, ce mot évoquera un animal qui provoque la crainte. Ces expériences sont évidemment transmissibles et font appel à la fonction expressive du langage, mais leur possibilité d'évocation n'est le plus souvent que passagère et la langue n'en conservera nulle trace.

Il existe cependant dans la langue, à côté des signes linguistiques neutres ou encore appelés intellectuels, des mots qui possèdent une coloration évocatrice. C'est souvent la cooccurrence des mots qui donne au signe linguistique une valeur particulière. Les signes linguistiques peuvent donc se répartir en deux groupes :

— signes linguistiques neutres ou intellectuels, c'est-à-dire sans pouvoir d'évocation, à valeur simplement significative;
— signes linguistiques affectifs, c'est-à-dire avec une valeur évocatrice certaine.

La langue neutre est celle qui utilise les termes où l'aspect intellectuel domine. Au contraire, une langue affective met surtout en relief les vocables où l'aspect affectif est prépondérant. Par exemple, si *succès, travail, marchandise, publicité* sont des mots neutres, c'est-à-dire sans charge évocatrice, les mots *triomphe, corvée, camelote, propagande* au contraire, sont des vocables où l'aspect affectif est important.

Parfois le sens d'un mot finit par ne retenir que la valeur affective qui s'y est peu à peu attachée. L'exemple classique est le mot garce, qui n'était autrefois que le féminin de garçon.

La langue administrative et commerciale, à l'exception de la publicité, utilise presque uniquement des termes neutres.

Ex. : Neutre	Affectif
cheval	canasson
gain	lucre
erreur	ânerie
de l'eau tiède	un accueil tiède
de l'air pur	une pure folie
argument de vendeur	boniment de camelot
personne	individu

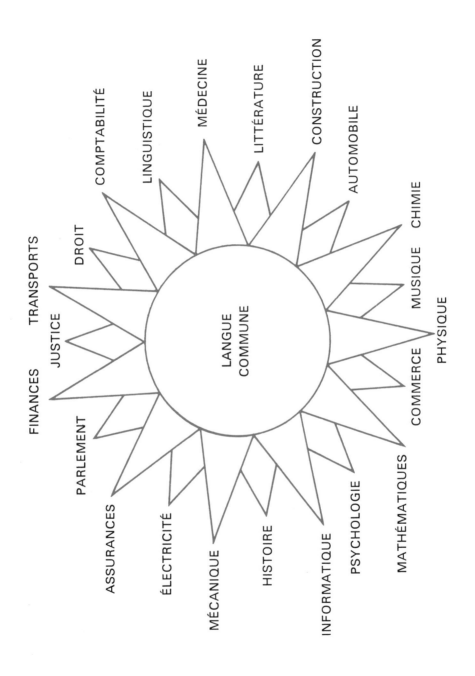

2.6 SYNONYMES ET SÉRIE SYNONYMIQUE

La langue ne connaît pas de mots ayant *exactement* la même signification; elle possède cependant des termes qui envisagent la même réalité, mais sous un angle légèrement différent. Les synonymes sont donc des mots ayant à peu près la même signification et possédant un élément qui permet de les disjoindre. Cette nuance, bien qu'elle soit parfois presque insaisissable, doit être connue par ceux qui ont le souci d'exprimer et de faire comprendre explicitement leur pensée, car elle sert à sélectionner le mot juste qui donne au texte clarté et précision.

Le terme le plus simple, le plus objectif d'une série de mots qui se rapportent à la même réalité, est appelé *terme d'identification*. L'ensemble des mots qui se rapportent au terme d'identification constitue une *série synonymique*.

Ex. : Terme d'identification : faible.
Série synonymique : chétif, débile, fragile, frêle.

Terme d'identification : vendre.
Série synonymique : bazarder, brocanter, débiter, détailler, écouler, exporter, liquider, placer, solder.

SECTION 3

Le dictionnaire

Un dictionnaire, c'est tout l'univers par ordre alphabétique.

Anatole France

Nous avons vu que, pour accroître notre lexique personnel, nous devons nous approprier les mots inconnus que nous lisons dans les journaux et les livres, ou que nous entendons à la radio et à la télévision. Nous devons chercher le sens de ces termes, vérifier leur orthographe, et ne jamais nous lasser d'être curieux. Nous avons aussi dit que seul le mot juste pouvait transmettre avec exactitude l'idée que nous voulons exprimer. La réponse à toutes les questions que nous nous posons au sujet des mots se trouve dans un dictionnaire. Ce recueil de mots est pour celui qui veut parler ou écrire correctement un outil de première nécessité, car il renferme une foule de renseignements utiles : orthographe du mot cherché, son sens propre et figuré, ses synonymes, ses antonymes, etc.

3.1 HISTORIQUE

Le dictionnaire, au sens que nous donnons aujourd'hui à ce terme, n'a fait son apparition qu'au XVIIe siècle. C'est en effet seulement à cette époque que les conditions qui doivent présider à l'élaboration d'un tel outil se sont trouvées réunies. Le français, considéré jusque-là comme une langue inférieure au latin, avait acquis la suprématie et s'était stabilisé. D'autre part, la vulgarisation scientifique se répandait et le public cultivé devenait de plus en plus nombreux.

En 1680, Richelet publie son *Dictionnaire français;* en 1690 paraît l'ouvrage de Furetière sous le titre de *Dictionnaire universel, contenant généralement tous les mots français tant vieux que modernes et les termes des sciences et des arts.* Ce n'est qu'en 1694 que l'Académie, qui avait alors un privilège exclusif, publia son *Dictionnaire de l'Académie française.* Cet ouvrage sera d'ailleurs complété par le *Dictionnaire des arts et des sciences* de Thomas Corneille.

Au siècle suivant, le goût pour les dictionnaires et plus encore pour les encyclopédies se développe, ce qui entraîne la multiplication de ces travaux lexicographiques. Citons notamment le *Dictionnaire philosophique* de Voltaire, le *Dictionnaire du commerce* de Savary des Bruslons, le *Dictionnaire universel de mathématiques* de Savérin, le *Dictionnaire de Trévoux,* le *Manuel lexique ou Dictionnaire portatif des mots français dont la signification n'est pas familière à tout le monde* de l'abbé Prévost. L'ouvrage le plus important fut évidemment *l'Encyclopédie,* qui comprenait 28 volumes, soit 17 volumes de textes in-folio et 11 volumes de planches, auxquels vinrent s'ajouter, dès 1777, 5 volumes de suppléments et 2 volumes de tables analytiques et raisonnées des matières.

Au siècle suivant, les ouvrages lexicographiques se multiplient et couvrent tous les aspects. Citons le *Dictionnaire* de Boiste, le *Nouveau dictionnaire de la langue française* de Laveaux, le *Dictionnaire général de la langue française* de Raymond, le *Dictionnaire général et grammatical des dictionnaires français* de Landais, le *Dictionnaire de l'Académie* (6e édition), le *Complément du Dictionnaire de l'Académie,* le *Dictionnaire national* de Bescherelle. Mais les ouvrages les plus importants furent le *Dictionnaire de la langue française* d'Émile Littré, le *Grand dictionnaire universel du XIXe* siècle et le *Nouveau dictionnaire de la langue française* de Pierre Larousse, et la *Grande encyclopédie.*

De nos jours, les dictionnaires sont devenus très nombreux et répondent aux divers besoins des utilisateurs. Parmi les mieux connus du public citons :

1) les Larousse
    — Petit Larousse illustré
    — Nouveau Petit Larousse en couleurs
    — Larousse classique

- Lexis, dictionnaire de la langue française
- Pluridictionnaire Larousse
- Dictionnaire du français contemporain
- Larousse 3 volumes en couleurs
- Grand Larousse de la langue française
- Grand Larousse encyclopédique
- La grande encyclopédie Larousse

2)   les Quillet
- Dictionnaire usuel
- Dictionnaire Quillet en 3 volumes
- Dictionnaire encyclopédique
- Dictionnaire Quillet de la langue française

3)   les Robert
- Le petit Robert
- Dictionnaire alphabétique et analogique de la langue française
- Le Robert, dictionnaire universel des noms propres

3.2   LES ÉLÉMENTS DU DICTIONNAIRE

Le format et le nombre de mots que contient un dictionnaire sont déterminés, du moins théoriquement, par les besoins des usagers. La quasi-totalité des dictionnaires que nous consultons rangent les mots par ordre alphabétique, ce qui permet de retrouver facilement le terme cherché. Pourtant cet ordre n'est pas sans soulever de sévères critiques; même s'il est fort pratique, il isole les mots et empêche la vision du champ notionnel d'un terme. La deuxième critique que l'on pourrait adresser à un dictionnaire est la délimitation du choix des mots. En effet, aucun dictionnaire ne peut donner tous les mots de la langue française; la plupart des dictionnaires français consacrent donc un usage normatif et n'admettent que peu de termes techniques et scientifiques, quelques régionalismes, néologismes, termes étrangers, populaires ou argotiques.

Ceci dit, que contient un dictionnaire? Tout d'abord une série de renseignements généraux, notamment une table des abréviations et des signes conventionnels utilisés, un tableau et des principes généraux de transcription phonétique, la liste des auteurs et textes cités, parfois aussi une table des affixes, des racines grecques et latines, un abrégé de grammaire et une table de conjugaison. Les dictionnaires indiquent aussi la liste des tableaux et principales illustrations; et chacun sait que le *Petit Larousse,* dans ses fameuses pages roses, donne une liste des locutions latines les plus courantes.

Ensuite le dictionnaire classe les mots par ordre alphabétique. Il est donc facile de trouver un mot, et par la même occasion, son orthographe, sa prononciation, sa catégorisation grammaticale, son étymologie, sa définition avec son sens propre, ses sens dérivés et ses antonymes. Parfois aussi le dictionnaire indiquera les dérivés du mot cherché et, s'il y a lieu, les particularités grammaticales. Certains dictionnaires donnent aussi des citations d'auteurs et des renvois à d'autres mots.

3.3 COMMENT CHOISIR SON DICTIONNAIRE

Les qualités que les usagers réclament d'un dictionnaire dépendent du prix de l'ouvrage, de son format et de son contenu.

Le prix doit être peu élevé pour en permettre l'acquisition par un grand nombre d'usagers. Le format doit être d'un maniement commode et rapide. Mais la chose la plus importante demeure le nombre de mots cités. Le dictionnaire général doit satisfaire aux besoins très divers d'un vaste public qui y recherche le plus souvent l'orthographe ou le définition des termes. Ce type de dictionnaire doit donner d'une façon très brève mais complète et pratique les définitions et les exemples tirés de l'usage et classés selon l'ordre de fréquence. En résumé, un bon dictionnaire doit :

— contenir une nomenclature assez étendue;
— offrir la clarté dans tous les domaines : textes, illustrations, tableaux;
— fournir des renseignements d'une façon rigoureuse;
— être assez bon marché;
— être d'un maniement commode.

À titre de renseignement, voici le schéma général des articles du *Trésor de la langue française,* dictionnaire en voie de réalisation au laboratoire du Conseil national de la recherche scientifique à Nancy.

1) Bibliographie des études ou ouvrages concernant le mot étudié
2) Description phonétique et phonologique
3) Description orthographique et grammaticale
4) Étymologie
5) Étude du contenu sémantique
6) Caractéristiques stylistiques
7) Fréquence des emplois
8) Liste des expressions et tournures de phrases dans lesquelles peut entrer le mot
9) Réseaux sémantiques et lexicologiques

En plus des dictionnaires de langue déjà cités, mentionnons quelques ouvrages qui les complètent et qui sont de précieux outils de consultation.

1) *Dictionnaires de synonymes et d'antonymes*
   — Bailly, R., *Dictionnaire des synonymes de la langue française,* Paris, Larousse, 1947.

- Bénac, Henri, *Dictionnaire des synonymes,* Paris, Hachette, 1956.
- Bertaud du Chazaud, Henri, *Nouveau dictionnaire des synonymes,* Paris, Hachette-Tchou, 1971.
- Dupuis, Hector, *Dictionnaire des synonymes et des antonymes,* Montréal, Fides, 1964.

2) *Dictionnaires des difficultés*
- Barrat, Alexandre et Marcel Didier, *Bodico, dictionnaire du français sans faute,* Paris, Bordas, 1970.
- Colin, Jean-Paul, *Nouveau dictionnaire des difficultés du français,* Paris, Hachette-Tchou, 1970.
- Dagenais, Gérard, *Dictionnaire des difficultés de la langue française au Canada,* Québec et Montréal, Pédagogia, 1967.
- Dournon, Jean-Yves, *Dictionnaire d'orthographe et des difficultés du français,* Paris, Hachette, 1974.
- Dupré, P., *Encyclopédie du bon français dans l'usage contemporain,* Paris, éditions de Trévise, 1972, 3 vol.
- Hanse, Joseph, *Dictionnaire des difficultés grammaticales et lexicologiques,* Amiens, Éditions scientifiques et littéraires, 1949.
- Thomas, Adolphe V., *Dictionnaire des difficultés de la langue française,* Paris, Larousse, 1956.

3) *Dictionnaires analogiques*
- Delas, Daniel et Danièle Delas-Demon, *Nouveau dictionnaire analogique du français,* Paris, Hachette-Tchou, 1971.
- Maquet, Ch., *Dictionnaire analogique,* Paris, Larousse.

4) *Dictionnaire des idées*
- Rouaix, Paul, *Dictionnaire des idées suggérées par les mots,* Paris, Armand Colin, 1960.

5) *Dictionnaires étymologiques*
- Bloch, Oscar et Walther von Wartburg, *Dictionnaire étymologique de la langue française,* Paris, Presses universitaires de France, 1960.
- Dauzat, Albert, Jean Dubois et Henri Mitterand, *Nouveau dictionnaire étymologique,* Paris, Larousse, 1969.
- Picoche, Jacqueline, *Nouveau dictionnaire étymologique du français,* Paris, Hachette-Tchou, 1971.

6) *Dictionnaires de locutions, de citations, de proverbes*
- Dupré, P., *Encyclopédie des citations,* Paris, éditions de Trévise, 1959.
- Maloux, M., *Dictionnaire des proverbes, sentences et maximes,* Paris, Larousse, 1960.
- Petit, Karl, *Le dictionnaire des citations du monde entier,* Verriers, Marabout service, 1960.
- Rat, Maurice, *Dictionnaire des locutions françaises,* Paris, Larousse, 1957.

prononciation

étymologie

datations

sens

développements
encyclopédiques

exemples d'emploi

regroupement selon
les règles de la
dérivation

GRAMMAIRE [grammɛr] n. f. (lat. *grammatica*, gr. *grammatikē*; 1119). **1.** Étude scientifique des structures morphologiques et syntaxiques d'une langue, c'est-à-dire des caractéristiques formelles des mots et des rapports entretenus entre les membres d'une phrase ou d'un groupe de termes : *Les constatations de la* GRAMMAIRE DESCRIPTIVE *peuvent être érigées en règles permanentes, enseignées dans les classes afin d'amener les membres d'une communauté linguistique à éviter les écarts qui sont jugés des incorrections ou des fautes* (GRAMMAIRE NORMATIVE). *La* GRAMMAIRE HISTORIQUE *étudie le développement de ces structures dans le temps, tandis que la* GRAMMAIRE COMPARÉE *procède à des comparaisons entre les structures de différentes langues et que la* GRAMMAIRE GÉNÉRALE *s'efforce de distinguer les lois communes à toutes les langues. Les classes de grammaire (6ᵉ, 5ᵉ, 4ᵉ des lycées et collèges). Grammaire générative.* — **2.** Livre enseignant méthodiquement la connaissance d'une langue (soit la connaissance scientifique, soit les règles du bon usage) : *Apprendre dans sa grammaire les règles d'accord des participes.* — **3.** (1867). Ensemble des règles particulières à une technique, à une science : *La grammaire du cinéma est faite d'un ensemble de principes et de méthodes dont le metteur en scène usera librement.* ◆ **grammairien, enne** n. (v. 1200). Personne qui étudie ou enseigne la grammaire, qui en connaît les règles : *Ce romancier est un bon grammairien.* ◆ **grammatical, e, aux** adj. (bas lat. *grammaticalis*; v. 1400). **1.** Qui concerne la grammaire : *Forme grammaticale. Donner des exercices grammaticaux à des élèves. L'analyse grammaticale étudie la fonction des mots dans une proposition.* — **2.** Conforme aux règles de la grammaire. — **3.** En grammaire générative, se dit d'une phrase qui est bien formée (correcte) dans un état de langue donné. ◆ **grammaticalement** adv. (1529). ◆ **grammaticalité** n. f. (1968). Propriété d'une phrase conforme aux règles de la grammaire : *Tout locuteur natif peut porter des jugements de grammaticalité.* ◆ **grammaticaliser** v. tr. (1962). Donner à un élément notionnel la fonction d'élément grammatical. (Ex. : le mot latin *mente* est devenu en français un suffixe d'adverbe dans *doucement, violemment*, etc.) ◆ **grammaticalisation** n. f. (v. 1950). ◆ **agrammatical, e, aux** adj. Se dit d'une phrase qui ne répond pas aux critères de la grammaticalité. ◆ **agrammaticalité** n. f. Caractère d'un énoncé agrammatical.

Lexis, Librairie Larousse, Paris, 1975, p. 815

prononciation

étymologie

datations

sens

développements
encyclopédiques

exemples d'emploi

regroupement
selon les
règles de la
dérivation

GRAMMAIRE [gʀa(m)mɛʀ]. *n. f.* (1119; dér. irrég. du lat. *grammatica,* gr. *grammatikê,* proprem. « art de lire et d'écrire ». V. **Grimoire**). ♦ 1º *Vx* ou *cour.* Ensemble des règles à suivre pour parler et écrire correctement une langue. *Règle, faute de grammaire. Livre, exercice de grammaire.* — *Ling.* Ensemble des structures et des règles qui permettent de produire tous les énoncés appartenant à une langue et seulement eux (V. **Grammaticalité**). *La grammaire du français* (par oppos. à *lexique*). V. **Morphologie, syntaxe.** ♦ 2º *Ling.* Étude systématique des éléments constitutifs d'une langue. V. **Phonétique, phonologie; morphologie, syntaxe.** *La grammaire et la lexicologie, et la sémantique.* — *Spécialt.* Étude des formes et des fonctions (morphologie et syntaxe). *Grammaire descriptive* ou *synchronique. Grammaires structurales. Grammaire distributionnelle, par constituants immédiats. Grammaire transformationnelle, générative-transformationnelle, applicative. Grammaire historique* ou *diachronique. Grammaire normative, dogmatique,* ou « *bon usage* ». *Grammaire générale.* V. **Linguistique.** *Grammaire et philologie. Agrégation de grammaire.* ♦ 3º *Par ext.* Livre, traité, manuel de grammaire. *Grammaire scolaire.* « *Ces phrases que j'ai apprises là-bas, à coups de lexique et de grammaire* » (LOTI). ♦ 4º *Par anal.* (1867). Ensemble des règles d'un art. *Grammaire de la musique, de la peinture.*

GRAMMAIRIEN, IENNE [gʀa(m)mɛʀjɛ̃, jɛn]. *n.* (XIIIᵉ; de *grammaire*). ♦ 1º Personne spécialisée dans l'étude de la grammaire. — Lettré qui étudie la langue et fixe les règles du bon usage qu'il justifie par la tradition, l'étymologie, la logique, le souci de clarté et d'élégance, etc. *Meigret, Vaugelas, Ménage, Arnauld, grammairiens célèbres. Grammairien puriste.* ♦ 2º (XIXᵉ). Personne spécialisée dans l'étude de la morphologie et de la syntaxe. V. **Linguiste.**

GRAMMATICAL, ALE, AUX [gram(m)atikal, o]. *adj.* (XVᵉ; bas lat. *grammaticalis*). ♦ 1º Relatif à la grammaire; de la grammaire [2º Spécialt.] (V. **Morphologique, syntaxique**). *Règle grammaticale. Mots grammaticaux,* mots invariables recensés et étudiés par la grammaire, qui comprennent notamment des termes de relation, en nombre déterminé et restreint dans chaque langue (par oppos. à *Mots lexicaux**) *Les conjonctions, les pronoms sont des mots grammaticaux. Morphème grammatical,* dont l'apparition dépend de la syntaxe (par ex. le *s* du pluriel). *Analyse grammaticale,* analyse de mots dans une production, une phrase donnée (nature, genre, nombre, fonction, groupe, voix, forme, sens, mode, temps, personne). ♦ 2º Conforme à la grammaire et à ses règles. *Phrases grammaticales.* ⊘ ANT. *Agrammatical.*

Le Petit Robert, Société du Nouveau Littré, Paris, 1977, p. 882

Remarque — En plus des dictionnaires de langue, il existe de nombreux dictionnaires et glossaires spécialisés. Ces ouvrages sont des recueils qui groupent les termes se rapportant à une activité donnée.

Ex. : — Bureau des traductions, Division de la recherche terminologique et linguistique, *Termes fiscaux financiers et administratifs,* Bulletin de terminologie 154, Secrétariat d'État, Ottawa, 1974.

— Clifford Vaughan, F. et M., *Glossaire des termes économiques avec terminologie en quatre langues : anglais - américain, français, allemand et russe,* Amsterdam, Elsevier, et Paris, Dunod, 1966.

— Dubuc, Robert, *Vocabulaire de gestion,* Montréal, Leméac, 1974.

— Goedecke, W., *Dictionnaire de l'électrotechnique, des télécommunications et de l'électronique,* Paris, Dunod, 1966.

— *La vente promotionnelle,* Québec, juillet 1974.

— *Lexique anglais-français de la Bourse et du commerce des valeurs mobilières,* Québec, 1973.

— Office de la langue française :

Vocabulaire de l'économie, Québec, mars 1974.

Vocabulaire technique anglais-français des assurances sur la vie, Québec, 1976.

3.4 COMMENT UTILISER UN DICTIONNAIRE

Pour pouvoir se servir d'un dictionnaire, il faut savoir l'alphabet. Bien sûr, nous savons tous l'alphabet, mais dans de nombreux cas, nous le savons insuffisamment. S'il vous faut plus de vingt secondes pour trouver un mot, vous avez besoin de vous exercer à chercher dans un dictionnaire. Pour faciliter votre tâche, regardez les mots ou les lettres en haut des pages. La page de gauche donne le premier mot de la page ou les trois premières lettres du premier mot; la page de droite, le dernier mot ou les trois premières lettres du dernier mot. Ces lettres ou ces mots sont des points de repère extrêmes entre lesquels doit se trouver le mot cherché. Comme toutes les lettres se suivent toujours dans un ordre alphabétique, il est facile de savoir si le mot cherché se situe entre ces extrêmes servant de guide.

Dans la plupart des dictionnaires, on indique la prononciation des mots. Cette transcription phonétique se sert d'un certain nombre de symboles qu'il faut connaître. On trouve l'explication de ces symboles dans des tableaux, au début du dictionnaire. Il est utile de lire la préface d'un dictionnaire, car elle donne des renseignements précieux sur les abréviations, les symboles et les signes conventionnels employés.

Ex. :

[ɛ̃]   = voyelle nasale comme dans mat*in,* pl*ein*
bot.   = terme didactique de botanique
comm.   = terme de la langue commerciale

```
intr.    =  intransitif
invar.   =  invariable
fig.     =  figuré
fam.     =  familier
```

Même s'il n'est pas nécessaire d'apprendre ces abréviations par coeur, il est cependant important de connaître les plus courantes, notamment celles qui touchent aux indications grammaticales.

Ex. :

```
adj.     =  adjectif
adv.     =  adverbe
conj.    =  conjonction
n.f.     =  nom féminin
prép.    =  préposition
```

Il faut tenir compte des abréviations et des symboles, car ils expliquent de façon précise à quelle terminologie appartient le mot et dans quel contexte il est possible de l'utiliser.

Ex. : INDIVIS, ISE [ɛ̃divi, -iz] adj. Dr. = terme juridique.

Comme le montrent très bien les illustrations des pages 45 et 46, le mot du dictionnaire, appelé vedette, est imprimé en majuscules et en caractères gras. Le texte qui suit la vedette, appelé article de dictionnaire, comprend l'indication de la prononciation, la mention grammaticale, les données historiques (étymologie, datation de la première apparition connue), le classement des sens et très souvent des citations et des renvois à des synonymes, à des antonymes ou à des mots analogiques.

Les sens de la vedette sont en général classés en prenant pour critère l'emploi dominant actuel du mot : le sens moderne est donc donné en premier. Parfois on trouve un classement des sens qui suit l'évolution historique du mot ou, notamment pour les verbes, un ordre qui correspond aux catégories grammaticales et aux constructions (**ex.:** v.tr.; v.intr., v.pr.) Il n'est donc pas inutile de lire soigneusement l'article du dictionnaire pour bien choisir le sens ou l'emploi recherché.

3.5   L'ENCYCLOPÉDIE

En raison de la très grande diversité des connaissances humaines, du besoin de plus en plus marqué d'un grand nombre d'informations utiles sur divers sujets et de la nécessité de retrouver des connaissances fondamentales dans un domaine précis, l'encyclopédie, qui reflète le savoir collectif, prend une place grandissante dans les sociétés modernes. Elle devient l'outil de référence par excellence, et l'on connaît les succès de ces «lieux privilégiés de référence» où se trouve la connaissance tant technique, scientifique que culturelle.

Les encyclopédies les plus connues sont :
le Grand Larousse encyclopédique
la Grande encyclopédie Larousse
le Dictionnaire encyclopédique Quillet
le Bordas encyclopédie
l'Encyclopaedia Universalis

Toutes ces encyclopédies, qu'elles soient ordonnées par matière ou alphabétiquement, établissent une classification des connaissances qui ne cherche pas à accumuler les informations ou à les rendre plus facilement accessibles, mais à redonner un savoir organisé touchant toutes les disciplines : sciences humaines (langue, littérature, . . .), sciences pures (mathématiques, physique, chimie, . . .), sciences appliquées (électronique, acoustique, . . .) et sciences naturelles (botanique, biologie, . . .). La consultation d'une encyclopédie est donc un excellent moyen d'augmenter et de préciser ses connaissances sur les sujets les plus divers tout en étant guidé par une orientation qui évite des recherches inutiles.

SECTION 4

La grammaire

Un autre outil de référence qu'il est utile de posséder et de consulter chaque fois que l'on écrit et qu'on a des doutes est la grammaire. La grammaire est «l'étude systématique des éléments constitutifs d'une langue». Elle donne les règles qui régissent l'arrangement des mots et la formation de phrases. Les grammaires suivent l'ordre des parties du discours : nom, article, adjectif, pronom, verbe, adverbe, préposition, conjonction, interjection. On peut donc facilement trouver les règles qui gouvernent ces parties du discours en consultant la table des matières ou l'index des mots et expressions cités.

Les grammaires les mieux connues sont les suivantes :

Baylon, Christian et Paul Fabre, *Grammaire systématique de la langue française,* Paris, Nathan, 1973.

Chevalier, Jean-Claude, Claire Blanche-Benveniste, Michel Arrivé et Jean Peytard, *Grammaire Larousse du français contemporain,* Paris, Larousse, 1964.

Dubois, Jean et René Lagane, *La nouvelle grammaire du français,* Paris, Larousse, 1973.

Grévisse, Maurice, *Le Bon usage,* Gembloux, éditions J. Duculot, 10e édition, 1975.

Wagner, R.-L. et J. Pinchon, *Grammaire du français classique et moderne,* Paris, Hachette, 2e édition, 1967.

EXERCICES DE RÉVISION ET DE COMPRÉHENSION

Langage et communication

1. Montrez à l'aide de deux ou trois onomatopées que l'on ne peut imiter les bruits des animaux que par des sons qui appartiennent déjà à la langue.

2. Définissez le langage.

3. Expliquez brièvement le schéma de la communication.

4. Définissez les termes : signifié et signifiant.

5. Par quels procédés une langue s'enrichit-elle? Donnez quatre ou cinq exemples.

6. Qu'est-ce que le sens propre et le sens dérivé d'un mot?

7. Quelles sont les causes qui engendrent des changements de sens?

8. Trouvez deux ou trois exemples d'archaïsmes.

9. Qu'est-ce qu'un emprunt?

Le mot juste

1. Trouvez parmi les séries suivantes le mot qui appartient à la langue neutre :
   char, bagnole, tacot, automobile, voiture;
   vin, rouge, pinard;
   bouquin, livre;
   bedaine, ventre, abdomen.

2. Définissez les niveaux de langue. Donnez dans chaque cas un ou deux exemples bien choisis.

3. Développez la série synonymique des mots suivants : parler, chaise, montrer, pluie.

Le dictionnaire

1. Savez-vous l'alphabet? Classez les mots suivants par ordre alphabétique :
   — engrais, englober, extrait, déposant, désir, auvent, avanie, barrique.
   — frais, franc, framée, fraisage, framboisier, fraise, framboise, fraîchir.

2. Vérifiez dans un dictionnaire la prononciation des mots suivants : événement, désuet, gageure, pneumonie.

3. Cherchez dans un dictionnaire le sens des mots : onirique, ratiociner, subsumer, consécution, anagogie.

BIBLIOGRAPHIE

BALLY, Charles, *Traité de stylistique française,* 2 vol., Paris, Librairie C. Klincksieck, 3ᵉ éd., 1951.

BRUNEAU, Charles, *Petite histoire de la langue française,* 2 vol., Paris, Armand Colin, 1958.

CRESSOT, Marcel, *Le style et ses techniques,* Paris, Presses universitaires de France, 1959.

DARBELNET, Jean, *Regards sur le français actuel,* Montréal, Beauchemin, 1963.

DAUZAT, Albert, *Le génie de la langue française,* Paris, Payot, 1954.
  Histoire de la langue française, Paris, Presses universitaires de France, «Que sais-je?», nᵒ 167, 1959.

DUBOIS, Jean, *Étude sur la dérivation suffixale en français moderne et contemporain,* Paris, Larousse, 1962.

DUBOIS, Jean et Claude DUBOIS, *Introduction à la lexicographie : le dictionnaire,* Paris, Larousse, 1971.

GILBERT, Pierre, *Dictionnaire des mots nouveaux,* Hachette-Tchou, 1971.

GREVISSE, Maurice, *Le bon usage,* Gembloux, J. Duculot, 10ᵉ éd., 1975.

GUILBERT, Louis, *La créativité lexicale,* Paris, Larousse, 1975.

GUIRAUD, Pierre, *La sémantique,* Paris, Presses universitaires de France, «Que sais-je?», nᵒ 655, 1955.
  La stylistique, Paris, Presses universitaires de France, «Que sais-je?», nᵒ 646, 1961.
  Les mots étrangers, Paris, Presses universitaires de France, «Que sais-je?», nᵒ 1166, 1965.

Langue française, revue trimestrielle, Paris, Larousse, «Le français au Québec», vol. 31, septembre 1976.

MAROUZEAU, Jean, *Précis de stylistique française,* Paris, Masson et Cⁱᵉ, 1959.

MATORE, Georges, *Histoire des dictionnaires français,* Paris, Larousse, 1968.

MITTERAND, Henri, *Les mots français,* Paris, Presses universitaires de France, «Que sais-je?», nᵒ 270, 4ᵉ éd., 1972.

MOUNIN, Georges, *Clefs pour la linguistique,* Paris, Seghers, 1971.
  Clefs pour la sémantique, Paris, Seghers, 1972.

QUEMADA, Bernard, *Les dictionnaires du français moderne, 1539-1863 : étude sur leur histoire, leurs types et leurs méthodes,* Paris, Didier, 1968.

SAUSSURE, Ferdinand de, *Cours de linguistique générale,* Paris, Payot, 5ᵉ éd., 1955.

SAUVAGEOT, Aurélien, *Portrait du vocabulaire français,* Paris, Larousse, 1964.

SCHÖNE, Maurice, *Vie et mort des mots,* Paris, Presses universitaires de France, «Que sais-je?», nᵒ 270, 1959.

WARTBURG, Walther von, *Problèmes et méthodes de la linguistique,* Paris, Presses universitaires de France, 1963.
  Évolution et structure de la langue française, Berne, A. Francke, 7ᵉ éd., 1965.

Chapitre II
L'assemblage
des mots

Les mots diversement rangés font un divers sens et les sens diversement rangés font différents effets.

Blaise PASCAL

SECTION 1

Nécessité d'un plan

1.1 GÉNÉRALITÉS

Certaines personnes ont une sorte de don inné pour écrire. Cette faculté est cependant réservée à un très petit nombre, et la plupart d'entre nous sont mal à l'aise lorsqu'ils ont à manier une plume.

Pourtant rédiger correctement une lettre, un compte rendu ou un rapport est moins difficile qu'il n'y paraît, à condition de s'y exercer régulièrement et d'avoir quelque chose à dire.

La rédaction suppose, outre la connaissance du sujet dont on veut parler, une maîtrise suffisante de la langue, tant du point de vue orthographique et syntaxique que stylistique.

1.2 LA CONNAISSANCE DU SUJET

On ne se lance pas dans la construction d'une maison sans avoir établi ou fait établir un plan et sans avoir calculé la quantité de matériel nécessaire. Il en est de même pour la rédaction d'une lettre, d'un compte rendu ou d'un rapport. Avant d'écrire, il faut réfléchir. Seule la réflexion permet d'arriver à une idée nette de ce que l'on veut exposer et facilite le classement des arguments à faire valoir ou la succession des points à traiter.

Naturellement, il faut aussi préciser et enrichir les idées à exposer par des lectures et des recherches. Dès qu'on a réuni tous les renseignements pertinents et qu'on a déterminé la direction à suivre, il convient d'ordonner le tout selon un plan défini afin de mettre en valeur ce que l'on écrit.

1.3 LE PLAN

L'établissement d'un plan est un travail essentiel, car c'est de lui que découle la valeur démonstrative de tout écrit. Un plan se construit par un effort méthodique de réflexion qui détermine les grandes divisions ou les idées directrices et les principaux points à développer. La première division d'un plan est l'*introduction* ou *entrée en matière.* Cette partie situe et expose brièvement ce qui va suivre. Elle prépare donc et annonce le développement qui constitue le corps du sujet. Le *développement* détaille les idées directrices en fournissant tous les renseignements et observations qui y sont liés. Bien entendu, ces faits ou ces arguments ne devront pas être exposés dans n'importe quel ordre, mais de façon progressive, c'est-à-dire en commençant par les moins importants, pour terminer par ceux qui ont le plus de poids.

Les paragraphes, qui constituent les divisions d'un développement, exposent les idées secondaires qui mettent en lumière les idées directrices et ils se suivent eux aussi dans un ordre d'intérêt croissant. Le dernier paragraphe doit se relier naturellement à la troisième partie de la rédaction qui est la *conclusion.* Comme l'introduction, la conclusion est brève. Elle résume l'essentiel des idées directrices et cherche à mettre en lumière, s'il y a lieu, les conséquences qui en découlent.

Suite des opérations qui règlent l'établissement d'un plan et la rédaction:
- déterminer le but
- rassembler les idées et la documentation
- classer les idées et la documentation
- faire un plan détaillé en suivant la classification ci-dessus
- rédiger
- réviser et corriger

Rappelons qu'au moment d'aborder la rédaction proprement dite, il faut déterminer le niveau de langue qu'il convient d'employer. Ce niveau dépend, comme on l'a vu, du sujet traité, du destinataire et des circonstances.

SECTION 2

La phrase

«La phrase, création indéfinie, variété sans limite, est la vie même du langage en action.»

Émile BENVENISTE[1]

2.1 GÉNÉRALITÉS

Si le style dépend de la propriété des termes et si la clarté d'un texte est

---

1. *Problèmes de linguistique générale,* Bibliothèque des sciences humaines, Paris, Gallimard, 1966, p. 130.

soumise à l'enchaînement logique des idées, ces qualités ne sont cependant pas isolées et naturelles mais soumises à une certaine organisation.

La phrase peut se définir comme étant un énoncé constitué par un groupe de mots qui s'actualisent par une construction. Même s'il existe des «phrases inarticulées», c'est-à-dire des groupes de mots caractérisés par une absence de structure explicite (exemples: Défense de fumer, Entrer sans frapper) et des «phrases nominales», c'est-à-dire sans verbe, il n'en reste pas moins que de tels énoncés donnent une impression d'inachevé. Une phrase est en principe organisée autour d'un verbe, et les autres mots doivent y remplir la fonction commandée par ce verbe.

2.2   LA PHRASE SIMPLE

Lorsque les termes de l'énoncé se présentent dans une structure réduite aux éléments de base, on dit que la phrase est simple.

Un verbe est lié à un sujet.
Ex.:   Paul téléphone.

Un verbe est lié à un sujet et à un attribut ou à un complément.
Ex.:   Pierre remplit un bon de commande.

Ces phrases simples peuvent encore se compléter par toute une série de termes secondaires qui déterminent les éléments principaux et notent les modalités de l'action ou de l'état.
Ex.:   Aujourd'hui, Pierre a rempli soigneusement tous les bons de commande.

La phrase simple est donc constituée par une seule *proposition*.

2.3   LA PHRASE COMPLEXE

Dès que l'organisation des termes se fait autour de deux verbes et l'arrangement des éléments selon une certaine ordonnance, on aboutit à la formation d'une phrase complexe. On peut donc dire que la phrase complexe est constituée par deux ou plusieurs propositions qui s'ajoutent ou se subordonnent.

Juxtaposition et coordination

Le premier type de phrase complexe est la juxtaposition pure et simple de deux propositions.
Ex.:   Il n'est pas nécessaire d'écrire; il suffit de téléphoner.

Le second est la coordination de deux propositions.

Ex.: Je vous écrirai ou je vous téléphonerai.

Subordination

Dès que les éléments s'ordonnent selon une certaine hiérarchie, la phrase est composée d'au moins deux propositions dont l'une dépend de l'autre.

— La subordination peut se marquer par la ponctuation.

   Ex.: Je ne vous écrirai pas : je vous téléphonerai.

— La subordination est normalement plus explicite et se marque par des conjonctions de subordination.

   Ex.: Je ne vous écrirai pas puisque je vous téléphonerai.

SECTION 3

Le verbe

3.1 GÉNÉRALITÉS

Nous avons dit que le verbe est l'élément central, le noyau de la phrase, car c'est lui qui exprime normalement le mode d'être de ce dont on parle, les autres mots servant surtout à identifier les choses. Certains auteurs comparent parfois le verbe au moteur d'une automobile. Sans moteur, l'automobile ne peut fonctionner; sans verbe, la phrase perd sa signification. Sans moteur bien réglé, l'automobile ne va pas loin; sans verbe bien choisi, la phrase manque de portée. Le verbe est donc un élément très important de la phrase et aussi un organisme très complexe soumis à des temps, des modes, des aspects.

3.2 LES MODES

On distingue traditionnellement quatre modes personnels : l'indicatif, le conditionnel, l'impératif, le subjonctif, et deux modes impersonnels : l'infinitif et le participe. Ces modes servent à exprimer les actions et les états conformément à l'esprit qui les voit réels, possibles, conditionnels, désirables, douteux ou irréels.

3.2.1 L'indicatif

Ce mode sert à décrire une action ou un état dans le passé, le présent ou le futur.

Ex.: Il téléphone.
Il téléphonait.
Il téléphonera.

3.2.2. Le conditionnel

Ce mode peut aussi être considéré comme un temps. Il exprime un fait hypothétique, éventuel ou même irréel, car sa réalisation dépend d'une condition plus ou moins certaine ou d'une supposition. Il sert aussi à marquer un souhait ou un ordre atténué.

Ex.: Il a dit qu'il enverrait sa facture.
Il apprécierait que vous lui fassiez parvenir une lettre.
Si j'en avais les moyens, je l'achèterais.

3.2.3 L'impératif

Ce mode sert à provoquer une action par le commandement.
Ex.: Viens ici.

3.2.4 Le subjonctif

Ce mode sert à expliquer tout le domaine de l'affectif, des jugements, de l'intervention de la volonté. Il s'utilise donc après les verbes qui marquent la volonté et la prière, après les verbes de sentiment et d'opinion, après les verbes impersonnels qui expriment une possibilité, une impossibilité, un doute, etc.

Ex.: Il demande qu'on lui fasse parvenir une réponse rapide.
Je désire qu'on me prévienne sans tarder.
Il faut que vous répondiez aujourd'hui.

3.2.5 L'infinitif

Ce mode désigne simplement l'action ou l'état signifié par le verbe, et comme il ne marque ni personne, ni temps, ni aspect, sa valeur est identique à celle du substantif. Impersonnel et atemporel, il est le mode par excellence des aide-mémoires.
Ex.: Téléphoner à M. X.
Pour renseignements, s'adresser à M. X.

3.2.6 Le participe

Ce mode n'a pas, lui non plus, une valeur temporelle précise. On peut dire que le participe est la forme adjective du verbe.

Le participe présent utilisé comme forme verbale sert à remplacer une proposition relative ou circonstancielle. Le participe passé utilisé comme forme verbale indique l'état résultant d'une action, mais sans valeur temporelle.

Ex.: La personne qui a rédigé ce texte ne travaille plus ici.
La personne ayant rédigé ce texte ne travaille plus ici.
Je suis parti.

3.3 LES TEMPS

La précision de la pensée exige que l'on se serve toujours du temps qui exprime parfaitement l'idée. Aussi, il faut se rappeler qu'en général les temps simples indiquent que l'action est en train de se faire; les temps composés, au contraire, suggèrent que l'action est accomplie.

Ex.: Quand j'arrive au bureau, le téléphone sonne.
Quand j'arriverai au bureau, le téléphone aura sonné.

3.3.1 Le présent de l'indicatif

Ce temps sert à indiquer un fait qui s'accomplit au moment même de son énoncé. Il peut aussi marquer, pour l'esprit, un fait permanent, une «vérité éternelle». Sur le plan affectif, le présent permet encore d'actualiser des actions passées ou futures, ce qui leur donne une vivacité particulière.

Ex.: Il téléphone.
Il arrive demain.

3.3.2 L'imparfait

Ce temps exprime un fait passé qui était en train de se dérouler au moment envisagé par le sujet parlant. L'imparfait peut marquer un fait d'habitude ou la répétition d'un fait dans le passé.

Ex.: Il ne prenait jamais de notes.

3.3.3 Le passé simple

Ce temps marque un fait passé qui a eu un caractère bref et en quelque sorte exceptionnel.

Ex.: Tout à coup, il vit une lueur.

Remarque — Ce temps ne s'utilise plus que dans le style écrit. Dans le langage courant, on lui préfère le passé composé.

3.3.4   Le passé composé

Il sert à exprimer un fait passé mais dont les conséquences durent encore. Il peut aussi marquer un fait d'un passé récent.
Ex.: Il a expédié le courrier.

3.3.5   Le passé antérieur

Ce temps exprime un fait passé qui a précédé un autre fait passé. Il s'emploie donc généralement dans les propositions subordonnées introduites par _quand, lorsque, dès que, aussitôt que, après que,_ etc.
Ex.: Lorsque vous eûtes fini, il était déjà trop tard.

Remarque — Comme ce temps est formé avec le passé simple, il a subi le même déclin d'utilisation.

3.3.6   Le plus-que-parfait

Ce temps sert, lui aussi, à exprimer un fait passé qui a précédé un autre fait passé mais qui a été durable, qui s'est répété ou qui est habituel.
Ex.: Quand il avait fini, il partait.

3.3.7   Le futur simple

Ce temps exprime un fait situé dans l'avenir. Il sert aussi comme temps de politesse ou pour atténuer une affirmation.
Ex.: Je vous enverrai un mot.
      Vous devrez refaire ce travail.

3.3.8   Le futur antérieur

Ce temps sert à marquer le caractère antérieur d'un fait par rapport à un autre fait futur.
Ex.: Quand vous aurez fini, vous me préviendrez.

3.4   LA CONCORDANCE DES TEMPS

3.4.1   Généralités

La concordance des temps veut que le temps du verbe de la proposition subordonnée soit commandé par celui du verbe de la proposition principale.

Même si la langue courante respecte de moins en moins la concordance des temps, il n'en reste pas moins qu'il existe un certain nombre de principes que l'on doit connaître, car ils déterminent l'emploi des temps.

3.4.2 Règles

Verbe principal au présent ou au futur

Si le verbe principal est au présent ou au futur, le verbe subordonné peut être à n'importe quel temps de l'indicatif, car c'est la situation du fait dans le temps qui détermine le temps du verbe.

Ex.: Il est sûr que la lettre arrive.
Il est sûr que la lettre arrivait chaque semaine.
Il est sûr que la lettre arrivera demain.
Il est sûr que la lettre est arrivée hier.

Avec les verbes qui commandent le subjonctif, on ne peut utiliser dans la subordonnée que le présent ou le passé selon la situation du fait dans le temps par rapport à la principale.

Ex.: Je souhaite qu'il écrive cette lettre.
Je souhaite qu'il ait écrit cette lettre.

Verbe principal à un temps passé

— Le verbe subordonné se met à l'imparfait si les deux faits sont concomitants.

   Ex.: Il était sûr qu'il téléphonait.

— Le verbe subordonné se met au plus-que-parfait si l'action de la subordonnée est antérieure.

   Ex.: Il était sûr qu'il avait téléphoné.

— Le verbe subordonné se met au conditionnel si l'action de la subordonnée est postérieure.

   Ex.: Il était sûr qu'il téléphonerait.

— Le verbe subordonné se met au conditionnel passé 1re forme si l'action exprime le futur dans le passé.

   Ex.: Il était sûr qu'il aurait téléphoné.

— Le verbe subordonné se met à l'imparfait du subjonctif si l'action de la subordonnée est au présent ou si elle est postérieure.

   Ex.: Je souhaitais qu'il écrivît cette lettre.

— Le verbe subordonné se met au plus-que-parfait du subjonctif si l'action de la subordonnée est antérieure.

   Ex.: Je souhaitais qu'il eût écrit cette lettre.

Verbe principal au conditionnel

— Le verbe subordonné se met à l'imparfait du subjonctif si l'action est simultanée ou future.

   Ex.: J'aurais souhaité qu'il écrivît cette lettre.

— Le verbe subordonné se met au plus-que-parfait du subjonctif si l'action est antérieure.

   Ex.: J'aurais souhaité qu'il eût écrit cette lettre.

Remarque — On respecte de moins en moins la concordance des temps quand le verbe principal est au conditionnel et on remplace l'imparfait et le plus-que-parfait du subjonctif par le subjonctif présent.

Ex.: J'aurais souhaité qu'il écrive cette lettre.

3.5   LES ASPECTS

Nous avons vu que le temps du verbe servait à indiquer le moment où se passait l'action et que le mode précisait la façon de l'envisager. À ces indications s'ajoute un autre renseignement fourni intrinsèquement par le verbe, l'aspect. L'aspect précise l'angle particulier de l'action envisagée et détermine si elle est instantanée, si elle a une certaine durée, si elle se répète, etc.

Souvent aussi l'aspect est marqué par des auxiliaires d'aspects (aller, devoir, être en train de, etc.), des adverbes, ou par un préfixe ou un suffixe. On distingue les principaux aspects suivants:

— *Momentané* : marque le caractère instantané et limité de l'action.
   Ex.:   La porte s'ouvre.

— *Duratif* : marque le caractère continu et la durée de l'action.
   Ex.:   Je suis en train de téléphoner.

— *Inchoatif* : marque le début de l'action. Cet aspect s'exprime soit par des périphrases verbales (commencer à, se mettre à, etc.) soit par des verbes du type s'envoler, s'enfuir, etc.
   Ex.:   Il se met à écrire.

— *Itératif* : marque la répétition du processus.
   Ex.:   Il relit sa lettre.

— *Progressif* : marque la continuité ou la progression de l'action.
   Ex.:   Les prix augmentent.

— *Perfectif* : marque l'achèvement, le but atteint.
   Ex.:   Elle a réussi.

— *Imperfectif* : marque l'inachèvement, la recherche d'une solution.
   Ex.:   Il reste à étudier la proposition.

— *Dépréciatif* : marque le caractère péjoratif.
   Ex.:   Il traînassait toute la journée.

3.6   LES CATÉGORIES DE VERBES

Il est traditionnel de classer les verbes en deux grandes catégories : les verbes transitifs et les verbes intransitifs.

3.6.1   Verbes transitifs

Les verbes transitifs expriment une action liée à un objet, c'est-à-dire qu'ils sont suivis d'un complément d'objet, résultat de l'action.

Ex. : Je remplis une formule d'emploi.

Remarque — Le complément d'objet des verbes transitifs devient sujet grammatical du verbe lorsqu'on tourne celui-ci au passif.

Ex. : Une formule d'emploi est remplie par moi.

3.6.2   Verbes intransitifs

Les verbes intransitifs expriment une action qui se suffit à elle-même.

Ex. : Il travaille.

Les verbes intransitifs n'ayant pas de complément d'objet ne peuvent admettre une forme passive.

3.6.3   Verbes pronominaux

Les verbes pronominaux sont accompagnés d'un pronom personnel qui représente le même sujet.

Ex. : Il se lève et se promène.

3.6.4   Verbes impersonnels

Les verbes impersonnels n'existent qu'à l'infinitif et à la 3ᵉ personne du singulier.

Ex. : falloir, il faut.

Remarque — Plusieurs verbes ordinaires peuvent s'employer à la forme impersonnelle pour créer un effet stylistique.

Ex. : Il est demandé au public . . . (c'est-à-dire : l'administration demande au public).

3.6.5   Tableaux des conjugaisons

Il est habituel de classer les verbes en trois conjugaisons. La première, qui rassemble les neuf dixièmes des verbes, a comme marques distinctes la désinence en *-er* à l'infinitif et la première personne du singulier de l'indicatif en *-e* (**ex.:** donner). La deuxième, qui comprend un peu plus de trois cents verbes, forme l'infinitif en *-ir*, l'indicatif présent en *-is* et le participe présent en *-issant,* (**ex.:** finir). La troisième conjugaison réunit tous les verbes qui n'entrent pas dans les précédentes. On y distingue trois groupes de verbes:

les vebes en -*ir* qui ont l'indicatif présent en -*e* ou en -*s* et le participe présent en -*ant* (**ex.:** offrir); les verbes en -*oir* avec l'indicatif présent en -*s* et le participe présent en -*ant* (**ex.:** recevoir); les verbes en -*re* avec l'indicatif présent en -*s* et le participe présent en -*ant* (**ex.:** prendre).

Aux temps passés, les verbes transitifs et intransitifs se conjuguent avec l'auxiliaire avoir; les verbes intransitifs *aller, arriver, devenir, entrer, partir, repartir, rentrer, rester, retomber, retourner, revenir, sortir, survenir, tomber* et *venir* se conjuguent avec l'auxiliaire être.

Quelques verbes intransitifs se conjuguent soit avec l'auxiliaire avoir si l'on veut exprimer une action passée, soit avec l'auxiliaire être si l'on veut marquer l'état résultant de l'action passée (**ex.:** il a changé; il est changé). Il en va ainsi pour les verbes : *aborder, changer, débarquer, déborder, déchoir, déménager, descendre, disparaître, diminuer, divorcer, échouer, éclater, émigrer, emménager, grandir, grossir, passer, pourrir, rajeunir, réussir, sonner,* etc.

a) Première conjugaison: donn**er**

INDICATIF

PRÉSENT		IMPARFAIT		FUTUR SIMPLE		PASSÉ COMPOSÉ		
je	donne	je	donnais	je	donnerai	j'	ai	donné
tu	donnes	tu	donnais	tu	donneras	tu	as	donné
il	donne	il	donnait	il	donnera	il	a	donné
nous	donnons	nous	donnions	nous	donnerons	nous	avons	donné
vous	donnez	vous	donniez	vous	donnerez	vous	avez	donné
ils	donnent	ils	donnaient	ils	donneront	ils	ont	donné

PASSÉ SIMPLE		PLUS-QUE-PARFAIT			FUTUR ANTÉRIEUR			PASSÉ ANTÉRIEUR		
je	donnai	j'	avais	donné	j'	aurai	donné	j'	eus	donné
tu	donnas	tu	avais	donné	tu	auras	donné	tu	eus	donné
il	donna	il	avait	donné	il	aura	donné	il	eut	donné
nous	donnâmes	nous	avions	donné	nous	aurons	donné	nous	eûmes	donné
vous	donnâtes	vous	aviez	donné	vous	aurez	donné	vous	eûtes	donné
ils	donnèrent	ils	avaient	donné	ils	auront	donné	ils	eurent	donné

SUBJONCTIF

PRÉSENT		IMPARFAIT		PASSÉ			PLUS-QUE-PARFAIT		
que je	donne	que je	donnasse	que j'	aie	donné	que j'	eusse	donné
que tu	donnes	que tu	donnasses	que tu	aies	donné	que tu	eusses	donné
qu'il	donne	qu'il	donnât	qu'il	ait	donné	qu'il	eût	donné
que nous	donnions	que n.	donnassions	que n.	ayons	donné	que n.	eussions	donné
que vous	donniez	que v.	donnassiez	que v.	ayez	donné	que v.	eussiez	donné
qu'ils	donnent	qu'ils	donnassent	qu'ils	aient	donné	qu'ils	eussent	donné

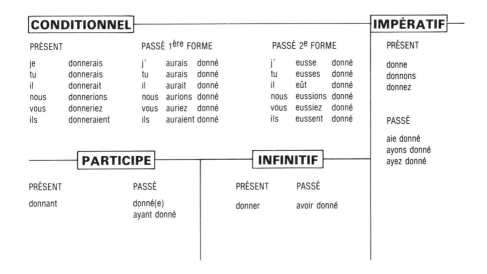

Remarques :

— Les verbes en *-cer* prennent une cédille sous le *c* devant les voyelles *a* et *o*, **ex. :** commençons.

— Les verbes en *-éber, -écher, -écrer, -éder, -égler, -éguer, -égrer, -éler, -émer, -éner, -érer, -éser, -éter, -étrer, -éger* changent *é* en *è* devant une syllabe muette finale, **ex. :** je cède.

— Les verbes en *-emer, -ener, -eper, -eser, -ever, -evier* changent l'*e* muet en *è* devant une syllabe muette, **ex. :** je lève.

— Les verbes en *-écer* changent *é* en *è* devant e muet final, **ex. :** je rapièce.

— Les verbes en *-ecer* change l'*e* muet en *è* devant une syllabe muette, **ex. :** je dépèce.

— Les verbes en *-eler* ou *-eter* doublent la consonne *l* ou *t* devant un e muet, **ex.:** je jette, ou changent e en *è* devant une syllabe muette, **ex.:** j'achète. Les verbes les plus fréquents qui changent e en *è* sont: *acheter, ciseler, déceler, dégeler, démanteler, écarteler, étiqueter, fureter, geler, haleter, harceler, marteler, modeler, peler, receler.*

— Les verbes en *-ger* gardent l'*e* devant les voyelles *a* et *o,* **ex. :** nous jugeons.

— Les verbes en *-oyer* et *-uyer* changent l'*y* en *i* devant un e muet, **ex. :** j'appuie, sauf envoyer et renvoyer qui forment leur futur et leur conditionnel de façon irrégulière, **ex. :** j'enverrai.

— Les verbes en *-ayer* peuvent garder l'*y* ou le changer en *i* devant un e muet, **ex. :** je paie ou je paye.

b) Deuxième conjugaison: fin**ir**

INDICATIF

PRÉSENT		IMPARFAIT		FUTUR SIMPLE		PASSÉ COMPOSÉ		
je	finis	je	finissais	je	finirai	j'	ai	fini
tu	finis	tu	finissais	tu	finiras	tu	as	fini
il	finit	il	finissait	il	finira	il	a	fini
nous	finissons	nous	finissions	nous	finirons	nous	avons	fini
vous	finissez	vous	finissiez	vous	finirez	vous	avez	fini
ils	finissent	ils	finissaient	ils	finiront	ils	ont	fini

PASSÉ SIMPLE		PLUS-QUE-PARFAIT		FUTUR ANTÉRIEUR		PASSÉ ANTÉRIEUR		
je	finis	j'	avais	fini	j'	aurai	fini	j'	eus	fini
tu	finis	tu	avais	fini	tu	auras	fini	tu	eus	fini
il	finit	il	avait	fini	il	aura	fini	il	eut	fini
nous	finîmes	nous	avions	fini	nous	aurons	fini	nous	eûmes	fini
vous	finîtes	vous	aviez	fini	vous	aurez	fini	vous	eûtes	fini
ils	finirent	ils	avaient	fini	ils	auront	fini	ils	eurent	fini

SUBJONCTIF

PRÉSENT		IMPARFAIT		PASSÉ			PLUS-QUE-PARFAIT		
que je	finisse	que je	finisse	que j'	aie	fini	que j'	eusse	fini
que tu	finisses	que tu	finisses	que tu	aies	fini	que tu	eusses	fini
qu'il	finisse	qu'il	finît	qu'il	ait	fini	qu'il	eût	fini
que nous	finissions	que n.	finissions	que n.	ayons	fini	que n.	eussions	fini
que vous	finissiez	que v.	finissiez	que v.	ayez	fini	que v.	eussiez	fini
qu'ils	finissent	qu'ils	finissent	qu'ils	aient	fini	qu'ils	eussent	fini

CONDITIONNEL   IMPÉRATIF

PRÉSENT		PASSÉ 1ère FORME			PASSÉ 2e FORME			PRÉSENT
je	finirais	j'	aurais	fini	j'	eusse	fini	finis
tu	finirais	tu	aurais	fini	tu	eusses	fini	finissons
il	finirait	il	aurait	fini	il	eût	fini	finissez
nous	finirions	nous	aurions	fini	nous	eussions	fini	
vous	finiriez	vous	auriez	fini	vous	eussiez	fini	
ils	finiraient	ils	auraient	fini	ils	eussent	fini	

IMPÉRATIF – PASSÉ

aie fini
ayons fini
ayez fini

PARTICIPE   INFINITIF

PRÉSENT	PASSÉ	PRÉSENT	PASSÉ
finissant	fini(e)	finir	avoir fini
	ayant fini		

Remarques:

— Le verbe *haïr* garde le tréma à toutes les formes, sauf aux trois personnes du singulier de l'indicatif présent et à la 2e personne du singulier de l'impératif présent, **ex.:** je hais, hais.

— Le verbe *fleurir*, au sens figuré, forme son imparfait et son participe présent avec le radical *flor-*, **ex.:** je florissais, florissant.

c) Troisième conjugaison

1er groupe: off**rir**

INDICATIF

PRÉSENT		IMPARFAIT		FUTUR SIMPLE		PASSÉ COMPOSÉ		
j'	offre	j'	offrais	j'	offrirai	j'	ai	offert
tu	offres	tu	offrais	tu	offriras	tu	as	offert
il	offre	il	offrait	il	offrira	il	a	offert
nous	offrons	nous	offrions	nous	offrirons	nous	avons	offert
vous	offrez	vous	offriez	vous	offrirez	vous	avez	offert
ils	offrent	ils	offraient	ils	offriront	ils	ont	offert

PASSÉ SIMPLE		PLUS-QUE-PARFAIT			FUTUR ANTÉRIEUR			PASSÉ ANTÉRIEUR		
j'	offris	j'	avais	offert	j'	aurai	offert	j'	eus	offert
tu	offris	tu	avais	offert	tu	auras	offert	tu	eus	offert
il	offrit	il	avait	offert	il	aura	offert	il	eut	offert
nous	offrîmes	nous	avions	offert	nous	aurons	offert	nous	eûmes	offert
vous	offrîtes	vous	aviez	offert	vous	aurez	offert	vous	eûtes	offert
ils	offrirent	ils	avaient	offert	ils	auront	offert	ils	eurent	offert

SUBJONCTIF

PRÉSENT		IMPARFAIT		PASSÉ			PLUS-QUE-PARFAIT		
que j'	offre	que j'	offrisse	que j'	aie	offert	que j'	eusse	offert
que tu	offres	que tu	offrisses	que tu	aies	offert	que tu	eusses	offert
qu'il	offre	qu'il	offrît	qu'il	ait	offert	qu'il	eût	offert
que nous	offrions	que n.	offrissions	que n.	ayons	offert	que n.	eussions	offert
que vous	offriez	que v.	offrissiez	que v.	ayez	offert	que v.	eussiez	offert
qu'ils	offrent	qu'ils	offrissent	qu'ils	aient	offert	qu'ils	eussent	offert

CONDITIONNEL

IMPÉRATIF

PRÉSENT		PASSÉ 1ère FORME			PASSÉ 2e FORME		
j'	offrirais	j'	aurais	offert	j'	eusse	offert
tu	offrirais	tu	aurais	offert	tu	eusses	offert
il	offrirait	il	aurait	offert	il	eût	offert
nous	offririons	nous	aurions	offert	nous	eussions	offert
vous	offririez	vous	auriez	offert	vous	eussiez	offert
ils	offriraient	ils	auraient	offert	ils	eussent	offert

PRÉSENT

offre
offrons
offrez

PASSÉ

aie offert
ayons offert
ayez offert

PARTICIPE

INFINITIF

PRÉSENT	PASSÉ
offrant	offert(e)
	ayant offert

PRÉSENT	PASSÉ
offrir	avoir offert

2e groupe: recevoir

INDICATIF

PRÉSENT		IMPARFAIT		FUTUR SIMPLE		PASSÉ COMPOSÉ		
je	reçois	je	recevais	je	recevrai	j'	ai	reçu
tu	reçois	tu	recevais	tu	recevras	tu	as	reçu
il	reçoit	il	recevait	il	recevra	il	a	reçu
nous	recevons	nous	recevions	nous	recevrons	nous	avons	reçu
vous	recevez	vous	receviez	vous	recevrez	vous	avez	reçu
ils	reçoivent	ils	recevaient	ils	recevront	ils	ont	reçu

PASSÉ SIMPLE		PLUS-QUE-PARFAIT			FUTUR ANTÉRIEUR			PASSÉ ANTÉRIEUR		
je	reçus	j'	avais	reçu	j'	aurai	reçu	j'	eus	reçu
tu	reçus	tu	avais	reçu	tu	auras	reçu	tu	eus	reçu
il	reçut	il	avait	reçu	il	aura	reçu	il	eut	reçu
nous	reçûmes	nous	avions	reçu	nous	aurons	reçu	nous	eûmes	reçu
vous	reçûtes	vous	aviez	reçu	vous	aurez	reçu	vous	eûtes	reçu
ils	reçurent	ils	avaient	reçu	ils	auront	reçu	ils	eurent	reçu

SUBJONCTIF

PRÉSENT		IMPARFAIT		PASSÉ			PLUS-QUE-PARFAIT		
que je	reçoive	que je	reçusse	que j'	aie	reçu	que j'	eusse	reçu
que tu	reçoives	que tu	reçusses	que tu	aies	reçu	que tu	eusses	reçu
qu'il	reçoive	qu'il	reçût	qu'il	ait	reçu	qu'il	eût	reçu
que nous	recevions	que n.	reçussions	que n.	ayons	reçu	que n.	eussions	reçu
que vous	receviez	que v.	reçussiez	que v.	ayez	reçu	que v.	eussiez	reçu
qu'ils	reçoivent	qu'ils	reçussent	qu'ils	aient	reçu	qu'ils	eussent	reçu

CONDITIONNEL

PRÉSENT		PASSÉ 1ère FORME			PASSÉ 2e FORME		
je	recevrais	j'	aurais	reçu	j'	eusse	reçu
tu	recevrais	tu	aurais	reçu	tu	eusses	reçu
il	recevrait	il	aurait	reçu	il	eût	reçu
nous	recevrions	nous	aurions	reçu	nous	eussions	reçu
vous	recevriez	vous	auriez	reçu	vous	eussiez	reçu
ils	recevraient	ils	auraient	reçu	ils	eussent	reçu

IMPÉRATIF

PRÉSENT

reçois
recevons
recevez

PASSÉ

aie reçu
ayons reçu
ayez reçu

PARTICIPE

PRÉSENT	PASSÉ
recevant	reçu(e)
	ayant reçu

INFINITIF

PRÉSENT	PASSÉ
recevoir	avoir reçu

3e groupe: rend**re**

INDICATIF

PRÉSENT		IMPARFAIT		FUTUR SIMPLE		PASSÉ COMPOSÉ		
je	rends	je	rendais	je	rendrai	j'	ai	rendu
tu	rends	tu	rendais	tu	rendras	tu	as	rendu
il	rend	il	rendait	il	rendra	il	a	rendu
nous	rendons	nous	rendions	nous	rendrons	nous	avons	rendu
vous	rendez	vous	rendiez	vous	rendrez	vous	avez	rendu
ils	rendent	ils	rendaient	ils	rendront	ils	ont	rendu

PASSÉ SIMPLE		PLUS-QUE-PARFAIT		FUTUR ANTÉRIEUR		PASSÉ ANTÉRIEUR		
je	rendis	j'	avais	rendu	j'	aurai	rendu	j'	eus	rendu
tu	rendis	tu	avais	rendu	tu	auras	rendu	tu	eus	rendu
il	rendit	il	avait	rendu	il	aura	rendu	il	eut	rendu
nous	rendîmes	nous	avions	rendu	nous	aurons	rendu	nous	eûmes	rendu
vous	rendîtes	vous	aviez	rendu	vous	aurez	rendu	vous	eûtes	rendu
ils	rendirent	ils	avaient	rendu	ils	auront	rendu	ils	eurent	rendu

SUBJONCTIF

PRÉSENT		IMPARFAIT		PASSÉ			PLUS-QUE-PARFAIT		
que je	rende	que je	rendisse	que j'	aie	rendu	que j'	eusse	rendu
que tu	rendes	que tu	rendisses	que tu	aies	rendu	que tu	eusses	rendu
qu'il	rende	qu'il	rendît	qu'il	ait	rendu	qu'il	eût	rendu
que nous	rendions	que n.	rendissions	que n.	ayons	rendu	que n.	eussions	rendu
que vous	rendiez	que v.	rendissiez	que v.	ayez	rendu	que v.	eussiez	rendu
qu'ils	rendent	qu'ils	rendissent	qu'ils	aient	rendu	qu'ils	eussent	rendu

CONDITIONNEL / IMPÉRATIF

PRÉSENT		PASSÉ 1ère FORME			PASSÉ 2e FORME			PRÉSENT
je	rendrais	j'	aurais	rendu	j'	eusse	rendu	rends
tu	rendrais	tu	aurais	rendu	tu	eusses	rendu	rendons
il	rendrait	il	aurait	rendu	il	eût	rendu	rendez
nous	rendrions	nous	aurions	rendu	nous	eussions	rendu	
vous	rendriez	vous	auriez	rendu	vous	eussiez	rendu	
ils	rendraient	ils	auraient	rendu	ils	eussent	rendu	PASSÉ

aie rendu
ayons rendu
ayez rendu

PARTICIPE / INFINITIF

PRÉSENT	PASSÉ	PRÉSENT	PASSÉ
rendant	rendu(e)	rendre	avoir rendu
	ayant rendu		

Remarques:

— La troisième conjugaison ne comprend qu'un petit nombre de verbes, souvent très usuels, mais assez irréguliers parce que le radical change (aller: je vais, j'irai; venir : je viens, nous viendrons), parce que le passé simple est tantôt en *-is* (je fis), tantôt en *-us* (je valus), parce que le participe passé est aussi tantôt en *-i* (senti, servi), tantôt en *-u* (tenu, valu) et qu'il y a souvent une modification du radical (né, pris, fait, dit).

— Le passé simple des verbes *tenir* et *venir* est je tins, je vins.

SECTION 4

Les substantifs

4.1 LE GENRE

L'usage a fixé le genre de certains noms qui ont pu être masculins ou féminins au cours des âges. Ainsi les mots suivants sont masculins :

abîme	asphalte	épiderme
acabit	astérisque	épilogue
adage	asthme	équilibre
aéronef	atome	équinoxe
aéroplane	auspice	esclandre
âge	autoclave	escompte
agrumes	automate	éventail
air	camée	exode
alambic	caramel	exorde
amalgame	cerne	fastes
ambre	chrysanthème	globule
amiante	codicille	granule
anathème	conifère	hémisphère
anniversaire	décombres	hiéroglyphe
anthracite	échange	holocauste
antidote	élastique	hôpital
antipode	éloge	horoscope
antre	emblème	hospice
apanage	emplâtre	humour
apogée	encombre	hyménée
armistice	en-tête	incendie
aromate	entracte	indice
artifice	entrecolonne	insigne

intermède
interrogatoire
interstice
intervalle
ivoire
leurre
libelle
losange
mastic
mausolée
méandre
monticule

obélisque
omnibus
opuscule
orage
orchestre
organe
orifice
ouvrage
ovale
ovule
pétale

pétiole
pore
poulpe
rail
sépale
sévices
tubercule
ulcère
ustensile
vestige
vivres

Les mots suivants sont féminins :

acoustique
affres
agrafe
alcôve
amnistie
amorce
amulette
anagramme
ancre
antichambre
apothéose
arabesque
argile
arrhes
artère
astuce
atmosphère
attache
automobile
autostrade
avant-scène

dynamo
ébène
ébonite
ecchymose
échappatoire
écharde
écritoire
encaustique
enclume
épigramme
épigraphe
épitaphe
épithète
épître
équerre
équivoque
extase
fourmi
hécatombe
icône
idole

idylle
immondice
impasse
insulte
mandibule
météorite
molécule
moustiquaire
nacre
oasis
obsèques
offre
omoplate
once
optique
orbite
paroi
patère
ténèbres
vis
volte-face

Quelques substantifs ont un genre différent selon le nombre ou le sens. Les noms les plus connus de cette catégorie sont les suivants :

aigle
amour
cartouche
couple
crêpe
délice
enseigne
espace

geste
greffe
hymne
manche
matricule
mémoire
mode
moufle

oeuvre
orgue
parallèle
pendule
physique
poste
solde
voile

Remarque — La langue populaire a tendance à ranger les mots à initiale vocalique dans la catégorie des féminins. Ainsi, au Canada, on attribue souvent le féminin aux mots suivants qui sont masculins : ascenseur, argent, autobus, avion, escalier, étage, opéra, orage, oreiller, orteil, etc.

4.1.1   Le féminin des titres et fonctions

Il est bien connu que le féminin des titres et des fonctions donne lieu à des controverses intarissables. En vertu du principe d'égalité, de nombreux «féministes» veulent que les titres et fonctions attribués aux femmes soient au masculin. Ainsi, on peut lire sur des cartes de visite : Mlle X, Directeur des Presses ou Mme Y, Avocat à la Cour, quand ce n'est pas Mme Z, Pharmacien. Il semble donc que le masculin l'emporte généralement sur le féminin.

En règle générale, on devrait utiliser la forme féminine du substantif quand elle existe. On écrira donc : l'adjointe, la conseillère, la députée, l'inspectrice, la pharmacienne, etc.

On ajoutera aux autres titres et fonctions un nom qui précise le sexe de la personne désignée.
Ex. : une femme ingénieur, une femme professeur, Madame le Ministre, etc.

Liste partielle des noms qui n'ont pas de féminin :

auteur	interprète	penseur
chef	juge	pionnier
écrivain	libraire	possesseur
fournisseur	médecin	professeur
guide	ministre	successeur
historien	modèle	témoin
imposteur	peintre	vainqueur

Remarque — Si l'on ajoute un qualificatif, il se rapporte au titre de la personne désignée et non au sexe.
Ex.: Mme X, professeur agrégé.

4.1.2   Le genre des noms de navires, d'avions, d'hôtels

Le genre des noms de navires, d'avions et d'hôtels est pour le moins fantaisiste et donne lieu régulièrement à des polémiques. C'est ainsi qu'un hôtel s'appelle «Le Reine Élisabeth» et un paquebot «Le France». Selon les grammairiens, l'article devrait s'accorder avec le nom donné au navire, à l'avion ou à l'hôtel.

4.1.3   Le genre des noms de villes

Les noms de villes sont en règle générale du masculin, même si l'usage reste hésitant pour les noms qui se terminent par un *e* muet.
Ex. : *le grand Montréal.*

Remarque — Lorsque le nom de la ville est suivi d'une épithète introduite par un article, l'accord se fait généralement au féminin par suite de l'ellipse du mot ville.
Ex. : *Alger-la-Blanche.*

4.2   LE NOMBRE

4.2.1   Pluriel des noms propres

En principe, les noms propres sont invariables.
Ex. : les Lafleur, les Dupont, les Ford, les Devoir, les Martini.

Toutefois, les noms de certaines familles illustres prennent la marque du pluriel.
Ex. : les Curiaces, les Césars, les Bourbons.

Les noms étrangers non francisés et dont le pluriel n'est pas en *s* restent invariables.
Ex. : les Hohenzollern, les Habsbourg.

Remarque — Les noms propres employés comme noms communs s'accordent, sauf s'ils commencent par un article au singulier.
Ex. : des Césars, mais des Lafontaine.

4.2.2   Pluriel des noms composés

En règle générale, seuls les noms et les adjectifs prennent la marque du pluriel dans les mots composés; les autres éléments restent invariables.
Ex. : des coffres-forts, des arrière-boutiques.

Remarques

1. En cas de difficulté à former le pluriel d'un mot composé, il est toujours utile de consulter un dictionnaire en cherchant le mot lui-même ou le premier élément.

2. La décomposition du mot permet parfois de décider de l'accord.
   Ex. : des garde-robes (endroit où l'on dépose des habits), des abat-son (qui permet d'abattre le son).

4.2.3   Pluriel des mots étrangers

Les mots étrangers qui ont été francisés par l'usage prennent la marque du pluriel.

Ex. : des concertos, des bravos, des ultimatums, des maximums.

Les mots anglais conservent en général leur pluriel d'origine, mais il n'est pas incorrect de leur donner un pluriel français.

Ex. : des sandwiches ou des sandwichs, des matches ou des matchs.

Les mots italiens qui font ordinairement leur pluriel en -*i* devraient être francisés et prendre un -*s*.

Ex. : des raviolis, des salamis, des confettis.

4.2.4   Mots qui n'ont pas de singulier

Un certain nombre de mots ne possèdent pas de singulier. Tels sont :

affres	confins	mânes
agapes	décombres	moeurs
agrès	dépens	nippes
agrumes	entrailles	obsèques
ambages	fiançailles	pénates
arrérages	fonts	pourparlers
arrhes	frais	prémices
catacombes	funérailles	ténèbres
cisailles		

Remarques

1. Les mots ciseau, lunette et vacance changent de sens au pluriel.

    ciseau, n.m. Lame d'acier affûtée à une extrémité, généralement munie d'un manche, et qui sert à travailler soit le bois, soit la pierre ou le métal.

    ciseaux, n.m. pl. Instrument tranchant formé de deux lames pivotant autour d'un axe.

    lunette, n.f. Instrument d'optique qui fait voir de manière distincte des objets éloignés.

    lunettes, n.f. pl. Paire de verres enchâssés dans une monture faite pour être placée sur le nez devant les yeux.

    vacance, n.f. 1° État d'une place, d'une charge, d'un siège non occupés. 2° Temps pendant lequel un pouvoir ou une activité ne s'exerce plus.

    vacances, n.f. pl. 1° Période de fermeture des écoles. 2° Période de congé pour les travailleurs.

2. Certains mots ont deux pluriels, soit de même sens, soit de sens différent.

    Ex. : ails — aulx; chorals — choraux; idéals — idéaux; pascals — pascaux; vals — vaux; aïeuls — aïeux; oeils — yeux.

SECTION 5

Les pronoms

Le pronom est un mot qui peut tenir la place d'un nom. Ce nom doit cependant être déterminé grammaticalement, c'est-à-dire qu'il doit figurer dans la phrase et être précédé d'un article ou d'un adjectif déterminatif. Quand une phrase renferme plusieurs pronoms, pour éviter toute équivoque, on doit pouvoir saisir sans peine le rapport existant entre chaque pronom et le mot qu'il remplace. Le pronom doit donc avoir la même acception que le mot qu'il représente.

La grammaire distingue six espèces de pronoms :

— les pronoms personnels
   Ex. : je, tu, il, me, moi, etc.

— les pronoms possessifs
   Ex. : le mien, la mienne, les miens, etc.

— les pronoms démonstratifs
   Ex. : celui, celle, ce, ceux, celui-ci, celui-là, etc.

— les pronoms relatifs
   Ex. : qui, que, quoi, lequel, etc.

— les pronoms interrogatifs
   Ex. : qui?, que?, quoi?, lequel?, etc.

— les pronoms indéfinis
   Ex. : aucun, chacun, quiconque, etc.

SECTION 6

L'accord

6.1 L'ACCORD APRÈS UN NOM COLLECTIF

Si le sujet d'un verbe est un collectif, le verbe est au singulier.
Ex. : Tout le monde est parti.

Cependant, si le collectif est suivi d'un nom au pluriel, l'accord se fait soit avec le collectif, soit avec le complément.

Si le collectif est précédé de l'article défini ou d'un adjectif démonstratif ou possessif, le verbe s'emploie au singulier.
Ex. : La foule des curieux gêne la circulation.

Si le collectif est précédé de *un* ou de *une,* le verbe s'emploie soit au singulier, soit au pluriel, selon la mise en relief désirée.
Ex. : Un grand nombre de lettres est perdu.
Un grand nombre de personnes sont malades.

Avec les collectifs suivants : *la plupart, beaucoup de, bien des, une infinité de, peu de, assez de, trop de, tant de, combien de, nombre de, force, nombre, quantité,* l'accord se fait avec le complément.
Ex. : Beaucoup de clients ne pensent pas . . .
La plupart des commerçants voudraient . . .

6.2   L'ACCORD APRÈS UN PLURIEL DE MAJESTÉ

Le pluriel de majesté et le *vous* de politesse exigent des participes passés ou des adjectifs au singulier.
Ex.: Nous sommes convaincu que...
Vous êtes persuadé que...

6.3   L'ACCORD DE L'ADJECTIF

L'adjectif qui se rapporte à plusieurs mots de genres différents prend la forme du masculin pluriel .
Ex.: Les conditions et les besoins financiers...

Cependant, par souci d'harmonie, on placera le nom masculin devant l'adjectif.

Si l'adjectif ne se rapporte qu'au dernier des deux noms unis par *et,* il s'accorde avec le nom qu'il qualifie.
Ex.: Rédaction et correspondance commerciale

Lorsque plusieurs adjectifs qualifient chacun un seul aspect d'un nom au pluriel, ils peuvent conserver le singulier.
Ex.: Les rapports trimestriel et annuel.

6.4   L'ACCORD DU PARTICIPE PASSÉ

6.4.1   Participe passé employé sans auxiliaire

Lorsque le participe passé est employé sans auxiliaire, il a les mêmes fonctions qu'un adjectif et s'accorde donc avec le mot auquel il se rapporte.
Ex.: facture expédiée.

Remarques

1. Les participes *approuvé, lu* et *vu* employés seuls sont invariables.

2. Les participes *approuvé, attendu, certifié, communiqué, entendu, excepté, passé, lu, reçu, supposé, vu* et les expressions *non compris, y compris, étant donné, excepté que*, s'ils sont placés avant le nom, restent invariables.
   Ex. : Vu la circulaire du 12 mai 19...

6.4.2   Participe passé des verbes conjugués avec «être».

Lorsque le participe passé se conjugue avec l'auxiliaire *être*, il s'accorde en genre et en nombre avec le sujet du verbe.
Ex. : La facture est arrivée.

Remarque — Les verbes *sembler, paraître, devenir, demeurer, avoir l'air*, etc., suivent la même règle.
Ex. : Les cases semblaient remplies.

6.4.3   Participe passé des verbes conjugués avec «avoir».

Lorsque le participe passé se conjugue avec l'auxiliaire *avoir*, il s'accorde avec le complément d'objet direct si celui-ci est placé avant le participe.
Ex. : Nous vous adressons la facture que vos services ont demandée.

Le participe passé reste donc invariable quand le complément d'objet direct suit le verbe dans la phrase et quand le complément d'objet direct n'est pas exprimé ou ne peut l'être parce que le verbe est intransitif ou transitif indirect.
Ex. : J'ai expédié la facture.
Cette chose lui a plu.

Cas particuliers

— Le participe passé *fait*, lorsqu'il est suivi d'un infinitif, reste invariable.
  Ex. : Les factures que j'ai fait imprimer.

— Les participes passés *accepté, approuvé, attendu, certifié, ci-annexé, ci-inclus, ci-joint, compris, non compris, y compris, passé, ôté, supposé, excepté, vu*, etc. employés en début de phrase ou précédant immédiatement un nom sans article restent invariables.
  Ex. : Ci-annexé les brochures demandées.
  Je vous adresse ci-joint copie du procès-verbal.

— Les participes passés accompagnés de compléments circonstanciels, qui ne sont pas des compléments d'objet direct, sont invariables. Il faut donc faire attention à la fonction du complément.

Ex.: Les mille dollars que cette réparation a coûté. (Cette réparation a coûté *combien?*)

Les cent mètres qu'il a couru.
(Il a couru *combien?*)

— Les participes passés des verbes impersonnels ou employés comme tels restent invariables.

Ex. : Les trois semaines qu'il a plu.
Les grandes chaleurs qu'il a fait.

— Les participes passés précédés du pronom neutre *l'* sont invariables. Si le pronom ne représente pas le sens de «cela», l'accord se fait.

Ex. : Cette décision, je l'ai reconnu, est bonne.
Cette décision, je l'ai acceptée comme inévitable.

— Les participes passés employés avec un collectif suivi d'un complément pluriel s'accordent soit avec le collectif, soit avec le complément, suivant le sens recherché. Les collectifs les plus courants sont : la foule de, le grand nombre de, la multitude de, la moitié de, une paire de, une masse de, une quantité de.

Ex. : La foule de voyageurs que j'ai rencontrée.
La foule de voyageurs que j'ai rencontrés.

— Les participes passés employés avec un adverbe de quantité (autant, combien, moins, plus) suivi d'un complément s'accordent avec le complément.

Ex. : Combien de personnes il a rencontrées.

— Les participes passés précédés de *en,* équivalant comme sens à *de cela,* restent invariables.

Ex. : J'ai recueilli des fonds et j'en ai dépensé.

— Les participes passés précédés de *en* lui-même précédé d'un adverbe (autant, beaucoup, combien, moins, plus, que, tant, trop, etc.) s'accordent ou restent invariables.

Ex. : Des factures, combien j'en ai reçu.
Des dividendes, combien j'en ai reçus.

— Les participes passés précédés de *en* lui-même précédé d'un adverbe de quantité accompagné de la préposition *de* (autant de, moins de, plus de, tant de) restent invariables.

Ex. : Il a remporté autant de parties qu'il en a joué.

— Les participes passés précédés de *le peu* restent invariables si cette expression désigne une quantité faible, et s'accordent si la quantité est suffisante.

Ex. : Le peu de ventes qu'il a réussi ne l'a pas encouragé.
Le peu de travaux qu'il a terminés lui ont permis de prendre des vacances.

— Les participes passés précédés de *un de, un de ces, un des, un de ceux,* etc. s'accordent si l'idée de pluralité l'emporte et restent invariables dans le cas contraire.

Ex. : J'ai revu un des documents que vous m'avez prêtés.
C'est un des documents les plus controversés que j'ai lu.

— Les participes passés qui se rapportent à des antécédents joints par *ni* ou par *ou* peuvent s'accorder avec celui sur lequel porte la pensée, mais l'accord se fait généralement au masculin. Si les conjonctions servent à additionner, l'accord se fait au pluriel.

Ex. : Le jour ou la semaine qu'on aura prévu.
Le jour ou la semaine qu'on aura prévus.

— Les participes passés qui se rapportent à des compléments unis par *ainsi que, aussi bien que, autant que, comme, de même que, non moins que, non plus que* s'accordent avec le premier substantif s'il y a comparaison. S'il y a addition l'accord se fait avec les deux substantifs.

Ex. : C'est sa ténacité non moins que son entêtement qu'on lui a reprochée.
Son assiduité ainsi que son ardeur au travail lui ont valu une promotion.

— Les participes passés qui se rapportent à des compléments liés par *moins que, plus que, plutôt que, non, et non, et non pas,* s'accordent avec le premier complément.

Ex. : C'est moins leur directeur que les secrétaires qu'on a récompensé.

— Les participes passés qui se rapportent à des compléments liés par *mais, non seulement,* s'accordent généralement avec le dernier complément.

Ex. : C'est non seulement un ordre, mais encore une mise en demeure qu'il a transmise.

— Les participes passés qui se rapportent à des mots indiquant une gradation s'accordent avec le dernier terme.

Ex. : Le dépit, la colère qu'il a manifestée.

6.4.4 Participe passé des verbes pronominaux

Les participes passés des verbes essentiellement pronominaux, c'est-à-dire uniquement employés sous cette forme, s'accordent en genre et en nombre avec le sujet ou le pronom réfléchi qui représente le sujet. Voici la liste des verbes pronominaux les plus courants:

s'absenter	s'ébattre	s'emparer
s'abstenir	s'écrier	s'empresser
s'accouder	s'écrouler	s'en aller
s'accroupir	s'effondrer	s'enfuir
s'adonner	s'efforcer	s'enquérir
s'agenouiller	s'élancer	s'entraider

s'envoler	s'insurger	se parjurer
s'éprendre	s'obstiner,	se raviser
s'esclaffer	se blottir	se rebeller
s'évader	se cabrer	se récrier
s'évanouir	se dédire	se réfugier
s'évertuer	se démener	se rengorger
s'exclamer	se désister	se repentir
s'extasier	se formaliser	se soucier
s'infiltrer	se gargariser	se souvenir
s'ingénier	se méfier	se suicider
s'ingérer	se méprendre	se targuer

Ex. : Les actions de la compagnie se sont effondrées.

Cas particuliers

— Les participes passés des verbes ci-dessous employés à la forme pronominale sont invariables : *se complaire, se convenir, se déplaire, se nuire, se parler, se plaire, se ressembler, se rire, se sourire, se succéder, se suffire, se survivre.*

Ex. : Les conférenciers se sont succédé à la tribune.

— Dans le cas des autres verbes pronominaux, l'accord se fait avec le sujet si le pronom est complément direct; si le pronom est complément indirect et que le complément direct soit placé après le participe, celui-ci reste invariable.

Ex. : Deux ouvriers se sont coupés.
      Deux ouvriers se sont coupé le doigt.

— Avec les temps surcomposés, seul le deuxième participe passé prend l'accord.

Ex. : Ces lettres, dès que je les ai eu expédiées, . . .

SECTION 7

L'adjectif et l'adverbe

7.1 L'ADJECTIF

On distingue traditionnellement les *adjectifs qualificatifs,* qui expriment une qualité, et les *adjectifs déterminatifs* (adjectifs numéraux, possessifs, démonstratifs, relatifs, interrogatifs, exclamatifs, indéfinis), qui servent à introduire les noms auxquels ils se rapportent.

7.1.1 Adjectifs qualificatifs

La place de l'adjectif qualificatif n'est déterminée par aucune règle. Toutefois, les exigences de la clarté et de l'euphonie veulent que les adjectifs qualificatifs, en général, suivent le nom s'ils comptent plus d'une syllabe.

Ex. : une maison confortable.

Remarque — Lorsque l'adjectif précède le nom, il a une valeur affective très marquée, sauf dans un certain nombre d'expressions figées.

Ex. : un agréable entretien, un grand homme.

a) Adjectifs de couleur

— Les adjectifs de couleur qui dérivent d'une chose ne s'accordent pas.
  Ex. : acajou, cerise, champagne, citron, prune, saphir, tomate; des fiches orange.

— Les adjectifs de couleur qui forment un mot composé sont invariables.
  Ex. : des agrafeuses gris-bleu.

— Lorsqu'un adjectif de couleur est modifié par un autre adjectif, tous les deux sont invariables.
  Ex. : des classeurs brun clair.

b) Degrés de comparaison

— Certains adjectifs, qui sont déjà des superlatifs, ne peuvent être précédés de la locution *le plus*.
  Ex. : excellent, extrême, infime, minime, parfait, suprême, ultime, unique, etc.

— Certains adjectifs, qui sont déjà des comparatifs, ne peuvent être précédés du mot *plus*.
  Ex. : antérieur, inférieur, majeur, meilleur, mineur, postérieur, supérieur, etc.

Remarques

1. Ne pas confondre *pis* et *pire* :
   pire signifie «plus mauvais» (contraire de meilleur).
   Ex. : Cette solution est mauvaise; l'autre est pire.

   pis signifie «plus mal» (contraire de mieux).
   Ex. : C'est mal, mais ça pourrait être pis.

2. Ne pas confondre l'adjectif *chaque* et le pronom *chacun*.
   Ex. : Chaque calendrier coûte un dollar.
   Les calendriers coûtent un dollar chacun.

7.2   L'ADVERBE

On pourrait définir l'adverbe comme étant l'adjectif d'un verbe, d'un adjectif ou d'un autre adverbe. En d'autres termes, l'adverbe décrit, modifie, explique, limite ou précise le sens d'un verbe, d'un adjectif, d'un adverbe.

7.2.1   Catégories d'adverbes

On distingue les catégories suivantes :

— *Adverbes de manière* (ainsi, bien, comment, debout, ensemble, exprès, gratis, mal, mieux, plutôt, vite, etc.).

— *Adverbes de quantité* (assez, aussi, autant, beaucoup, davantage, guère, moins, peu, plus, presque, si, tant, tellement, très, trop, etc.).

— *Adverbes de temps* (alors, après, aujourd'hui, auparavant, aussitôt, autrefois, avant, bientôt, déjà, demain, depuis, désormais, encore, enfin, ensuite, hier, jamais, longtemps, maintenant, parfois, puis, etc.).

«Y a pas personne chez nous qu'a besoin d'une grammaire.»

— *Adverbes de lieu* (ailleurs, alentour, arrière, autour, avant, çà, ci, contre, dedans, dehors, derrière, dessous, devant, ici, là, loin, où, partout, près, etc.).

— *Adverbes d'affirmation* (assurément, aussi, certainement, bien, certes, oui, précisément, si, volontiers, soit, etc.).

— *Adverbes de négation* (aucun, aucunement, guère, jamais, rien, personne, non, ne, etc.).

— *Adverbes de doute* (apparemment, peut-être, probablement, sans doute, vraisemblablement, etc.).

Remarques

1. À cette liste, il faudrait encore ajouter un très grand nombre d'adverbes en *-ment* (excessivement, terriblement, chaudement, rapidement) et quantité de locutions adverbiales (à dessein, à tort, de même, à moitié, à demi, à peine, tout de suite, à l'instant, de temps en temps).

2. La langue des affaires utilise volontiers un pourcentage comme adverbe de quantité.
   Ex. : Nous accordons quatre pour cent de réduction.

7.2.2 Place de l'adverbe

L'adverbe doit être aussi près que possible du mot dont il précise le sens. Les adverbes monosyllabiques et les adverbes de type qualitatif se placent généralement avant le mot qu'ils déterminent.
Ex. : bien écrire, très satisfaisant, largement employé.

Si la détermination est plus précise, l'adverbe suit le mot auquel il se rapporte.
Ex. : partir inopinément, agir loyalement.

Pour créer un effet de style, surtout si l'adverbe se rapporte par le sens à toute une phrase, il est possible de le détacher en tête de phrase ou encore de le placer en position finale.
Ex. : Rapidement, il s'est mis à travailler.
Il s'est assis à son bureau, brusquement.

Confusions à éviter

Très — beaucoup

Très ne se rapporte jamais à un verbe mais toujours à un adjectif, qu'il porte au superlatif absolu.

Beaucoup, au contraire, ne se rapporte qu'à un verbe ou à un participe.

Ex. : C'est un prix très élevé.
Cette lettre est très intéressante.
Ce travail m'a beaucoup fatigué.
Cette lettre m'a beaucoup intéressé.

De suite — tout de suite

De suite signifie «à la suite l'un de l'autre», tandis que *tout de suite* a le sens de «immédiatement».

Ex. : Il a téléphoné quatre fois de suite.
Il faut expédier cette lettre tout de suite.

Tout d'un coup — tout à coup

La locution *tout d'un coup* signifie «en une seule fois».
Tout à coup a le sens de «subitement, d'une façon imprévue».

Ex. : Il ferme tout d'un coup les tiroirs du classeur.
Tout à coup, je le vis derrière moi.

Plutôt — plus tôt

L'adverbe de manière *plutôt* signifie «assez, de préférence». Il implique donc une idée de choix. La locution adverbiale de temps *plus tôt* s'oppose à plus tard.

Ex. : Plutôt démissionner que d'être renvoyé.
Vous avez fini plus tôt que je ne le pensais.

Jadis — naguère

Jadis signifie «autrefois» et *naguère* a le sens de «tout récemment».

Ex. : Jadis les femmes n'avaient pas le droit de porter le pantalon.
Naguère, c'était un terrain vague.

Gratis — gratuit

Gratis est un adverbe et ne peut donc que modifier un verbe, alors que *gratuit* est un adjectif qui doit se rapporter à un nom.

Ex. : C'est gratis.
Il distribuait des échantillons gratuits.

SECTION 8

La préposition

La préposition est un mot qui sert à relier deux ou plusieurs mots dans une phrase. En d'autres termes, la préposition ou la locution prépositive établit un lien entre une partie d'un énoncé et ce qui lui est lié ou subordonné.

8.1   LISTE DES PRINCIPALES PRÉPOSITIONS ET LOCUTIONS PRÉPOSITIVES

à	devant	pendant
après	durant	pour
attendu	en	près
avant	entre	sans
avec	envers	sauf
chez	excepté	selon
concernant	jusque	sous
contre	malgré	sur
dans	moyennant	vers
de	outre	via
depuis	par	
dès	parmi	

à cause de	à l'égard de	à l'insu de
à côté de	à l'encontre de	à moins de
à défaut de	à l'exception de	à raison de
afin de	à l'exclusion de	à travers

8.2   RÉPÉTITION DES PRÉPOSITIONS

Les prépositions de peu de poids, par exemple, *à, de, en,* se répètent générale-ment devant les compléments qu'elles introduisent.

Ex. :   Son bureau était couvert de lettres et de dossiers.

Les autres prépositions ne se répètent devant les compléments qu'elles in-troduisent que si l'on veut insister sur l'idée formulée.

Ex. :   Ce bon de commande est à remplir sans fautes et sans ratures.

Remarque — Deux prépositions ne peuvent introduire le même complément que si elles admettent la même construction (voir chap. VI, § 3.2.4).

Ex. :   Avez-vous voté pour ou contre le projet?
Il est dans le garage ou à côté (et non «il est dans ou à côté du garage»).

Confusions à éviter

Près de — prêt à

La locution prépositive *près de* exprime la proximité, alors que *prêt à* (adjectif suivi d'une préposition) a le sens de «être disposé ou décidé à».

Ex. :   J'habite près de la gare.
Elle est prête à sortir.

Vis-à-vis — vis-à-vis de

La première locution a le sens de «juste en face de, à l'opposé de», et la deuxième signifie «en présence de, à l'égard de».

Ex. :   Mon bureau est vis-à-vis la banque.
Il est poli vis-à-vis de tout le monde.

Remarque — *Vis-à-vis* s'emploie de plus en plus avec la préposition *de*.
Ex. : Mon bureau est vis-à-vis de la banque.

À travers — au travers de

Les deux locutions ont une signification assez voisine. La deuxième ajoute
simplement l'idée d'une pénétration plus difficile, d'un obstacle à vaincre.
Ex. : À travers ma fenêtre, je voyais tout le jardin.
     Au travers d'une épaisse fumée, on apercevait le pompier.

Remarque — Pour les difficultés particulières d'utilisation des prépositions
au Canada, voir Gérard Dagenais, *Dictionnaire des difficultés de la langue
française au Canada,* pages 505 à 512.

SECTION 9

La conjonction

La conjonction est un mot qui sert à lier deux mots (lettre et enveloppe) ou
deux propositions (Son bureau est vide parce qu'il a déménagé). On distingue
traditionnellement deux catégories de conjonctions : *les conjonctions de
coordination* (mais, ou, et, donc, or, ni, car) et *les conjonctions de subordination* (comme, parce que, puisque, pour que, de sorte que, bien que, quand,
etc.).

9.1 LES CONJONCTIONS DE COORDINATION

Elles servent à unir deux mots ou deux propositions de même nature. Ainsi la
conjonction *et* ne peut coordonner que des mots qui appartiennent à la
même catégorie grammaticale ou qui exigent la même construction.
Ex. : J'aime la comptabilité et la grammaire.
     Votre travail est fait avec soin et avec rapidité.

Cette même conjonction ne peut coordonner une idée générale et une idée
particulière contenue dans la première. On ne peut donc dire : «travail de
bureau et de dactylographie».

     La locution «non seulement ... mais encore» doit introduire deux
groupes de mots de même valeur.
Ex. : Il a annulé non seulement sa commande, mais encore sa visite.

     Les conjonctions de coordination servent donc à établir des construc-
tions grammaticales parallèles, c'est-à-dire qu'un nom doit se coordonner à
un autre nom, un adjectif à un autre adjectif, une proposition à une autre proposition, etc.

9.2 LES CONJONCTIONS DE SUBORDINATION

Elles servent à lier une proposition subordonnée à une principale. En d'autres termes, les deux propositions reliées sont de nature et de valeur inégales, la proposition subordonnée expliquant ou complétant l'idée de la principale.

La conjonction de subordination peut marquer

— la cause : comme, parce que, puisque, etc.

— le but : afin que, pour que, etc.

— la conséquence : que, de sorte que, de façon que, etc.

— l'opposition : bien que, quoique, encore que, alors que, etc.

— la condition ou la supposition : si, au cas où, à condition que, pourvu que, etc.

— le temps : quand, lorsque, comme, tandis que, depuis que, jusqu'à ce que, pendant que, etc.

— la comparaison : comme, de même que, ainsi que, autant que, selon que, etc.

Remarques

1. *Que*, la conjonction de subordination la plus fréquente, s'emploie souvent pour éviter la répétition d'autres conjonctions au début d'une seconde proposition coordonnée à la première.

2. *Quoi que* est une locution pronominale indéfinie qui a la signification de «peu importe la chose que».

   Ex. : Quoi qu'il en soit, il est trop tard.

   Quoique est une conjonction qui signifie «bien que».

   Ex. : Il travaille quoiqu'il soit malade.

3. Le verbe qui suit *quoique, bien que, encore que, afin que* ne s'emploie qu'au subjonctif.

4. Même si de grands auteurs ont utilisé la locution *malgré que* avec le sens de «bien que, quoique», il vaut mieux éviter de l'employer.

SECTION 10

Les déictiques

On appelle déictique (d'un mot grec qui signifie montrer) un mot (article, démonstratif) ou une expression qui désigne un être ou un objet connu, soit qu'il soit présent, soit qu'il ait été précédemment mentionné dans l'énoncé.

10.1   L'ARTICLE

L'article est un mot que l'on place devant un nom pour en indiquer le genre et le nombre. Il introduit les noms en les désignant avec plus ou moins de précision.

L'article défini (*le, la, les*) peut aussi jouer le rôle d'un déictique, car il actualise un nom et détermine avec précision son sens.

Ex. : Donnez-moi le dossier (c'est-à-dire le dossier que l'on sait).

Règles

1. Dans une énumération, l'article doit être répété devant chaque nom.
   Ex. : les anciennes et les nouvelles formules d'emploi.
   Les chefs de bureau et les secrétaires étaient partis.

2. Dans un certain nombre d'expressions figées, on ne répète pas l'article.
   Ex. : les Arts et Métiers.

3. On ne répète pas l'article devant les qualificatifs qui se rapportent à la même personne.
   Ex. : le juste et aimable vieillard.

10.2   L'ADJECTIF DÉMONSTRATIF

L'adjectif démonstratif, comme son nom l'indique, montre les êtres et les objets. Très souvent l'idée démonstrative est encore renforcée par la particule adverbiale (ci, là) que l'on ajoute au nom.

Ex. : Ces factures-ci (idée de proximité).
Ces lettres-là (idée d'éloignement).

10.3   LE PRONOM DÉMONSTRATIF

Les pronoms démonstratifs, eux aussi, servent à désigner les êtres et les choses, ou à représenter un nom déjà exprimé ou connu par le contexte. Aux formes simples (ce, celui, celle, ceux, celles) on peut ajouter les adverbes *ci* et *là*, désignant respectivement la proximité ou l'éloignement, pour former les pronoms démonstratifs composés (ceci, cela, ça, celui-ci, celui-là, etc.).

Remarque — Le pronom démonstratif *ça,* forme contractée de *cela,* est en principe réservé à la langue parlée.

10.4   CONSEIL

Pour résoudre toutes les ambiguïtés et les difficultés, il faut consulter une bonne grammaire ou un dictionnaire des difficultés.

10.4.1   Usage de la grammaire

Pour chercher un renseignement dans une grammaire, servez-vous de la table des matières qui classe les «parties du discours» généralement dans l'ordre suivant : le nom, l'article, l'adjectif, le pronom, le verbe, l'adverbe, la préposition, la conjonction, l'interjection. Dans une deuxième partie, vous trouverez l'explication des règles qui concernent la composition des phrases.

Les bonnes grammaires donnent aussi un index des mots. Il suffit donc de chercher le terme voulu dans cette liste par ordre alphabétique.

10.4.2   Usage du dictionnaire des difficultés

Ces dictionnaires sont des manuels de consultation qui vous renseignent d'une façon très concise sur l'orthographe des mots difficiles, la prononciation des mots peu courants, la ponctuation. Ils analysent aussi les difficultés de syntaxe. Chaque mot n'est traité qu'en fonction de difficultés particulières.

EXERCICES DE RÉVISION ET DE COMPRÉHENSION

Nécessité d'un plan

1.   Quelles sont les principales parties d'un plan?

La phrase

1.   Construisez deux phrases simples. Montrez en quoi elles sont simples.

2.   Par quels moyens la subordination peut-elle être marquée? Donnez trois ou quatre exemples.

Le verbe

1.   Justifiez l'affirmation suivante : le verbe est le noyau de la phrase.

2.   Qu'expriment les modes d'un verbe?

3.   Quelle différence voyez-vous entre le présent et le subjonctif?

4.   Quelles sont les principales règles de la concordance des temps si le verbe principal est au présent, s'il est à l'imparfait?

5.   Donnez un ou deux exemples d'un verbe qui marque
   — un aspect duratif,
   — un aspect inchoatif,
   — un aspect dépréciatif.

6.   Qu'est-ce qu'un verbe transitif? intransitif?

Les substantifs

1. Quel est le genre des mots suivants : escompte, intervalle, indice, opuscule, pétale, impasse, oasis, encaustique, optique, molécule?

2. Citez cinq noms de titres ou de fonctions qui n'ont pas de féminin.

3. Donnez cinq mots qui n'ont pas de singulier.

4. Quelles différences de sens existe-t-il entre les mots *vacance* et *vacances?*

Les pronoms

1. Quel est l'antécédent du pronom *ils* dans la phrase ci-dessous? Pourquoi cette phrase est-elle peu claire? Corrigez-la.
   «Les vendeurs ne visitent plus les clients du hameau qu'une fois par an, si bien qu'ils sont mécontents.»

L'accord

1. Pourquoi la phrase ci-dessous est-elle fautive?
   «Tout le monde sont d'accord.»

2. Faut-il faire l'accord du participe passé dans les phrases suivantes :
   «Un grand nombre de lettres (être + perdre).»
   «Un grand nombre de voyageurs (être + descendre).»

3. Quand les participes *approuvé, lu* et *vu* sont-ils invariables?

4. Quelle est la règle d'accord pour les expressions : ci-joint, ci-inclus, ci-annexé? Donnez un ou deux exemples.

L'adjectif et l'adverbe

1. Quelle différence de sens voyez-vous entre les expressions suivantes :
   un petit enfant — un enfant petit
   un triste personnage — un personnage triste
   un certain âge — un âge certain
   ma propre voiture — ma voiture propre

2. Quelle est la règle de l'accord des adjectifs de couleur? Donnez, pour chaque cas, un ou deux exemples.

3. Pourquoi les phrases ci-dessous sont-elles fautives?
   «C'est le plus excellent vin que j'ai bu.»
   «C'est la partie la plus inférieure qui est défectueuse.»

4. Quelle différence voyez-vous entre les phrases suivantes?
   «Il a prononcé son discours naturellement.»
   «Naturellement, il a prononcé son discours.»

5. Pourquoi la phrase suivante est-elle fautive?
   «Échantillons gratis fournis sur demande.»

La préposition

1. Pourquoi les phrases suivantes sont-elles fautives ? Corrigez-les.
   «Il voyage sur le train.»
   «Il est sur le comité.»
   «Elle est sur le téléphone.»
   «Il est après manger.»
   «Il déjeune avec des céréales.»

2. Quelle différence faites-vous entre les phrases suivantes :
   M. X est directeur de la Compagnie.
   M. X est directeur à la Compagnie.

La conjonction

1. Pourquoi la construction «Métaux précieux et or à vendre» est-elle à proscrire?

2. Quelles sont les deux interprétations possibles de la phrase suivante :
   «J'aime mon travail plus que mon frère.»

Les déictiques

1. Faut-il répéter l'article devant chaque nom dans les phrases suivantes :
   «On avait renversé de l'encre sur les feuilles, enveloppes et timbres.»
   «Les ponts-et-chaussées.»

2. Quelle est la différence entre les déictiques *celui-ci* et *celui-là* ?

BIBLIOGRAPHIE

BENAC, Henri, *Dictionnaire des synonymes*, Paris, Hachette, 1956.

BESCHERELLE (Le nouveau), *L'art de conjuguer, dictionnaire des huit mille verbes usuels*, Paris, Hatier, 36e éd., 1959.

COURAULT, M., *L'art d'écrire*, 2 vol., Paris, Hachette, 1956.

DAGENAIS, Gérard, *Dictionnaire des difficultés de la langue française au Canada*, Montréal, Pédagogia, 1967.

DAUZAT, Albert, *Le génie de la langue française*, Paris, Payot, 1954.

GREVISSE, Maurice, *Le bon usage*, Gembloux, J. Duculot, 7e éd., 1959.

MAROUZEAU, Jean, *Précis de stylistique française*, Paris, Masson et Cie, 1959.

SAUVAGEOT, Aurélien, *Portrait du vocabulaire français*, Paris, Larousse, 1964.

THOMAS, Adolphe V., *Dictionnaire des difficultés de la langue française*, Paris, Larousse, 1956.

Chapitre
III
Le code
orthographique

La ponctuation apporte une clarté indispensable pour prévenir de graves erreurs de lecture. Elle constitue une politesse élémentaire.

Albert DAUZAT

SECTION 1

L'orthographe: principes et traquenards

1.1 RAPPEL DE NOTIONS GÉNÉRALES

L'orthographe est un ensemble de signes qui rendent possibles la notation et la lecture des sons. À l'origine, l'orthographe française était phonétique, c'est-à-dire qu'elle reproduisait assez fidèlement les sons de la langue parlée. Mais, à partir du XIIIe siècle, les scribes y apportèrent des modifications arbitraires et fantaisistes, soit pour tenter de rétablir l'étymologie, soit tout simplement pour accroître leur rémunération (calculée d'après le nombre de pages). L'invention de l'imprimerie et, au XVIe siècle, le rôle de l'imprimeur érudit Robert Estienne permirent de donner à l'orthographe française une certaine uniformité, en tenant compte de l'étymologie. C'est cette orthographe traditionnelle que devait suivre l'Académie française dans son premier dictionnaire (1694), et les règles établies à cette époque servent toujours de base à notre système orthographique.

Malgré les nombreuses améliorations qu'elle a reçues au cours des siècles, l'orthographe française présente encore un grand nombre d'anomalies. Aussi, depuis le XVIe siècle, la simplification de l'orthographe revient régulièrement à l'ordre du jour, chaque projet de réforme (il y en a eu plus de cent) opposant les partisans de l'orthographe traditionnelle, fondée sur l'étymologie, aux tenants de l'orthographe phonétique, copie exacte de la langue parlée. Tout en regrettant les incohérences orthographiques que rien ne justifie, on peut se consoler en pensant que d'autres grandes langues de civilisation — l'anglais et le russe notamment — ne sont pas mieux partagées à cet égard.

1.2 RÔLE ET IMPORTANCE DE L'ORTHOGRAPHE

En dépit de ses imperfections et bizarreries, l'orthographe joue évidemment un rôle essentiel dans la langue : sans orthographe, pas de communication écrite valable. En outre, à tort ou à raison, la connaissance de l'orthographe est devenue un critère du degré d'instruction et, par voie de conséquence, une condition d'accession à de nombreuses carrières. Une faute d'orthographe «classe» son auteur de la même façon qu'un langage déplacé. Elle révèle chez lui un manque d'attention et une ignorance inexcusables, puisqu'il suffit d'ouvrir un dictionnaire pour éviter des confusions regrettables (ammoniac/ammoniaque) ou même grotesques (septique/sceptique). Enfin, au même titre que la présentation matérielle (qualité du papier, caractères typographiques, bon agencement du texte), une faute d'orthographe peut créer une impression défavorable sur le destinataire d'une lettre ou d'un rapport, facteur non négligeable dans la correspondance commerciale et la rédaction publicitaire. Ce sont là des raisons suffisantes, semble-t-il, pour consentir les quelques efforts qu'exige une orthographe correcte.

1.3   L'ORTHOGRAPHE D'USAGE

Nous avons vu au chapitre II que les mots subissent des modifications orthographiques selon leur fonction dans la phrase. Les règles qui régissent ces modifications constituent l'*orthographe grammaticale ou d'accord*. Nous allons maintenant considérer les mots comme des éléments indépendants, tels qu'on les trouve dans les dictionnaires; leur graphie obéit à des conventions dont l'ensemble forme l'*orthographe d'usage*.

Pour les usagers d'une langue, l'orthographe est l'art d'écrire correctement les mots. C'est une connaissance qui s'acquiert par l'observation (lecture) et par la pratique (écriture et usage du dictionnaire). Mais le système orthographique étant un code ou, si l'on préfère, un ensemble de conventions, il est possible d'en énoncer les principes généraux et d'en signaler les anomalies. On ne saurait toutefois prétendre résumer en quelques pages une matière complexe qui a déjà fait l'objet de nombreux traités (voir bibliographie); c'est pourquoi en présentant de façon schématique les règles d'usage et leurs exceptions, nous ne visons qu'à faciliter une révision rapide des principales difficultés orthographiques de la langue française.

1.4   PRINCIPES D'ORTHOGRAPHE

L'orthographe française n'étant pas phonétique, chaque son ne se trouve pas nécessairement noté par la même lettre ou le même groupe de lettres. Ainsi, le son [o][1] peut s'écrire *o* (écho), *oc* (escroc), *op* (trop), *os* (dos), *ot* (argot), *ôt* (bientôt), et encore *eau, au, aud, ault, aut, aux,* etc. Il est évidemment possible de donner la liste de tous les mots commençant ou se terminant par la même syllabe, mais cette énumération serait fastidieuse et de peu d'utilité. C'est pourquoi nous n'indiquerons que les principales règles régissant la graphie des syllabes initiales, médiales et finales des mots. Leur connaissance permet d'éviter un bon nombre de fautes, sans avoir constamment recours au dictionnaire.

---

1. Voir le tableau de l'API, Annexe II.

1.4.1   Initiales

ex   e suivi d'un *x* ne prend jamais d'accent : exécution, exutoire.

exc-   Devant *e* et *i*, les mots commençant par ex-, prononcé [ɛks], prennent un *c* : excédent, excellent, exception, excès, excitation.

re/ré/r   Préfixe marquant la répétition, le renforcement, le retour à un état antérieur, etc.

Règle générale

Devant une consonne :
re-   reprendre, revenir.
Devant une voyelle :
ré- ou r-   réassurance, réimporter, rajuster, récrire, rouvrir (mais réouverture).
Devant un *h* :
re- ou ré-   rehausser, réhabilitation.
Devant un verbe commençant par *s-* :
re- ou res-   resaler, resurgir, ressouder, ressaisir.

1.4.2   Médiales

e   On intercale un *e* muet :

1. Après la lettre *g* [g > ʒ], devant *a, o, u* :
    — Verbes en *-ger* et leurs dérivés : *nageoire, il rangeait*.
    — Quatre mots en *-geure* [ʒyR] ∴ *gageure, mangeure, rongeure, vergeure*.

2. Dans les mots suivants : *féerie, gaieté, soierie*.

3. Dans les noms dérivés des verbes en *-ayer, -ier, ouer, oyer, uer*.
    Ex. : bégaiement, maniement, rouerie, aboiement, tuerie.
    Exception : châtiment.

4. Les verbes *conclure, exclure, inclure, perclure* et *reclure* s'écrivent sans *e* intercalaire au futur et au conditionnel : je conclurai.

i   Les verbes ayant   un participe présent en *-iant, -gnant, -llant* (jã) et *-ayant* ont une terminaison en *-ions, -iez* à l'indicatif imparfait et au subjonctif présent.
                         Ex. : (que) nous pliions; (que) vous gagniez.
                         (que) nous travaillions; (que) vous broyiez.
                         Exceptions : avoir et être au subjonctif présent (que nous ayons; que vous soyez).

n/m	La lettre *n* devient *m* devant *b, m* et *p.*
	Ex. : ombre, immangeable, camp.
	Exceptions : bonbon, bonbonne, bonbonnière, embonpoint, mainmise, néanmoins.
y	On écrit avec un *y* les mots formés à partir des racines ou préfixes grecs suivants : *cycle, dynam, gyn, glyc, hydr, hyper, hypo, phys, poly, psych, styl, syl, sym, syn.*
	Autres mots d'origine grecque : acolyte, asphyxie, cylindre, embryon, étymologie, hybride, labyrinthe, martyr, pylône, rythme, tympan, tyran.

1.4.3 Finales

Nota — Lorsqu'il n'y a pas de règle d'orthographe, seuls figurent quelques exemples.

-amment/-emment	Les adjectifs à finale en *-ant/-ent* ont pour dérivés des adverbes à finale en *-amment/-emment.*
	Ex.: bruyant, bruyamment; constant, constamment; fréquent, fréquemment; négligent, négligemment.
	Exceptions : lentement, présentement, véhémentement.
-ant/-ent	La finale du participe présent de certains verbes est différente de celle de l'adjectif verbal. Cette différence est une cause fréquente de fautes d'orthographe.
	Ex. : En navi*guant* sur le lac. Le personnel navi*gant.* Porte communi*quant* avec l'extérieur. Vases communi*cants.*

INFINITIF	PARTICIPE PRÉSENT	ADJECTIF VERBAL	EXEMPLES
-ger	**-geant**	**-gent**	converger, diverger, émerger, négliger.
-guer	**-guant**	**-gant**	fatiguer, intriguer, naviguer.
-quer	**-quant**	**-cant**	communiquer, fabriquer, provoquer, suffoquer, vaquer.
autres verbes	**-ant**	**-ent**	adhérer, coïncider, différer, équivaloir, excéder, exceller, expédier, influer, somnoler.

Nota

1. L'adjectif verbal de résider s'écrit *résidant,* plus rarement *résident.*

2. Participes présents et adjectifs verbaux ayant la même orthographe : exigeant, obligeant, attaquant, choquant, craquant, croquant, manquant, marquant, piquant, pratiquant.

-ance/-anse/ **-ence/-ense**	**Ex. :** abondance, balance, sous-traitance; anse, danse, ganse; absence, agence, compétence, concurrence, résidence, urgence; défense, dépense, intense, offense.
-au/-eau	Ne s'écrivent pas en *-eau:* — étau, landau, sarrau — les mots dont la finale est précédée d'une voyelle qui se prononce **Ex. :** tuyau, gruau — le pluriel des mots en *-al* et *-ail* **Ex. :** journaux, émaux
-cable/-quable	**Ex. :** (in) applicable, (in) explicable, (im) praticable, (ir) révocable. (in) attaquable, critiquable, (im) manquable, remarquable.
-cage/-quage	**Ex. :** (dé) blocage, masticage, placage. (dé) marquage, piquage, remorquage, truquage.
-ciaire/-tiaire	**Ex. :** bénéficiaire, fiduciaire, judiciaire. pénitentiaire, plénipotentiaire, tertiaire.
-cien/-tien	**Ex. :** ancien, électricien, technicien. béotien, laurentien, martien.
-cieux/-tieux	**Ex. :** consciencieux, fallacieux, silencieux. ambitieux, contentieux, minutieux.
-clure	Les verbes suivants en *-clure* se distinguent au participe passé : exclu(e), conclu(e). inclus(e), perclus(e), reclus(e). Ils s'écrivent avec un *s* à l'indicatif présent et un *e* au subjonctif présent : je conclus; que je conclue.
-i	Les mots terminés par le son [i] s'écrivent *-ie*. **Exceptions :** brebis, fourmi, perdrix, souris, nuit.
-il/-ile	La plupart des adjectifs en [il] prennent un *e* au masculin singulier. **Ex. :** difficile, fragile, mobile, utile, etc. **Exceptions :** (in) civil, puéril, subtil, vil, viril, volatil*.
-oir/-oire	Tous les noms féminins se terminent par *-oire*. Certains noms masculins ont aussi cette finale. **Ex. :** auditoire, laboratoire, réfectoire.

---

*Le substantif prend un *e* : un volatile.

-tion/-sion/-xion — La finale de la plupart des mots se terminant par [sjɔ̃] s'écrit *-tion*.

Ex. : définition, mutation.

— Plusieurs mots s'écrivent avec la finale *-sion*.

Ex. : admission, version, émission, scission.

— Quelques mots se terminent en *-xion*.

Ex. : annexion, réflexion.

-ueil La finale [œj] se note toujours *-ueil* après c et g durs.

Ex. : accueil, cercueil, écueil, recueil, orgueil.

Même règle lorsque *-ueil* est en initiale ou médiale.

Ex. : accueillir, cueillir.

1.4.4 Consonnes redoublées

Les consonnes redoublées se prononcent le plus souvent de la même façon que les consonnes simples. Leur emploi présente de nombreuses anomalies qui sont autant de difficultés orthographiques.

On trouvera aux pages 101 à 104 un tableau détaillé du redoublement des consonnes.

«Même si j'invente des mots, vous pourriez les écrire correctement!»

REDOUBLEMENT	NON-REDOUBLEMENT
b	Aucun mot ne s'écrit avec redoublement du *b*, sauf *abbé* et ses dérivés, de même que cinq mots rares.
c — Mots commençant par *ac-* [ak], *oc-* [ɔk], *bac-, buc-, sac-, suc-*. **Ex. :** accord, occasion, baccalauréat, buccal, saccade, succomber. — Les mots suivants et leurs dérivés : dessiccation, ecchymose, coccyx, ecclésiastique, impeccable, peccadille, siccatif. — Certains mots où *cc* se prononce [ks]. **Ex. :** succession, vaccin.	Sauf s'ils sont suivis de *r* ou *t*, et quelques exceptions : acabit, académie, acajou, acompte, acoustique, bâcler, oculaire, sacoche.
d	Aucun mot ne s'écrit avec redoublement du *d*, sauf addenda, addition, adduction, reddition et cinq mots rares.
f — Mots commençant par *af-, bouf-, chif-, dif-, ef-, of-, raf-, souf-, suf-*. — *Siffler, souffler* et leurs dérivés.	Sauf les mots suivants et leurs dérivés : afin, Afrique, rafale, rafiot, rafistoler, rafle, rafraîchir, soufre. Sauf : persifler, boursoufler. Autres mots s'écrivant avec un seul *f* : agrafe, carafe, érafler, gaufre, girafe, mufle, trafic, etc.
g Seuls les mots suivants et leurs dérivés : agglomérer, agglutiner, aggraver, suggérer, boggie, loggia, toboggan.	
l — Deux mots commençant par *el-* : ellipse, ellébore. — Mots commençant par *il-*. **Ex. :** illégal, illusion. — Mots finissant par *-elle*. **Ex. :** chandelle, nouvelle.	Sauf quelques mots : île, iliaque, etc. Sauf quelques mots en *èle* (clientèle, fidèle, modèle, parallèle, zèle), en *êle* (frêle, grêle) et les mots masculins en *-el* (ciel, recel, miel) excepté libelle.

REDOUBLEMENT	**NON-REDOUBLEMENT**
— Verbes en *-eler* devant une syllabe muette. **Ex. :** appeler, j'appelle.	**Exceptions :** celer, ciseler, congeler, déceler geler, démanteler, écarteler, marteler modeler, peler, receler. **Ex. :** ciseler, je cisèle.
— Quelques mots en *-alle* et *-olle*. **Ex. :** balle, intervalle, malle; corolle, bouterolle, girolle.	Des mots en *-ale* et *-ole*. **Ex. :** céréale, timbale, spirale; banderole, casserole, virole.

m
- — Aucun mot commençant par *am-*.
  Ex. : amerrir, amortissement.

  Sauf les mots commençant par *ammo-*.
  Ex. : ammoniac.

- — Aucun mot commençant par *em-*.
  Ex. : émarger, émigration.

  Sauf les mots formés avec le préfixe *en-*.
  Ex. : emmagasiner, emmener, emmurer.

- — Tous les mots commençant par *im-* [imm].
  Ex. : immobile, imminent.

  Sauf *image, imiter* et leurs dérivés.

- — Tous les mots commençant par *com-* et *som-*.
  Ex. : commerce, sommier.

  Sauf coma, comédie, comestible, comète, comique, comité et les mots formés avec *soma-*.

- — Adverbes dérivés des adjectifs en *-ant* et *-ent:* cf. 1.4.3 *-amment/ -emment.*

n *Initiales*

- — Dérivés de an (année).
  Ex. : anniversaire.

- — Préfixes *en- in-* et *con-* devant un mot commençant par *n-*.
  Ex. : enneiger, innombrable, connotation.

  Sauf cône et les mots commençant par *coni-*.

Médiales

- — Honneur et ses dérivés.
  Ex. : honnêteté.

  Sauf les mots formés avec le radical *honor-*.
  Ex. : honorabilité.

REDOUBLEMENT	NON-REDOUBLEMENT

Finales

— Mots en *-alisme, -aliste, -ité* dérivés

   a) de noms en *-ion*
      Ex. : professionnalisme.

   b) d'adjectifs en *(i)onnel*
      Ex. : personnalité.

— La plupart des mots se terminant par *-ne(l)* après un radical en *o*.
  Ex. : consonne, chantonner, personne(l).

Sauf les dérivés de *tradition* et *rationnel*.
Ex. : traditionaliste, rationalisme.

Principales exceptions :
autochtone, carbone, trombone; cyclone, zone; les mots en *-phone(r)* et *-ôner*; les verbes assoner, dissoner, détoner (faire explosion), s'époumoner, ramoner.

p *Initiales*

— Les mots commençant par *app-* (étymologiquement préfixe *ad-* assimilé par le *p* qui suit).
  Ex. : apparaître, appareil, appartement, appeler, appendice, appliquer, appointer, apposer, approuver.

Sauf apanage, apercevoir, aplanir, apurer, apeurer, apaiser.

— Mots commençant par *hip-* et les mots suivants commençant par *-op :* opportun, opposer, oppresser, opprimer, opprobre et leurs dérivés.

— Mots commençant par *sup-*.
  Ex. : suppléer, suppression.

Sauf supin, suprême et les composés commençant par *super-, supra-*.

Finales

Les finales suivantes ne redoublent que dans quelques mots :

-ape(r) : grappe, nappe, trappe(r), échapper, frapper, japper.

-ipe(r) : lippe, grippe(r), nippe(r).

-ope(r) : enveloppe(r), échoppe, développer, stopper.

-upe, -oupe : huppe, houppe et leurs dérivés.

REDOUBLEMENT	NON-REDOUBLEMENT
r — Mots commençants par *ir-*, (de *in-* avec assimilation par le r qui suit). **Ex. :** irrégulier, irriter.	Sauf irascible, iridium, iris, ironie, iroquois et leurs dérivés.
— Dérivés de *char* et de *carosse*. **Ex. :** charrette, charrue, carrosserie, etc.	Sauf chariot.
s Pour noter un s sourd entre deux voyelles. **Ex. :** ramassage, réussite.	**Exceptions :** Mots composés : antisocial, cosignataire, entresol, resaler, etc.
t — Féminin des noms et adjectifs en -et. **Ex. :** muette, violette.	Sauf (in)complète, concrète, désuète, (in)discrète, inquiète, replète, secrète.
— Verbes en -eter, devant une syllabe muette. **Ex. :** je jette, nous jetterons.	Sauf (r)acheter, crocheter, fileter, fureter, haleter et les verbes en éter et êter. **Ex. :** il achète, vous achèterez.
— Quelques mots étrangers. **Ex. :** kilowatt, dilettante.	
— Certains mots en -otte. **Ex. :** flotte, gélinotte, gibelotte, hotte, marmotte, marotte, menotte, polyglotte, roulotte.	Certains mots en -ote. **Ex. :** anecdote, antidote, azote, belote, camelote, note, pilote, vote.
— Certains verbes en -otter (pas de règle). **Ex. :** ballotter, boycotter, frotter, grelotter, marmotter, trotter.	Certains verbes en -oter. **Ex. :** agioter, annoter, boursicoter, capoter, clignoter, coter, doter, numéroter.
z Quelques mots étrangers. **Ex. :** blizzard, mezzanine.	

1.4.5 Dérivation irrégulière

Les dérivés de certains mots subissent des transformations orthographiques qui ne suivent aucune règle précise. Ces transformations se rangent dans trois catégories : redoublement des consonnes, accentuation différente, changement de lettres. À la liste des principales anomalies de dérivation, nous avons ajouté des mots n'appartenant pas à la même famille mais dont l'orthographe peut prêter à confusion.

a)   **Redoublement des consonnes**

CONSONNE DOUBLE	CONSONNE SIMPLE
bannir	banal
barrique	baril
battu	courbatu
bonnement	bonasse, boni
briquette	briqueterie
consonne	consonance
combattant	combatif
dalle	dalot
donner	donation
ennoblir	anoblir
entonner	intonation
famille	familial
fourmiller	fourmilière
gratter	gratin
homme	homicide
imbécillité	imbécile
millionnaire	millionième
nommer	nominal
patronner	patronage, patronat
quittance	quitus
renouvellement	renouveler
résonner	résonance
salle	salon
tonnant	détonant (explosant)
trappe	attrape

NE CONFONDEZ PAS!

appétit	apéritif
arrête (arrêter)	arête (de poisson)
ballade (poème)	balade (promenade)
embarrasser	embrasser
hutte	cahute
nourrir	mourir
panneau	panonceau
patronne	matrone
sablonneux	limoneux
sermonné	saumoné

b)   **Différence d'accents**

âcre	acrimonie
affréter	affrètement
allègre	allégrement

crâne	cranien
crème	crémerie
crêpe	crépu
cône	conifère
côté	coteau
diplômé	diplomate
dû	indu
fût	futaie, futaille
grâce	gracieux
infâme	infamie
jeûne, jeûner	à jeun, déjeuner
mêler	mélanger
poète	poésie
pôle	polaire
rebeller, se	rébellion
règlement	réglementaire
sèchement	asséchement
symptôme	symptomatique
tempêter	tempétueux
traîner	entrain
trône	introniser

NE CONFONDEZ PAS!

abîme	cime
affûter	réfuter
boîtier	boiter
blême	emblème
câbler	accabler
châssis	chasser
croûte	choucroute
empiétement	empiècement
événement[1]	avènement
faîte (sommet)	faite (fabriquée)
goût, dégoût	égout
grêle	grève
piqûre	cure
repartie	répartir
secrétaire	sécréter
sûreté	sécurité

---

[1] La graphie *évènement* est maintenant admise.

c)   Changement de lettres

MÉDIALES

absorber	absorption
clos	claustrophobie
coordonner, coordonnateur	coordination
débarquer	débarcadère
embarquement	embarcation
étain	étamer
freiner	refréner (ou réfréner)
gérance	ingérence
immiscer, s'	immixtion
monnaie	monétaire
résorber	résorption
torsion	tortionnaire

NE CONFONDEZ PAS!

attraper	trapper
aventure	devanture
bazar	hasard
gréement	agrément
numéraire	rémunération

FINALES

caoutchouc	caoutchouté
chaos	chaotique
dissous	dissoute
faubourg	faubourien
mari	marital
mors	remords
nerf	nerveux
pont	ponceau
remontoir	promontoire
souris	souricière
tiers	tierce
transfert	transférer
verglas	verglacé
zinc	zingage, zingueur

NE CONFONDEZ PAS!

antiquaire	bibliothécaire
banlieue	non-lieu
butte	culbute
crépi	décrépit
dilemme	indemne
dortoir	réfectoire
fabricant	trafiquant
hormis	parmi
obtus	aigu
pécuniaire	financière

1.4.6 Remarque

Chose — On écrit *état de choses, peu de chose.*

Main — Dans les expressions suivantes, *main* ne prend pas de *s :* poignée de main, en main propre, avoir ou prendre en main, vote à main levée, preuve en main, en un tour de main, agir en sous-main.

Main prend un *s* dans les cas suivants :
L'affaire est en bonnes mains; la société a changé de mains.

1.5 HOMONYMES ET PARONYMES

Rappelons que les homonymes sont des mots qui ont la même prononciation et parfois la même orthographe, mais un sens différent. Les paronymes sont des mots qui se ressemblent par leur prononciation ou leur orthographe, mais qui diffèrent de sens.

Dans les exemples qui suivent, on a indiqué entre crochets certains moyens mnémotechniques permettant d'éviter les confusions.

acception/acceptation	Une nouvelle acception [sens] d'un mot. L'acceptation d'une lettre de change.
acre/âcre	L'acre est une mesure agraire. La fumée dégageait une odeur âcre.
affaire/à faire	Nous avons affaire à un expert. Il n'y a rien à faire.

amande/amende

L'amande est le fruit de l'amandier.
Il a été condamné à une amende.

ammoniac/ammoniaque

L'ammoniac est un gaz.
L'ammoniaque est une solution.
[aqua : eau]

aussitôt/aussi tôt

Elle est venue aussitôt [tout de suite].
Il n'arrive jamais aussi tôt [aussi tard].

cahot/chaos

Les ressorts amortissent les cahots
[cahoter].
Il a laissé l'entreprise dans le chaos.

censé/sensé

Vous n'êtes pas censés le savoir.
Un homme sensé [de bon sens].

cession/session

Il a fait cession de [a cédé] sa part.
La deuxième session [séance] du Parlement.

clause/close

C'est une clause du contrat.
La séance est close. (Cf. l'incident est clos).

conjecture/conjoncture

Les conjectures sont des opinions fondées
sur des apparences.
La conjoncture [situation : conjonction
d'éléments] économique est favorable.

cote/quote-part

Les actions sont inscrites à la cote.
On lui a remis sa quote-part.

davantage/d'avantage

L'usine a produit davantage [plus] cette
année.
Nous ne voyons pas d'avantage [de profit] à
changer de méthode.

dessin/dessein

Il a étudié le dessin [Cf. dessiner] industriel.
Nous avons de grands desseins [projet].

différend/différent

Un différend nous oppose à notre client.
C'est un procédé différent [au fém. diffé-
rente].

exprès/express

Envoyez cette lettre par exprès.
Le service est assuré par un train express.

fond/fonds

Le fond du problème; le fond du tiroir.
Un fonds de commerce; un fonds de roule-
ment. [capital]

inclinaison/inclination

L'inclinaison du toit est trop prononcée.
Il a montré de l'inclination pour la recherche.

influer/influencer	Votre décision influera sur sa carrière. [Événements]. Il a été influencé par son ami. [Personnes]
intense/intensif	Il fait une chaleur intense. [Intensité subie] Nous sommes au stade de la production intensive. [Intensité voulue]
matériau/matériel	Le bois est un matériau aux mille usages. Il faut prévoir l'amortissement du matériel.
maximal/maximum	Notre production maximale est de 500 tonnes. [Adjectif] C'est un maximum à ne pas dépasser. [Substantif]
pair/paire	Ces obligations sont émises au-dessous du pair. Des rideaux à cinq dollars la paire.
palier/pallier	L'ascenseur arrête à tous les paliers. Nous cherchons à pallier cet inconvénient.
parti/partie	Prendre le parti de quelqu'un; tirer parti de quelque chose. Faire partie d'une association. [En être une partie]
pause/pose	La pause-café est à 10 heures. La pose du tapis est comprise dans le prix.
plain/plein	On accède de plain-pied à l'atelier. [Cf. plan] La vente bat son plein. [Cf. plénitude]
plutôt/plus tôt	Venez plutôt [de préférence] vendredi. Pouvez-vous venir plus tôt (cf. plus tard) demain matin?
pourquoi/pour quoi	Pourquoi ne vient-il pas? Pour quoi [pour quelle chose?] a-t-il une préférence?
près/prêt	Nous ne sommes pas près d'avoir fini [proches de la fin]. Il est prêt à [disposé à] vous aider.
prolongation/prolongement	Prolongation du délai de paiement. [Temps] Prolongement de la voie d'accès. [Espace]
publiciste/publicitaire	Un publiciste est un journaliste. (Vx) Un publicitaire est une personne qui s'occupe de publicité.

quand/quant à

Vous lui donnerez quand [lorsque] il vien-dra.
Quant à moi, je voterai pour la motion.

quelque/quel que

Quelque [si] puissants qu'ils soient, nous ne craignons pas leur concurrence.
Quelle que soit leur puissance, nous ne les craignons pas.

quelque/quelques

Quelque [environ] dix clients ont écrit.
Quelques [quelques-uns] clients ont écrit.

quoique/quoi que

Nous l'avons engagé, quoiqu'il [bien que] soit sans expérience.
Quoi qu'il arrive et quoi que vous fassiez, je refuse.

au regard/en regard

Nous sommes bien placés au regard de [par rapport à] notre concurrent.
Le montant est indiqué en regard de [en face de] chaque article.

renforcer/renforcir

Nous devrons renforcer [donner de la force à] notre service commercial.
Votre fils a renforci [a pris de la force] pen-dant ses vacances.

repaire/repère

C'est un vrai repaire de brigands!
Cette marque nous servira de point de repère [à vous repérer].

ressortir de/ressortir à

Il ressort [résulte] de cette affaire que nous avons été imprudents.
Cette question ne ressortit pas au tribunal de commerce. [Cf. ressortissant]

roder/rôder

Le moteur est rodé en usine.
Il est interdit de rôder près du chantier.

satire/satyre

Son livre est une satire de la société.
C'est un homme débauché, un vrai satyre.

sceptique/septique

C'est un esprit sceptique.
Une fosse septique.

statue/statut

Il est resté froid comme une statue de mar-bre.
Le statut juridique d'une société. [Cf. régime statutaire]

tache/tâche

Il y a une tache d'encre sur la lettre.
Le président assume une lourde tâche.

tribu/tribut	Les douze tribus d'Israël. Imposer un lourd tribut aux contribuables. [Cf. être tributaire de quelqu'un]
voie/voix	Vous êtes engagé dans la bonne voie. (Cf. voirie) Ils veulent avoir voix au chapitre. (Cf. Vox populi, vox Dei.)

1.6 MOTS À ORTHOGRAPHE NON FIXÉE

Certains mots peuvent s'écrire correctement de plusieurs façons (il semble que le record soit détenu par la fourrure de la mouffette dont le nom peut s'écrire sconse, scons, skons, skuns et skunks!), mais en général une graphie finit par s'imposer en éliminant les autres. Voici une liste de mots qui ont actuellement plusieurs orthographes. La graphie de gauche est la plus fréquente.

aulne	aune
bagou	bagout
clef	clé
cuillère	cuiller
erysipèle	érésipèle
Esquimau	Eskimo, Esquimo
paraphe(r)	parafe(r)
laïque (masc.)	laïc
paie	paye
paiement	payement
réviser (et dérivés)	reviser
soûl	saoul
soja	soya
truquage	trucage
ultra-son	ultrason*
yaourt	yogourt

*et plusieurs autres composés avec *ultra*.

1.7 ANGLICISMES ORTHOGRAPHIQUES

De nombreux mots d'origine latine ont la même orthographe en français et en anglais. D'autres mots, d'origines diverses, ne se distinguent dans les deux langues que par un changement de lettres. On doit donc prendre garde de ne pas confondre les deux graphies. Voici quelques exemples :

FRANÇAIS	ANGLAIS
abréviation	abbreviation
adresse	address
alcool	alcohol
appartement	apartment

bagage	baggage
confort	comfort
correspondance	correspondence
coton	cotton
danse	dance
défense	defence
développement	development
dîner	dinner
ennemi	enemy
enveloppe	envelope
exemple	example
futur	future
galerie	gallery
garantie	guaranty
langage	language
licence	license
littérature	literature
offense	offence
personnel	personal
recommandation	recommendation
rince (rincer)	rinse
trafic	traffic
transfert	transfer

SECTION 2

Les signes orthographiques

2.1 DÉFINITION

On appelle *signes orthographiques* un ensemble de marques qui complètent la graphie des mots. Ce sont les accents, le tréma, la cédille, l'apostrophe et le trait d'union. Chacun de ces signes joue un rôle spécifique dans la notation du langage et présente des difficultés que nous allons passer en revue.

2.2 LES ACCENTS ET LE TRÉMA

La fonction de ces signes est d'indiquer la prononciation exacte de certaines voyelles ou d'éviter la confusion entre certains homonymes.

2.2.1 L'accent aigu

L'accent aigu 🔼 note le son e fermé [e].

PARTICULARITÉS ORTHOGRAPHIQUES

1. L'e fermé s'écrit avec un accent aigu, sauf devant les lettres *d, r, f* et *z* en fin de mot.
   Ex. : pied, souper, clef, allez.

2. Le e se prononce ouvert [ɛ] dans certains mots écrits avec un accent aigu.
   Ex. : allégement, événement, crémerie.

3. La finale e des formes verbales suivies du pronom *je* se change en *é* (mais se prononce [ɛ]).
   Ex. : dussé-je, puissé-je.

4. Les verbes en *é-er* gardent le é au futur et au conditionnel.
   Ex. : je céderai, il tolérerait (mais je cède, il tolère).

5. Revolver et veto s'écrivent sans accent (mais se prononcent [RevɔlvɛR], [veto]).

6. La lettre e ne prend jamais d'accent devant une consonne redoublée.
   Ex. : effectif, intéressant.

2.2.2 L'accent grave

L'accent grave 🔽 note le son e ouvert [ɛ]. Placé sur la lettre *a* ou *u,* il sert à distinguer des homonymes.

1. On met un accent grave sur l'e ouvert suivi d'une syllabe muette.
   Ex. : allège, fière.

2. Prennent aussi un accent grave certains mots terminés par -ès.
   Ex. : décès, près.

PARTICULARITÉS ORTHOGRAPHIQUES

NE CONFONDEZ PAS!

a	verbe : il a.	**à**	préposition : à Montréal.
ça	démonstratif [= cela] : ça va.	**çà**	adverbe : çà et là.
la	article ou pronom : la main, je la vois.	**là**	adverbe : restez là; celui-là
ou	conjonction [ou bien] : mort ou vif.	**où**	adverbe : où allez-vous?

2.2.3   L'accent circonflexe

L'accent circonflexe   ⌐A¬   note en général l'allongement d'une voyelle ou sert à distinguer des homonymes.

a)   **S'écrivent avec un accent circonflexe :**

1.   Les verbes à la 1re et à la 2e personnes du pluriel du passé simple: nous chantâmes, vous chantâtes; nous vîmes, vous vîtes.

2.   Les verbes à la 3e personne du singulier du subjonctif imparfait : qu'il chantât, qu'il vînt.

3.   Les verbes en *-aître* et *-oître,* sur le *i* suivi d'un *t* : il connaît, nous croîtrons.

4.   Les verbes réguliers en *-êler* et *-être,* et les verbes en *-êtrer* et *-êver :* je prête, je rêvais.

5.   Les verbes croître, devoir et mouvoir, au participe passé masculin singulier seulement : crû, dû, mû (mais crue, dues, mus).

6.   Les pronoms possessifs : le nôtre, les vôtres (mais notre, votre).

7.   Les adjectifs mûr, sûr et ceux qui se terminent en *-âtre* : fruits mûrs, choses sûres, bleuâtre.

8.   Les adverbes suivants en *-ûment* : assidûment, (in)congrûment, continûment, crûment, drûment, (in)dûment, goulûment, nûment.

9.   Trois mots en *-île* : bélître, épître, huître.

Cf. DÉRIVATION IRRÉGULIÈRE, 1.4.5 (b).

b)   **S'écrivent sans accent circonflexe :**

arène	dru
arome	gaieté
barème	gaine
bateau	goitre
blanchiment	pupitre
boiter	psychiatre
chapitre	sur (amer)
chute	zone
drainer	

NE CONFONDEZ PAS!

eut	indicatif (pluriel : ils eurent)	**eût**	subjonctif et conditionnel (pluriel : qu'ils eussent)
fut	indicatif (pluriel: ils furent)	**fût**	subjonctif (pluriel : qu'ils fussent)

2.2.4 Le tréma

Le tréma `⚬⚬` se place sur les voyelles *e, i, u* pour indiquer qu'on doit les prononcer séparément des voyelles précédentes ou suivantes.

Ex. : aïeul, baïonnette, haïr, Esaü.

Exceptions : Saint-Saëns, Mme de Staël.

PARTICULARITÉS ORTHOGRAPHIQUES

1. Après la finale en *gu* on met un tréma sur le *e* (et non sur le *u*).
    Ex. : aiguë, ambiguë, exiguë; ciguë.
2. Après l'initiale en *co-* on met un tréma sur le *i* (mais non sur le *e*).
    Ex. : coïncidence, coïnculpé; coefficient.
3. Après un *é,* on ne met pas de tréma sur le *i.*
    Ex. : caféine.

2.3 L'APOSTROPHE

L'apostrophe `'` marque, dans certains mots, l'élision de la voyelle finale *a, e, i* devant une voyelle ou un *h* muet.

PARTICULARITÉS ORTHOGRAPHIQUES

ce

S'élide devant *en* et certains temps des verbes *avoir* et *être*.

Ex. : C'en est fait de nous; ç'a été un échec.

Cf. CÉDILLE, 2.4.

entre

L'*e* final ne s'élide que dans cinq verbes composés : s'entr'aimer, entr'apercevoir, s'entr'appeler, s'entr'avertir, s'entr'égorger.

Cf. TRAIT D'UNION, 2.5.

grand

Dans les noms composés, grand s'écrit toujours sans apostrophe.

Ex. : grand-chose, grand-mère,
         grand-route.

h muet/aspiré

On ne fait l'élision (et la liaison) que devant un *h* muet. Il n'y a pas de règle permettant de distinguer un *h* aspiré d'un *h* muet. La plupart des dictionnaires font précéder du signe * les mots commençant par un *h* aspiré.

Ex. : le héros, le hasard, le hibou; l'habit, l'hiver,
         l'homme.

Particularités :
— Le héros, l'héroïne; l'huis, le huis clos.
— L'usage est hésitant dans le cas de *hyène* et des noms propres (Hugo, Henri, Henriette, etc.).

jusque	Élision devant une voyelle : jusqu'à demain, jusqu'ici.
lorsque **puisque** **quoique**	On fait toujours l'élision. (Selon certains grammairiens, seulement devant: aussi, elle, il, on, un, une).
ouate	On dit de *la* ouate ou *de l'*ouate, un tampon d'ouate.
presque	Ne s'élide que dans presqu'île. On écrit donc : c'est presque impossible, il est presque arrivé.
quelque	Ne s'élide que devant un ou une : quelqu'un; en quelque endroit.
si	S'élide devant il(s) : s'il vient, s'ils viennent.
te	S'élide devant *en* dans les expressions va-t'en, souviens-t'en, etc. Ne pas confondre avec le *t* euphonique : va-t-il?
un (numéro ou chiffre) **huit, onze** et dérivés	Pas d'élision de la voyelle qui précède : taux de un pour cent; le onzième.

2.4   LA CÉDILLE

La cédille [ç] se place sous le c pour indiquer qu'il se prononce comme un *s* sourd devant les voyelles *a, o, u*.
Ex. : français, gerçure, soupçon.

	AVEC CÉDILLE	SANS CÉDILLE
Verbes avoir, être	ç'a été, ç'aurait été	c'était, c'eût été
Verbes en -cer	il lançait; forçons	avancer, prononcé
Verbes en -cevoir	j'aperçus il reçoit	concevoir il décevait

2.5   LE TRAIT D'UNION

Le trait d'union [-] sert principalement à lier plusieurs mots. Comme son emploi suit un usage capricieux (surtout dans le cas des mots composés et des locutions), nous n'indiquerons que les règles générales et particularités orthographiques. Dans le doute, il est toujours préférable de consulter un dictionnaire.

2.5.1 On écrit avec un trait d'union :

EXEMPLES	MOTS COMPOSÉS	EXCEPTIONS ET REMARQUES
Charles-Quint, les Anglo-Saxons.	Noms de personnes et de peuples	Sauf s'ils sont suivis d'un adjectif ou d'un surnom : les Canadiens français, Alexandre le Grand.
États-Unis, Trois-Rivières, rue Callixa-Lavallée, Collège Jean-de-Brébeuf.	Noms de pays, villes, rues, etc.	Sans trait d'union dans les autres cas : un des États unis d'Amérique, Callixa Lavallée, Jean de Brébeuf.
Fête, monument, ville, rue, etc. : Saint-Jérôme (ville), le Saint-Laurent, rue Saint-Denis, la Saint-Jean-Baptiste, l'église Saint-Jacques, un saint-bernard.	Avec le mot **Saint**	Personnage : saint Jean-Baptiste
Jean-Pierre, Anne-Marie.	Prénoms composés	Prénoms suivis d'une initiale : Adolphe V. Thomas
Nouveau-né, aveugle-née; un artiste-né.	Avec **né**	
Devant un nom : non-paiement, non-recevoir; quasi-délit.	Avec **non, quasi**	Devant un adjectif ou un adverbe : non avenu, non rentable (mais nonpareil); quasi impossible.
Mi-temps, demi-heure, semi-conducteur, nu-tête.	Commençant par **mi, demi, semi, nu**	Mais: à demi vide.
	Avec les préfixes suivants : **après, arrière**	
Après-midi, arrière-garde.		

Avant-guerre.	**avant**	
Contre-passation, contre-plaqué, contre-projet.	**contre**	Nombreuses exceptions: contrecoup, contrordre, contrepartie, contresigner.
Devant une consonne : entre-temps, entre-deux.	**entre**	Devant une voyelle : entracte, entraide. Certains mots : entrechat, entremise, entresol.
Ex-ministre, extra-fort.	**ex, extra**	Plusieurs exceptions : extrajudiciaire, extraordinaire, etc.
Néo-gothique, néo-zélandais.	**néo**	Plusieurs exceptions : néolithique, néophyte, etc.
Outre-Atlantique, outre-mer.	**outre**	Outremer (couleur).
Sans-gêne, sous-directeur.	**sans, sous**	Soussigné.
Vice-amiral.	**vice**	
Grand-livre (registre de comptabilité).	Avec **grand**	Grand officier, grand prêtre, grand livre (de la Dette publique).
Avocat-conseil, ingénieurs-conseils.	Avec les mots suivants : **conseil**	
Devant un nom : garde-boue, garde-robe.	**garde**	Devant un adjectif : garde champêtre, garde forestier.
Substantif : mort-aux-rats, morte-saison.	**mort**	Adjectif : nature morte, poids mort.
Porte-documents, porte-monnaie.	**porte**	**Exceptions :** portefeuille, portemanteau.
Suivis d'un nom ou adjectif de couleur : **Ex. :** jaune-citron, gris-cendré, tons feuille-morte.	Adjectifs de couleurs	Dans les autres cas : **Ex. :** châtain clair, rose tendre, bleu marine.

AUTRES LIAISONS

Au-dessus, au-dessous, au-delà, par-dessus.	Avec **au, par**	
Ci-après, ci-dessus, ci-joint, celui-ci, ce livre-ci, là-bas, jusque-là, ce cas-là, par-ci par-là.	Avec **ci, là**	Là contre; de là, d'ici là.
Moi-même, eux-mêmes.	Pronom + même	Mais on écrit : aujourd'hui même.
Dit-on, est-ce, dites-le-moi, allons-y, parlons-en, parlera-t-il, a-t-elle.	Verbe + pronom	Va-t'en (Cf. APOSTROPHE, 2.3)
Quatre-vingt-dix-neuf.	Nombres inférieurs à 100	Avec *et* : vingt et un, trente et unième.
Un trois-quarts, un dix-millionième.	Fractions	Les trois quarts, la dix millionième partie.
Pages 10-16.	Remplaçant *à* Cf. DIVISION DES MOTS, 6.	

2.5.2   On écrit sans trait d'union :

EXEMPLES	MOTS COMPOSÉS	EXCEPTIONS ET REMARQUES
En un seul mot	Avec les préfixes suivants :	
Aérogare, aéronaval.	**aéro**	Aéro-club
Antialcoolique, antigel.	**anti**	+ *i* : anti-infectieux. 3 éléments : anti-sous-marin. Géographie : Anti-Atlas.
Archiprêtre	**archi**	
Bicyclette, bihebdomadaire.	**bi**	
Coopération, copropriétaire.	**co**	

Interaction, interurbain.	**inter**	
Postopératoire, postscolaire.	**post**	Sauf devant un *t* (post-traumatique) et post-scriptum.
Prééminence, préhistoire.	**pré**	
Pseudonyme, pseudopode.	**pseudo**	Sauf devant un mot autonome : pseudo-amitié, pseudo-scientifique.
Rétroactif, rétrofusée.	**rétro**	
Similicuir, similigravure.	**simili**	
Subalpin, subdivision.	**sub**	
Supermarché, supersonique	**super**	
Susmentionné, susnommé.	**sus**	
Téléobjectif, télésiège	**télé**	
Transcanadienne, transsibérien.	**trans**	
Tridimensionnel, trifolié.	**tri**	
Ultramicroscope, ultramontain.	**ultra**	Orthographe non fixée : ultra-son (ou ultrason), ultraviolet (ou ultra-violet).
	Avec les préfixes suivants, sauf si le 2ᵉ élément commence par une voyelle :	
Automobile; autoroute.	**auto**	Auto-école, auto-induction. **Exception :** auto-stop.
Électrochoc	**électro**	Électro-aimant
Hydroglisseur	**hydro**	Hydro-électrique
Intraveineux	**intra**	Intra-oculaire **Exception :** intra-muros.

Microbiologie	**micro**	Micro-ampère
Photocopie	**photo**	Photo-électrique
Radiographie	**radio**	Radio-élément
Turboréacteur	**turbo**	Turbo-alternateur
Ladite, audit, desdits, susdit.	Avec **dit**	

En deux ou plusieurs mots

Directeur adjoint	**adjoint**	
En dehors, en dedans, en deçà, en delà, en dessus, en dessous.	Avec **en**	
Faux frais, faux col, faux bourdon (insecte).	**faux**	Faux-bourdon (musique), faux-fuyant, faux-semblant.
Gouverneur général	**général**	
Libre arbitre, libre penseur.	**libre**	Libre-échange, libre-service.
Maître queux, maître d'hôtel.	**maître**	Maître-autel, petit-maître, quartier-maître.
Maison mère, mère patrie.	**mère**	Belle-mère, dure-mère, pie-mère.
Nouveau venu, nouveaux mariés.	**nouveau**	Nouveau-né
Usine pilote	**pilote**	
Lampe témoin	**témoin**	
Tout à coup, tout à fait, tout à l'heure.	**tout**	Tout-puissant, tout-à-l'égout, le Tout-Montréal.
Formule type	**type**	

Orthographe non fixée

Selon les dictionnaires, les mots composés avec clef (ou clé) peuvent s'écrire avec ou sans trait d'union : industrie clef, postes-clés.

2.5.3   Ne confondez pas!

AVEC TRAIT D'UNION	SANS TRAIT D'UNION
à bras-le-corps	un corps à corps
c'est-à-dire	s'il vous plaît
chef-d'oeuvre, hors-d'oeuvre	bois d'oeuvre
coffre-fort	chambre forte
compte-gouttes, compte-tours	compte rendu, compte courant
eau-de-vie	eau de rose
eaux-vannes	eaux mères
fer-blanc	ferblantier
fête-Dieu	mardi gras
haut-parleur	haut fourneau
main-d'oeuvre, main-forte	mainlevée, mainmise
monnaie-or	étalon or
moyen-courrier	Moyen Âge, moyenâgeux
papier-monnaie	papier journal
passe-partout	passeport
pot-au-feu	pot aux roses
post-scriptum	nota bene
quelques-uns	quelqu'un
rez-de-chaussée	raz de marée
sur-le-champ	tout de suite
tam-tam	zigzag
tourne-disque	tournevis
vice-président	vice versa
vis-à-vis	face à face

ATTENTION :

On écrit : dix pour cent, au prorata; contresens, non-sens, faux sens; ayant droit, ayant cause; si oui, sinon.

2.5.4   Expressions substantivées

En règle générale, les expressions employées substantivement s'écrivent avec un trait d'union.

Ex. :

À côté de la maison	Un à-côté appréciable
C'est à peu près ça	Ne vous contentez pas d'à-peu-près
À propos de votre lettre	Parler avec à-propos
Achetez chez nous	C'est notre chez-nous
Faire part d'une naissance	Un faire-part de naissance
Causer en tête à tête	Un tête-à-tête
La pendule fait tic tac	Le tic-tac de la pendule

SECTION 3

Majuscules/minuscules

3.1 RÔLE DES MAJUSCULES

Le principal rôle des lettres majuscules ou capitales est d'accroître la clarté des textes écrits et d'en faciliter la compréhension, soit en indiquant le début des phrases, soit en mettant en relief certains mots, notamment les noms propres. L'emploi des majuscules est fixé par un ensemble de règles conventionnelles et par le bon usage, mais il existe de nombreux cas où l'usage est flottant. Si la langue publicitaire peut se permettre certaines libertés, on doit néanmoins éviter, dans la langue courante, deux excès de notre époque : l'abus des majuscules ou «majusculite» et leur suppression systématique. Les majuscules sont des signaux qui font partie du code orthographique; en ne respectant pas ces signaux, on s'expose à des accidents de compréhension.

3.2 RÈGLES GÉNÉRALES

MAJUSCULES	EXCEPTIONS ET REMARQUES
1. Au début d'une phrase, d'une citation et des alinéas d'une énumération.	La règle n'est pas toujours observée dans le cas des énumérations.
2. Après les points d'interrogation, d'exclamation et de suspension.	Sauf s'ils ne terminent pas la phrase.
3. Noms désignant la Trinité chrétienne (Dieu, le Seigneur, le Saint-Esprit, etc.) et les divinités mythologiques (Jupiter, Mars, etc.)	Dans les autres cas, dieu (déesse) ne prend pas la majuscule : C'est un plaisir des dieux.
4. Noms propres de personnes (prénoms, noms patronymiques et dynastiques, surnoms).	Dans ce cas, l'article prend aussi la majuscule : La Fontaine, Du Bellay, Des Autels, Le Nôtre.
Ex. : Pierre Dupont, Alexandre le Grand, le Pape Paul VI, les Carolingiens.	La particule nobiliaire (de, d') ne prend pas la majuscule, sauf après la préposition de : La plaidoirie de De Sèze. *Nota* — On ne doit pas écrire LaSalle, LaFlèche.

MAJUSCULES	EXCEPTIONS ET REMARQUES
5. Noms de peuples et noms assimilés. **Ex. :** les Américains, les Montréalais, les Anglo-Saxons.	Sauf s'ils sont employés adjectivement ou désignent la langue. **Ex. :** le peuple américain, la population montréalaise, le français. *Nota* — On écrit : les Canadiens français, le peuple canadien-français.
6. Titres honorifiques, qualités et appellation de politesse (lorsqu'on s'adresse à la personne). **Ex. :** Son Excellence, Sa Sainteté; Veuillez agréer, Monsieur le Président, . . .	Les titres et qualités s'écrivent avec une minuscule lorsqu'ils sont suivis d'un nom de personne ou lorsqu'on ne s'adresse pas à la personne même. **Ex. :** S.M. le roi Baudouin; j'ai rencontré M. le professeur Untel; le pape, la reine. Pour Monsieur, Madame, etc. Cf. ABRÉVIATIONS, 5.3.2. On met aussi une majuscule aux titres remplaçant un nom de personne, mais non lorsqu'ils sont employés dans un sens général. **Ex. :** Le Président a levé la séance. Le président est élu par le conseil d'administration. Dans les mots composés, on ne met la majuscule qu'à la première lettre. **Ex. :** Vice-président, Secrétaire-trésorier. *Nota* — On devrait écrire le Premier ministre, mais cet usage n'est pas toujours respecté.
7. Sociétés, ordres, associations, corps constitués; congrès, expositions, etc. **Ex. :** l'Académie canadienne-française, les Chevaliers de Colomb, le Syndicat des métallurgistes, la Chambre des communes, l'Expo 67.	*Remarque* — On ne met généralement pas de majuscule à ministère, secrétariat, département (ministériel). **Ex. :** le ministère du Travail; le secrétariat de la Main-d'oeuvre. Mais on met une majuscule aux organismes administratifs suivants : Administration, Caisse, Direction, Service, Office, etc.

MAJUSCULES	EXCEPTIONS ET REMARQUES
	Ex. : Caisse des dépôts et consignations, Office du tourisme.
	On écrit avec une minuscule les noms de religions, ordres, partis, ministres du culte, etc.
	Ex. : le catholicisme, les protestants, les jésuites, les libéraux, les pasteurs.
8. Établissements d'enseignement, institutions d'État, dans le cas d'organismes uniques. **Ex. :** l'École polytechnique, la Cour suprême.	Autres emplois. **Ex. :** le collège Stanislas, la cour municipale.
9. Firmes, marques de commerce, noms de produits. **Ex. :** les Établissements Duval, les Laboratoires Biovac, Frigidaire, Nylon, Parfums Chaty.	On trouve aussi la majuscule dans les enseignes de magasins. **Ex. :** Armes et Cycles, Chasse et Pêche.
10. Allégories et abstractions personnifiées. **Ex. :** la Patrie, la Justice; le Temps.	
11. Grandes époques, guerres, faits et lieux historiques, fêtes religieuses et nationales. **Ex. :** le Moyen Âge, la guerre de Sept ans, les Plaines d'Abraham, le 14 Juillet.	Les noms de jours et de mois s'écrivent avec une minuscule. **Ex. :** jeudi, septembre.
12. Pays, montagnes, fleuves, villes, rues, monuments, bateaux, avions, etc. **Ex. :** l'Amérique du Nord, les Laurentides, le Saguenay, Jonquière, le monument des Patriotes, l'Intrépide.	— Les adjectifs qualifiant ces noms ou réunis par un trait d'union prennent la majuscule. **Ex. :** l'océan Atlantique, la mer Noire, les montagnes Rocheuses, les Grands lacs, les provinces Maritimes, la rue Principale;

MAJUSCULES	EXCEPTIONS ET REMARQUES

le Bas-Canada,
la Colombie-Britannique,
les États-Unis.
— Noms de rue :
Cf. TRAIT D'UNION, 2.5.1.
— L'article devant les noms de ville s'écrit généralement avec une majuscule.

Ex. : Les Cèdres,
La Malbaie.

13. Points cardinaux désignant une région.

Sauf s'ils désignent une orientation ou sont accompagnés d'un déterminatif.

Ex. : les provinces de l'Ouest,
les peuples du Nord.

Ex. : Montréal est au sud de Québec;
l'ouest du Canada,
la rue Sainte-Catherine ouest.
Nota — L'abréviation prend toujours la majuscule.
Ex. : N., S.-O.

14. Oeuvres d'art, ouvrages littéraires, revues et journaux.

Titres d'ouvrages :
— On met une majuscule à chaque personnage ou sujet.

Ex. : la Joconde,
le Penseur de Rodin,
le Misanthrope,
la revue Maintenant,
Le Devoir.

    Ex. : Le Lion et le Rat;
       Le Rouge et le Noir.
— L'adjectif prend une majuscule s'il précède le substantif, mais non s'il le suit.
    Ex. : La Divine Comédie,
       Les Femmes savantes.
— Si le titre est une phrase, on ne met la majuscule qu'au premier mot.
    Ex. : On ne badine pas avec l'amour.
— L'article ne prend une majuscule que s'il fait partie du titre.
    Ex. : les Mémoires de Saint-Simon,
       Les Misérables.

MAJUSCULES	EXCEPTIONS ET REMARQUES
	Nota — Certains ne mettent pas la majuscule à l'article faisant partie du nom d'un journal ou périodique. **Ex. :** *le Monde,* *les Nouvelles littéraires.*
15. Planètes, étoiles, signes du zodiaque; ordres, classes, genres (dans les ouvrages scientifiques). **Ex. :** la Lune, les Gémeaux, les Vertébrés, les Mousses.	Usage courant : pas de majuscule. **Ex. :** tremblement de terre, de la mousse.

3.3 CAS PARTICULIERS

Les principaux cas particuliers d'emploi de la majuscule sont indiqués au tableau de la page 124.

3.4 REMARQUES

3.4.1 Usage hésitant

Dans de nombreux cas particuliers, il est nécessaire de se reporter au dictionnaire pour vérifier l'emploi de la majuscule. Certaines exceptions se sont établies par la tradition : citons par exemple la Comédie-Française (mais l'Académie française), la ville Lumière (mais la Ville éternelle), le musée du Louvre (mais le Muséum d'histoire naturelle). Dans d'autres cas, l'usage est très flottant, notamment dans les expressions où entre l'adjectif *saint :* selon les dictionnaires, la Terre sainte peut s'écrire aussi la Terre Sainte et la terre sainte.

3.4.2 Accents

Il est d'usage en typographie d'imprimer les majuscules avec leurs signes orthographiques (accents, tréma et cédille), mais on omet parfois l'accent sur la lettre *A* et sur la majuscule initiale d'un mot écrit en minuscules (**Ex.:** l'État.)

On doit donc ajouter les accents, le tréma et la cédille dans les textes dactylographiés destinés à l'impression, et il est recommandé de les mettre dans tous les autres cas, ne serait-ce que pour éviter les méprises ou même des contresens.

Ex. : BEURRE SALE/BEURRE SALÉ; UN HOMME VOLE/UN HOMME VOLÉ; SERVICE INTEGRE/SERVICE INTÉGRÉ.

CAS PARTICULIERS D'EMPLOI DE LA MAJUSCULE

	AVEC MAJUSCULE	**SANS MAJUSCULE**
bas **haut**	Avec une majuscule et un trait d'union lorsqu'on désigne une unité administrative. **Ex. :** la Haute-Volta.	Sans majuscule ni trait d'union dans les autres cas. **Ex. :** le bas Saint-Laurent.
bible	Recueil des saintes Écritures. **Ex. :** lire la Bible.	Ouvrage faisant autorité. **Ex. :** Cette grammaire est sa bible.
église	Ensemble des fidèles. **Ex. :** l'Église catholique.	Lieu de culte. **Ex. :** l'église Notre-Dame.
empire	Régime, style; pays (suivi d'un adjectif). **Ex. :** le second Empire, un meuble Empire, l'Empire britannique.	Nom de pays, suivi d'un complément, et sens général. **Ex. :** l'empire du Levant, les empires coloniaux, l'empire des passions.
état	Gouvernement ou pays. **Ex. :** un chef d'État, les États scandinaves.	Sens général. **Ex. :** les états financiers, le tiers état.
parlement **sénat**	Assemblée parlementaire. **Ex. :** le Parlement canadien, le Sénat américain.	Autres emplois. **Ex. :** le parlement de Paris (ancienne cour de justice); le sénat de Rome, de Venise.
république **royaume**	Gouvernement, époque. **Ex. :** la République italienne, le Royaume-Uni, sous la troisième République.	Suivi d'un nom propre et sens général. **Ex. :** la république de Venise, le royaume de Belgique, une république fédérale, le royaume des aveugles.
saint	Personne, monument, voie publique. **Ex. :** Sainte-Beuve, l'église Saint-Jacques, la place Saint-Marc.	Le saint lui-même. **Ex. :** les épîtres de saint Paul, la vie de sainte Bernadette.

SECTION 4

Numération

4.1 EN CHIFFRES OU EN LETTRES

La numération est la façon d'écrire les nombres. Rares sont les textes commerciaux qui ne contiennent pas de nombres; ceux-ci font partie du message, et il est important de les orthographier correctement. Les questions que l'on peut se poser sont les suivantes : «Faut-il écrire les nombres en chiffres ou en lettres?» et «Comment les écrit-on?». C'est à ces questions que nous allons répondre, en indiquant les principales règles d'usage et en signalant quelques erreurs fréquentes.

4.2 RÈGLES GÉNÉRALES

1. Les nombres s'écrivent en chiffres dans les travaux scientifiques, les études statistiques, les tableaux. Ils s'écrivent généralement en toutes lettres dans les ouvrages littéraires et les actes judiciaires.

2. Dans la langue commerciale, on écrit le plus souvent les nombres en chiffres (sous réserve des règles d'usage énoncées ci-dessous). Dans bien des cas, on doit faire appel à son jugement, le choix entre l'écriture en chiffres ou en lettres étant moins une question d'usage que de niveau de langue.

3. Un nombre commençant une phrase s'écrit toujours en lettres.

4. Il est toujours préférable d'écrire en toutes lettres les nombres comportant de nombreux zéros (10 millions et non 10 000 000).

5. On doit éviter les successions de chiffres de nature différente.
    Éviter : En 1960, 1 500 tracteurs sont sortis de nos usines.
    Écrire : En 1960, nos usines ont fabriqué 1 500 tracteurs.

4.3   CAS PARTICULIERS

adresse   On écrit en chiffres arabes les numéros de rue, d'appartement, de boîte postale et la partie numérique du code
postal.

Ex. : 234, rue des Érables; app. 51; B.P. 67; H2J 3Z4.

Nota — Si la rue est désignée par un numéro, on écrit
celui-ci en lettres lorsqu'il n'est formé que d'un
seul mot.

Ex. : 1234, Deuxième rue;
5678, 25e avenue.

date   On écrit le jour et l'année en chiffres arabes, sauf dans les
actes notariés où ils figurent souvent en toutes lettres.

Ex. : Le 14 octobre 19 —
Le quatorze octobre mil neuf cent soixante-huit ont
comparu devant nous . . .

Nota — 1. Selon le système international de notations, on
écrit la date en une succession de chiffres.
Ex. : 78 02 10 (le 10 février 1978).

2. On retranche parfois les deux premiers chiffres
d'un millésime (sans apostrophe).
Ex. : dans les années 30.

temps   — Les nombres indiquant une **durée** (âge, années, heures,
etc.) s'écrivent en toutes lettres, sauf s'ils sont suivis
de subdivisions.

Ex. : La crise dura cinq ans; l'avion a deux heures et
demie de retard.
Le coureur a parcouru l'étape en 2 h 16 min 25 s;
il monta sur le trône à l'âge de 32 ans, 3 mois et
10 jours.

Nota — Dans les conditions de paiement, on écrit en chiffres : net/10, traite à 30 jours.

— Les nombres indiquant une **division du temps** s'écrivent ordinairement en chiffres.

Ex. : La réunion a lieu à 10 h 15.
Cf. ABRÉVIATIONS, 5.3.1.

siècles   Le numéro des siècles s'écrit en toutes lettres ou en chiffres
romains (petites capitales).

Ex. : le douzième siècle; le XIIe siècle.

sommes   Les sommes d'argent s'écrivent en chiffres.
Ex. : $25 000; 5 000 FF.

Il est inutile d'ajouter un point et deux zéros après une somme exacte (sauf dans les colonnes de chiffres).
Ex. : $25 (et non $25,00).

Les sommes inférieures à un dollar son précédées de la virgule et du zéro.
Ex. : $0,40.

Nota — 1. Dans les actes judiciaires, les sommes s'écrivent en lettres et en chiffres (entre parenthèses).
Ex. : Cent cinq dollars ($105).

2. On ne sépare pas les tranches de chiffres dans un millésime, un numéro de série, un article de code.
Ex. : 1968;
certificat n° 1125633;
art. 2630 du Code civil.

3. Par suite de l'adoption du Système international (SI), on recommande de laisser un espace entre les milliers et d'utiliser la virgule décimale.
Ex. : $14 500,25

pourcentages,   Les pourcentages s'écrivent habituellement en chiffres,
décimales   sauf dans les textes littéraires et les actes judiciaires.
et fractions   **Ex. :** Un intérêt de 3%; une augmentation de 10 p. 100.
Cf. ABRÉVIATIONS, 5.3.5.

Les nombres décimaux s'écrivent en chiffres, précédés d'une virgule (SI) et avec un espace après chaque groupe de trois décimales.
Ex. : 0,000 51; 18,3; 3,5 %.

Les fractions s'écrivent en chiffres, avec une barre oblique, sauf lorsqu'elles sont employées isolément.
Ex. : L'action est cotée à $13 $^5/_8$; 3 $^1/_2$ douzaines; les trois quarts du contenu.

masses   Les masses, les mesures (longueur, volume, puissance, etc.) et les degrés (latitude, température, etc.) s'écrivent en chiffres.
Ex. : 5 kg; 25 m;
20 °C; 30°26′40″ de latitude N.
Cf. ABRÉVIATIONS, 5.2.5 et 5.3.7.

emplois   On écrit en chiffres arabes : les numéros d'articles de lois
divers   ou codes, de journaux, et certaines divisions d'ouvrages im-
                 primés (pages, paragraphes, figures, etc.).

            Ex. : l'article 5 de la loi; *Le Devoir* (vol. LIX, n° 241), *Le style*
                (p. 218, § 3).

            On écrit en chiffres romains : les numéros de tomes, titres,
actes, appendices et pages d'introduction dans un ouvrage,
ainsi que les nombres désignant un souverain, une armée,
une dynastie, etc.

            Ex. : tome IV; acte III; Henri IV; IIIe armée; les XXe Jeux
                olympiques.

4.4 REMARQUE

Il est incorrect de dire «un dix dollars» pour *un billet de dix dollars,* «le $2 000
de différence» pour *les $2 000 de différence,* «chaque cent dollars» pour *cha-
que tranche de cent dollars.* On ne doit pas dire «trois dollars et vingt» mais
trois dollars vingt, «huit heures et cinq» mais *huit heures cinq.*

SECTION 5

Abréviations et sigles

5.1 LE LANGAGE ABRÉVIATIF

Les abréviations et les sigles ne sont que deux formes du langage abréviatif,
que l'on pourrait définir comme l'ensemble des moyens auxquels on a
recours pour communiquer plus rapidement. Les systèmes abréviatifs répondent essentiellement à un besoin d'économie — économie de temps,
d'espace et aussi d'effort — qui se manifeste sur différents plans de la
langue: phonétique (suppression de sons: estudiant, h o s t e l; toud'suite, chai
[je ne sais] pas); morphologique (abrégement ou suppression d'une partie
d'un mot : [chemin de fer] métro[politain], photo[graphie]); syntaxique
(ellipse ou suppression de mots : Comment, vous ici! Peut être ouvert d'office).

Si les Grecs et les Romains connaissaient déjà la sténographie, ce n'est qu'au XIXe siècle que l'abréviation a pris une extension rapide et qu'on a vu naître la plupart des systèmes abréviatifs. Parmi ces systèmes, citons les alphabets phonétiques, la sténotypie, le morse, les codes, les symboles et signes employés dans les différentes sciences, le «style télégraphique» (télégrammes et petites annonces).

La langue commerciale utilise les abréviations de la langue courante et des abréviations conventionnelles qui lui sont propres. Étant donné que le message transmis doit toujours être clair, il est essentiel de respecter l'usage établi et de ne pas employer des abréviations qui pourraient prêter à confusion. L'abréviation et les sigles sont régis par des règles que nous allons passer en revue, mais la grande règle à retenir est de se garder des abus.

5.2   RÈGLES DE L'ABRÉVIATION

1.   On abrège généralement un mot :

   a)   en retranchant les lettres finales, après une consonne, et en les remplaçant par un point.
   Ex. : chap. (chapitre); art. (article).

   b)   en retranchant les lettres médiales et en écrivant les finales en minuscules ou en supérieures (voir règle 2).
   Ex. : Mme (Madame).

   c)   en ne gardant que la lettre initiale et quelques consonnes intermédiaires.
   Ex. : qq. (quelque); qqn (quelqu'un).

   d)   en remplaçant le mot par un signe.
   Ex. : 45° (degrés); § (paragraphe).

2.   Lorsque la dernière lettre du mot abrégé subsiste dans l'abréviation, on ne met pas de point abréviatif.
   Ex. : Mlle, n°, qqn

3.   Le point abréviatif se confond avec le point final et les points de suspension, mais n'exclut pas les autres signes de ponctuation.
   Ex. : Voulez-vous télégraphier à l'O.N.F., s.v.p.? C'est un S.O.S.

   Nota — On ne doit pas mettre de points de suspension après *etc.*

4.   En règle générale, les mots abrégés ne prennent pas la marque du pluriel.
   Ex. : MM., Mmes, Mlles, n^{os}, pp. (pages), Sts (Saints), Ets (Établissements).

5. Les abréviations et symboles utilisés en mathématiques et en sciences ne prennent jamais le point abréviatif ni la marque du pluriel.

    Ex. : 80 km/h, cotg (cotangente), tours/min, Fe (fer).

    Nota — Les abréviations des unités de mesure ne s'emploient qu'après un nombre, entier ou décimal, écrit en chiffres.

      Ex. : 2,5°C, 15 kg (et non «quinze kg»).

6. Lorsqu'un mot s'écrit avec un trait d'union, celui-ci subsiste dans l'abréviation.

    Ex.: P.-S. (post-scriptum), c.-à-d. (c'est-à-dire), T.-N. (Terre-Neuve).

    Nota — Cette règle s'applique aux prénoms composés, mais non aux prénoms suivis d'une initiale.

      Ex. : Monsieur J.-P. Duval; Adolphe V. Thomas.

5.3 CAS PARTICULIERS

1. **Date et heure**

    On peut abréger la date dans une référence, mais non en tête de lettre.

    Ex. : Montréal, le 26 janvier 1977.
      V/lettre du 77 01 26.

    On indique l'heure par les abréviations h, min, s (sans point). Dans les horaires et les textes administratifs, on numérote habituellement les heures de 0 à 24. Dans les autres cas, on peut préciser — lorsque c'est nécessaire — *du matin, de l'après-midi* ou *du soir.*

    Ex.: La séance a été levée à 10 h 30. L'avion doit décoller à 23 h 15.

    Nota — 1. On ne doit pas écrire «7 hrs 45», «7:45 hrs» ni «8:00». On écrit 7 h 5 et non 7 h 05.

      2. Les signes ′ (minute) et ″ (seconde) sont réservés aux unités d'angle.

2. **Titres de civilité**

    Les titres de civilité (Monsieur, Madame, Maître), les titres honorifiques (Sa Majesté, Son Excellence) et les titres religieux (Monseigneur, Sa Sainteté) ne s'abrègent que s'ils sont suivis d'un nom de personne ou d'une qualité et lorsqu'on ne s'adresse pas directement à la personne.

    Ex. : Nous avons eu la visite de M. Deschênes.
      Le fauteuil de M. le Maire.
      Veuillez agréer, Monsieur le Président,
      l'expression . . .
    Cf. MAJUSCULES, 3.2.6.

3. **Saint**　　　On emploie les abréviations s. ou s^t (pas de majuscule ni de trait d'union) pour désigner le personnage.

Ex. : la fête de s. Michel.

Devant un nom de lieudit, de voie publique ou de monument, on peut employer l'abréviation St- (avec majuscule et trait d'union).

Ex. : la rue St-Denis, l'église St-Jean.

Nota — 1. Par exception, on indique le féminin et le pluriel : s^ts, s^tes.

2. Il est toujours préférable de ne pas abréger, notamment les noms de personnes et de villes.

Ex. : Louis Saint-Laurent;
Il travaille à Saint-Jean.

Cf. MAJUSCULES, 3.3.

4. **Adjectifs ordinaux**　　　À l'exception de premier (1er) et première (1re), tous les adjectifs ordinaux s'abrègent avec un e supérieur (2e, 25e). On rencontre aussi les abréviations 1ère, 2ème.

Nota — Les adverbes ordinaux s'abrègent avec un o supérieur.

Ex. : 1° (primo), 2° (secundo).

5. **Pourcentages**　　　En principe, on se sert des signes %, %oo dans le domaine de la finance (intérêt, pourcentage d'une somme) et des abréviations p. 100, p. 1 000 dans le cas de proportions ou statistiques. En pratique, la distinction est plutôt une question de niveau de langue : selon la «tenue» du texte, on écrira pour cent, p. 100 ou %.

6. **Compagnie**　　　L'abréviation Cie est réservée aux raisons sociales et ne doit pas s'employer dans le corps d'un texte.

Ex. : Établissements Laflèche et Cie.

7. **Unités**　　　Les anciennes unités de mesure s'abrègent de la façon suivante :
mi (mille), v (verge), pi (pied), po (pouce), lb (livre), oz (once), gal (gallon), chop (chopine); po² (pouce carré), pi³ (pied cube).

Les symboles d'unités du Système international (SI) sont indiqués dans les dictionnaires et encyclopédies.

Ex.: ^oC (degré Celsius), g (gramme), L (litre), m (mètre).
V. Annexe II.

8. **Québec**   L'abréviation la plus courante est Qué. On emploie aussi P.Q.

Nota — Les noms de villes et de rues ne s'abrègent pas. On évitera donc les abréviations indiquées dans l'annuaire du téléphone : Rsmt (Rosemont), Esplnd (Esplanade), de même que Mtl (Montréal).

9. **Abréviations latines**   Il est recommandé de remplacer par leur équivalent français certaines «abréviations mystérieuses» d'origine latine :

i.e. (id est)   :   c.-à-d. (c'est-à-dire)

e.g. (exempli gratia) ⎫
v.g. (verbi gratia)   ⎭   p. ex. (par exemple)

viz. (videlicet)   :   à savoir
q.v. (quod vide)   :   v. (voir), cf. (confer)

Nota — En français *via* signifie en passant par, et non au moyen de. On peut donc dire Montréal-Québec via Trois-Rivières, mais non «via chemin de fer».

10. **Faux amis**   Les règles de l'abréviation en français ne sont pas les mêmes qu'en anglais. On doit donc prendre garde de ne pas confondre les deux systèmes, et en particulier les abréviations suivantes :

	FRANÇAIS	ANGLAIS
Appartement	app.	apt.
Avenue	av.	Ave.
Boulevard	boul. ou b^d	Blvd.
Contre	c.	vs
Docteur	D^r	Dr.
Heures	h	hrs.
Monsieur	M.	Mr.
Numéro	N°, n°	No., #
Saint	s. ou S^t-	St.

5.4 LES SIGLES

On appelle *sigle* une abréviation formée en prenant la ou les lettres initiales de chaque mot d'un groupe de mots. (Cf. CHAP. I, 1.8.7.)
Ex.: ONU, T.S.F., AFNOR.

5.4.1 Les sigles s'écrivent normalement en majuscules suivies d'un point. Lorsqu'un sigle a une identité propre, c'est-à-dire qu'il est assimilé à un mot, on omet les points abréviatifs.

Ex. : F.M.I., F.T.Q., T.V.A., CEGEP, CKAC, UNESCO.

Nota — 1. La graphie *Otan, Onu* tend à passer dans l'usage courant.

2. Certains sigles ne sont plus perçus comme tels; ils s'écrivent comme de véritables mots et peuvent même avoir des dérivés.

Ex. : Radar (Radio Detection and Ranging); Jociste.

5.4.2 L'article placé devant un sigle s'accorde en genre et en nombre avec le mot principal du sigle et est élidé devant une voyelle.

Ex. : La C.E.C.M., l'O.N.F., les H.E.C.

5.4.3 La clarté du message exige que les sigles employés dans un texte soient connus des lecteurs. Dans le doute, il est préférable d'écrire au moins une fois en toutes lettres le groupe de mots que représente le sigle.

Ex.: Le règlement du B.I.T. (Bureau international du travail) a été adopté . . .

Voir ANNEXE II.

SECTION 6

Division des mots

6.1 PRINCIPES GÉNÉRAUX

La division des mots ou groupes de mots en fin de ligne suit des règles précises qui tendent à faciliter la lecture. La règle générale à retenir est de ne pas abuser des coupures.

Lorsqu'il est nécessaire de diviser un mot en fin de ligne, faute de place, on indique la coupure par un trait d'union. Étant donné que la division étymologique n'est pas toujours facile ni possible, il est préférable de couper les mots d'après l'épellation (division syllabique). La division des mots étrangers se fait selon les règles de la langue étrangère.

6.2   COUPURES PERMISES (/)

1.   Entre deux syllabes :
     Ex. : di/vi/sion, cou/pure.

2.   Entre deux consonnes redoublées :
     Ex. : syl/labe, consom/mateur.

3.   Entre les termes d'un mot composé (avec ou sans trait d'union) :
     Ex. : vice-/président, savez-/vous?, contre/maître.

4.   . Après *x* ou *y* suivis d'une consonne :
     Ex. : ex/tension, asy/métrie.

5.   Avant un *t* euphonique :
     Ex. : viendra-/t-il? va-/t'en.

     Nota — Même règle pour c'est-à-/dire.

6.3   COUPURES INTERDITES (‖)

1.   À la fin d'une page ou d'un paragraphe.

2.   Entre deux voyelles (sauf après un préfixe).
     Ex. : rou‖age, cré‖ancier (mais pré/avis, co/opérative).

3.   Avant ou après *x* et *y*, placés entre deux voyelles.
     Ex. : e‖x‖amen, mo‖y‖ennant.

     Nota — On tolère la coupure avant *x* prononcé [z].
     Ex. : deu-/xième.

4.   Après une apostrophe.
     Ex. : lorsqu'‖il, aujourd'‖hui.

     Exception : Dans une liste alphabétique, l'article élidé est renvoyé à
                     fin.
     Ex. : Art contemporain, (L').

5.   Après une ~yllabe ne comptant qu'une seule lettre.
     Ex. : é‖tudiant, a‖compte.

     Nota — Après une élision, on peut couper si l'apostrophe est précédée
                d'au moins deux lettres.
     Ex. : qu'a-/vaient-ils?

6. Avant une finale muette de deux ou trois lettres.
   Ex. : ven‖te, insolva‖ble, publi‖que.

7. Après un impératif, les pronoms *en* et *y*.
   Ex. : vas-‖y, changes-‖en.

8. Entre les lettres d'un sigle.

9. Entre un prénom ou un titre de civilité abrégé et le nom propre.
   Ex. : M. ‖ A.‖ Renaud, le D^r ‖ J.-‖P. ‖ Deschamps (mais M. Pierre / Duval).

10. Entre les nombres écrits en chiffres.
    Ex. : 123 ‖ 789 ‖ 456; 32,‖50.

11. Entre un nombre et le mot qui le suit ou le précède.
    Ex. : XXe ‖ siècle, page ‖ 36, 10 ‖ jan-/vier ‖ 1968, 5 ‖ p. ‖ 100, 15 ‖ livres.

    Nota — 1. La coupure est permise après les mots *million* et *milliard*.
          Ex. : 25 millions / 375 000 ou 25 mil-/lions 375 000.

        2. On peut séparer deux nombres reliés par une préposition ou conjonction de coordination.
          Ex. : pages 25/à 29, 35/ou 40 ans.

12. Avant l'abréviation *etc.*

SECTION 7

La ponctuation, signalisation écrite

7.1 DÉFINITION

Nous avons vu dans les premiers chapitres qu'il fallait connaître les mots de la langue (vocabulaire) et leur agencement (syntaxe) pour s'exprimer et communiquer. À ces instruments essentiels de la communication s'ajoutent des moyens auxiliaires qui nous permettent de mieux traduire nos pensées et nos sentiments. Dans la langue parlée, ces moyens sont les pauses, les changements d'intonation, les gestes. La ponctuation est tout simplement la notation écrite de ces procédés d'expression, par un système de signes conventionnels appelés *signes de ponctuation*.

Si la ponctuation a des origines lointaines (Aristophane de Byzance, à qui on attribue l'invention des premiers signes, vécut au IIe siècle av. J.-C.), le système que nous utilisons de nos jours doit son développement à l'imprimerie. Aux premiers signes hérités des Anciens sont venus s'en ajouter d'autres, et l'usage a donné à chacun une fonction spécifique, sans pour autant soumettre leur emploi à des règles strictes et immuables. La ponctuation n'est pas un code rigide; c'est un moyen d'expression qui évolue avec la langue.

7.2 RÔLE DE LA PONCTUATION

La ponctuation joue un double rôle dans la langue : elle a une *fonction grammaticale,* qui consiste à indiquer les rapports logiques entre les différents éléments de l'énoncé, et donc à en faciliter la compréhension; elle a aussi une *fonction stylistique,* en ce sens qu'elle permet de faire ressortir certains termes ou passages, d'indiquer le «ton» de celui qui écrit — de la même façon que l'intonation en langue parlée. Quelques exemples nous aideront à mieux saisir ce double rôle.

Fonction grammaticale — Comparons ces deux phrases :

Les congressistes qui étaient fatigués se reposèrent à l'hôtel.
Les congressistes, qui étaient fatigués, se reposèrent à l'hôtel.

Dans le premier cas, quelques congressistes seulement (ceux qui étaient fatigués) se reposèrent; dans le second, tous les congressistes étaient fatigués et se reposèrent. La ponctuation *change le sens de la phrase* en modifiant les rapports logiques entre ses éléments.

Fonction stylistique — La ponctuation permet de créer des effets stylistiques (mise en relief, intensité) et, en indiquant l'intonation, d'exprimer des sentiments (émotion, colère, impatience).

Ex. : *On avait donné dans le Nord un grand coup de pied dans la fourmilière, et les fourmis s'en allaient. Laborieusement. Sans panique. Sans espoir. Sans désespoir. Comme par devoir.*

> **Saint-Exupéry**
> *Pilote de guerre*
> cité par Grevisse.

Eh bien, qu'en pensez-vous?	: neutre
Eh bien? (vous venez?)	: impatience
Eh bien! (vous allez cesser!)	: colère
Eh bien . . . (quelle nouvelle!)	: étonnement

Outre ses fonctions linguistiques, la ponctuation a une valeur que l'on pourrait appeler psychologique : un texte mal ponctué est difficilement intelligible; il exige donc du lecteur un effort d'attention qui ne peut manquer de l'indisposer, consciemment ou non. Une ponctuation correcte dénote au contraire une pensée claire et un souci de la précision.

7.3 LES SIGNES DE PONCTUATION

Le système français de ponctuation comprend onze signes : la virgule, le point-virgule, le point, les deux points, le point d'interrogation, le point d'exclamation, les points de suspension, les parenthèses, les crochets, les guillemets et le tiret.

À ces signes s'ajoutent d'autres moyens accessoires d'indiquer une pause ou de mettre en relief certains mots ou passages : l'alinéa, le paragraphe, le soulignement, les lettres italiques, les caractères gras, etc. Ces divers procédés typographiques sont étudiés plus loin. Voir ANNEXE I.

7.3.1   La virgule

La virgule [,] indique une pause brève et s'emploie pour séparer :

1.   Les éléments semblables d'une énumération (sujets, verbes, compléments, épithètes).
       Ex. : C'est un travail difficile, long, bien rémunéré.
              L'avion roula, prit de la vitesse, décolla.

       Nota — Si un verbe a plusieurs sujets, on ne met pas de virgule après le dernier, sauf si ces sujets sont résumés par un mot.
              Ex. : Les affiches, les dépliants, les questionnaires étaient mal imprimés.
              Les affiches, les dépliants, les questionnaires, tout était mal imprimé.

2.   Les mots en apostrophe ou en apposition, les propositions incises, les membres de phrases explicatifs, les éléments qui pourraient être retranchés, etc.
       Ex. : Dans ce cas, Messieurs, la séance est levée.
              Cette question, dit-il, sera étudiée à la prochaine réunion.
              Il espérait, de cette façon, augmenter le chiffre d'affaires.

3.   Un sujet d'un complément, quand le verbe est sous-entendu (règle non absolue).
       Ex. : L'un est notre concessionnaire; l'autre, notre représentant.

4.   Une proposition relative à valeur explicative (mais non déterminative).
       Ex. : voir § 7.2 — Fonction grammaticale.

5.   Une proposition subordonnée ou participiale placée avant la principale.
       Ex. : Quand il se leva, tout le monde fit silence.
              Le beau temps revenu, les travaux avancèrent.

6.   Deux propositions de même nature.
       Ex. : La productivité augmente, les frais d'exploitation se comparent favorablement à ceux du dernier exercice.

7.   Un complément circonstanciel placé en tête de phrase, sauf s'il est
     court.
     Ex. : Depuis plus de dix ans, il passe tous les vendredis.
          Ici se termine la visite.

8.   Cas particuliers : les conjonctions de coordination.
     et n'est jamais précédé d'une virgule sauf

     a)   quand il unit deux propositions de constructions ou de sujets diffé-
          rents.
          Ex. : Il avait prévu la crise, et les événements lui donnèrent raison.

     b)   quand il sépare des termes longs ou introduit un membre de phrase
          qu'on veut mettre en relief.
          Ex. : Lorsqu'on étudie les tenants et les aboutissants de cette
                affaire qui passionna l'opinion publique, et qu'on tente . . .
                Il dit qu'il le ferait, et le fit.

ou et **ni** suivent les mêmes règles que **et**. En plus, ces conjonctions
ne sont précédées d'une virgule que si elles sont répétées plus de
deux fois ou éloignées l'une de l'autre.
Ex. : La bourse ou la vie.
     Ni bien ni mal.
     Ni noir, ni bleu, ni rouge.

mais est toujours précédé d'une virgule, parfois d'un point-virgule
ou d'un point, sauf entre deux mots semblables ou deux groupes
nominaux très courts.
Ex. : Je partage votre avis, mais j'estime néanmoins que . . .
     C'est une solution originale mais inapplicable.

or et **donc**, en tête de phrase, sont généralement suivis d'une
virgule.
Ex. : Or sa tentative échoua.
     Donc, vous croyez que . . . (mais : vous croyez donc que . . .).

car est normalement précédé d'une virgule.
Ex. : Je puis vous en parler, car j'assistais à l'assemblée.

7.3.2   Le point-virgule

Le point-virgule [;] marque une pause moyenne et sépare des propositions
de même nature ou les parties d'une phrase déjà coupées par des virgules.
Ex. : *Ce que nous savons, c'est une goutte d'eau; ce que nous ignorons, c'est
     l'océan.* **(Grevisse)**

On emploie aussi le point-virgule à la fin des différents éléments d'une
énumération (mais un point si ces éléments forment des phrases distinctes).
Ex. : Le dossier doit comprendre les pièces suivantes:

1°   un curriculum vitae;

2°   un certificat de scolarité;

3°   trois photos d'identité.

7.3.3   Le point

Le point ⊡ indique une pause marquée. Il s'emploie à la fin d'une phrase et remplace les lettres supprimées dans les abréviations.
Ex. : J'espère que vous viendrez.
   Boul., R.S.V.P.

Nota —   Le point remplace parfois la virgule après des membres de phrases que l'on veut mettre en relief (voir l'exemple au § 7.2 — Fonction stylistique). Certains journalistes abusent de ce procédé; il n'a pas sa place en langue commerciale.
   Ex. : *. . . leur inadaptation aux nécessités de la circulation moderne. Routière et fluviale. (L'Express)*
   . . . pour un conseil régional. Élu. (id.)

7.3.4   Les deux-points

Les deux-points ⊡ marquent une pause peu prononcée et annoncent :

1.   Une énumération, un développement, une citation ou des paroles rapportées.
   Ex. : Les fêtes chômées sont : le Nouvel an, Pâques, la Toussaint, . . .
   Il ajouta : «C'est un renseignement confidentiel.»

2.   Une explication, un exemple, un rapport de cause ou de conséquence.
   Ex. : Nous avons renoncé à ce projet : il était irréalisable.

7.3.5   Le point d'interrogation

Le point d'interrogation ⟨?⟩ s'emploie à la fin de toute interrogation directe.
Ex. : Que faites-vous ici?
   Ce fut un succès, que dis-je? un triomphe.

7.3.6   Le point d'exclamation

Le point d'exclamation ⟨!⟩ se met après les interjections et à la fin des phrases exclamatives. Il est rarement employé dans la langue commerciale (sauf en publicité).
Ex. : Hélas! que de temps perdu!

Nota —   Le point d'exclamation (comme le point d'interrogation) peut être répété ou suivi de points de suspension pour créer un effet d'intensité.
   Ex. : Il prétendit ne pas le savoir! . . .
   Pourquoi? Pourquoi???

7.3.7   Les points de suspension

Les points de suspension ⟨...⟩ marquent une coupure ou une longue pause. On les emploie :

1.   Pour indiquer que la phrase est inachevée (volontairement ou non).

Ex. : Il y avait de tout : des meubles, des tableaux, des livres, des bibe-
lots . . .
«J'irai jusqu'à . . .» Il n'eut pas le temps d'achever.

2. Pour marquer l'affectivité.
Ex. : Non . . . ce n'est pas possible . . . ce n'est pas toi!

3. Pour attirer l'attention sur ce qui suit.
Ex. : Il est arrivé premier . . . sur deux.

4. Pour remplacer des passages omis dans une citation; dans ce cas, on
place généralement les points de suspension entre crochets.
Ex. : Il estimait «qu'il serait vain [. . .] de poursuivre les démarches.»

7.3.8   Les parenthèses

Les parenthèses ☐ s'emploient pour indiquer un renvoi ou pour isoler un
membre de phrase explicatif, non indispensable au sens.
Ex. : Le rapport ci-joint (voir p. 8 de l'annexe).
Je ne lui ai rien dit (pourquoi l'aurais-je fait?) de mon projet.

7.3.9   Les crochets

Les crochets ☐ sont une variété de parenthèses. On les emploie :

1. Pour isoler des termes déjà entre parenthèses.
Ex. : (Se reporter à la brochure explicative [p. 27] et à la notice d'entretien).

2. Dans une citation, pour rétablir des mots manquants ou séparer les mots
ajoutés par celui qui cite.
Ex. : «Pourtant, ils [les actionnaires] approuvèrent la décision.»

7.3.10   Les guillemets

Les guillemets ☐ servent à indiquer:

a) Les citations et les paroles rapportées.
Ex. : Boileau a écrit : «Vingt fois sur le métier . . .»
Il répondit : «C'est entendu.»

Nota —   1. Si la citation est interrompue par une incidente de quelques
mots, on ne répète pas les guillemets.
Ex. : «Tout cela, dit-il, est fort bien.»

2. Si le passage cité se termine par un signe de ponctuation,
celui-ci se place avant le guillemet final.
Ex. : Il demanda : «Qui est votre représentant?»
Que veut-il dire par «se montrer patient»?

b) Les mots étrangers, insolites ou employés dans un sens particulier.
Ex. : Ce que les Américains appellent un «gadget».
Le ministre a présenté son «mini-budget».
Une campagne publicitaire «tous azimuts».

7.3.11 Le tiret

Le tiret ⊟ , plus long que le trait d'union, s'emploie:

1. Dans un dialogue, pour marquer le changement d'interlocuteur.
    Ex. : — Assisterez-vous à la réunion?
    — Je ne sais pas encore.
    M. DUPUIS — Y a-t-il d'autres questions à l'ordre du jour?

2. À la place des parenthèses et des crochets, parfois après une virgule qu'on désire renforcer. (On ne doit pas abuser de cet usage.)
    Ex. : Je ne crois pas — et je ne suis pas le seul — qu'il soit souhaitable ...
    Il était prêt à accepter, — mais à une condition : que sa nomination soit provisoire.

Nota — Dans les tableaux, catalogues, factures, le tiret indique la nullité et le guillemet est un signe de répétition, selon l'usage canadien (c'est le contraire dans l'usage français).
Ex. : Série à 2 couleurs $5,50
" " 3 " 7,25
Échantillon publicitaire —

EXERCICES DE RÉVISION ET DE COMPRÉHENSION

Orthographe

1. Quelle évolution l'orthographe française a-t-elle suivie?

2. Définissez brièvement l'orthographe d'accord et l'orthographe d'usage. Donnez un exemple.

3. Quelles sont les différentes façons de noter le son [i] en français?

4. Quelle règle appliquez-vous en écrivant *mangeait, plongeoir, gageure?*

5. Formez les adverbes dérivés des adjectifs *courant* et *diligent.* Quelle est la règle?

6. Pourquoi écrit-on «Ce *fabricant* a fait fortune en *fabriquant* un moteur à turbine»?

7. Quel moyen mnémotechnique pourriez-vous employer pour orthographier correctement *il est exclu, il est inclus?*

8. Quelle règle régit l'orthographe des mots *cueillir, écueil, orgueil?*

9. *Honnête* s'écrit avec deux *n; honorable,* avec un seul. Pourquoi?

10. Qu'est-ce qu'un *homonyme,* un *paronyme?* Cherchez des exemples dans le dictionnaire.

Signes orthographiques

1. Comment distinguer la conjonction *ou* de l'adverbe *où*?

2. On écrit le montant *dû*, mais la somme *due,* les cotisations *dues.* Quelle est la règle?

3. Où place-t-on le tréma dans les mots suivants : ambigue, exigue, cigue?

4. Dans quel cas élide-t-on *presque* devant une voyelle?

5. Quelle est la règle concernant l'orthographe des mots composés avec *non*?

6. Comment écrivez-vous 21 en lettres? Quelle est la règle?

Majuscules

1. Quel est le rôle de la majuscule dans les exemples suivants : «Vivre en français» et «Vivre en Français». «Comment va ton allemand?» et «Comment va ton Allemand?».

2. On écrit *les Canadiens français* et *le peuple canadien-français.* Quelle est la règle?

3. Dans quels cas les noms de jours et de mois s'écrivent-ils avec une majuscule? Exemples.

4. Les adjectifs français prennent rarement la majuscule. Pourtant, on écrit *l'océan Atlantique,* le *Bas-Canada.* Pourquoi?

5. Quelle règle appliquez-vous en écrivant *les provinces de l'Ouest, l'ouest du Canada*?

Numération

1. Dans un texte, comment serait-il préférable d'écrire 10 500 000 000?

2. Comment peut-on écrire «quarante cents» en chiffres?

3. Corrigez cette phrase : «Nous donnons une prime pour chaque dix dollars d'achat.»

Abréviations

1. Quel est le principal rôle des abréviations?

2. Pourquoi met-on un point abréviatif à *qq.* (quelques) mais non à *qqn* (quelqu'un)?

3. Donnez quelques exemples d'abréviations qui, par exception, prennent la marque du pluriel.

4. Quelle est la règle applicable à toutes les abréviations d'unités et de symboles utilisés dans les sciences?

5. Comment abrège-t-on les adjectifs ordinaux (premier, deuxième, etc.)?

6. Qu'est-ce qu'un sigle? Donnez des exemples.

Division des mots

1. Indiquez par une barre oblique les coupures permises dans les mots suivants : consommation, sous-directeur, expansion, coordonner, examiner, publique, étudie-t-elle?, 10 millions 525 000.

2. Peut-on couper un mot avant ou après la lettre x?

Ponctuation

1. Quelles sont les deux principales fonctions de la ponctuation?

2. Montrez par un exemple que la ponctuation peut changer le sens d'une phrase.

3. Quand met-on une virgule avant la conjonction *et?*

4. Dans quels cas utilise-t-on les deux-points?

5. Dans une citation interrompue par une brève incidente, où place-t-on les guillemets?

BIBLIOGRAPHIE

AMIGUET, André et col., *De l'emploi des majuscules*, Berne, Le fichier français, 1965.

BERSET, Francis, *Orthographiez correctement*, Bienne (Suisse), Éd. du Panorama, 3ᵉ éd., 1959.

BLANCHE-BENVENISTE, Claire et André CHERVEL, *L'orthographe*, Paris, Maspero, 1969.

BLED, E. et O., *Cours supérieur d'orthographe*, Paris, Hachette, 1954.

BURNEY, P., *L'orthographe*, Paris, Presses universitaires de France, «Que sais-je», n° 685, 1959.

DARBELNET, Jean, «Dates, heures et génériques de la toponymie urbaine», *L'actualité terminologique*, Ottawa, Bureau des traductions, Secrétariat d'État, vol. 9, n° 4, avril 1972.

DUPRIEZ, Bernard, *Apprenez seul l'orthographe d'usage*, Montréal, Éd. du Jour, 1966.

FEUGÈRE, Fernand, *Savez-vous ce que vous dites?*, Paris, Flammarion, 1963.

GAILLARD, Pol, *Les clés de l'orthographe*, Paris, Delagrave, 1960.

GOURIOU, Charles, *Mémento typographique*, Paris, Hachette, 1963.

GREVISSE, Maurice, *Code de l'orthographe française*, Bruxelles, Baude, 1948. *Le bon usage*, Gembloux, J. Duculot, 10ᵉ éd., 1975.

HANSE, Joseph, *Dictionnaire des difficultés grammaticales et lexicologiques*, Bruxelles, Baude, 1949.

LÉCROUART, Claude, «Des symboles, des virgules et des points», in *L'actualité terminologique*, Ottawa, Secrétariat d'État, vol. VII, n° 10 (déc. 1974), vol. VIII, nᵒˢ 1 et 2 (janv., fév. 1975).

LÉCROUART, Claude, «La notation des sommes d'argent», in *L'actualité terminologique*, Ottawa, Secrétariat d'État, vol. VIII, n° 7 (avril 1975).

PORQUET, André, *L'orthographe française*, Paris, Gauthier-Villars, 1966.

SANTELLI, *Notions de langue française — Orthographe et rédaction*, Paris, Eyrolles, 1961.

SÉRÉSIA, Cécile, *Manuel de ponctuation française moderne*, Bruxelles, Éd. De Visscher, 1950.

SYNDICAT NATIONAL DES CADRES ET MAÎTRISES DU LIVRE DE LA PRESSE ET DES INDUSTRIES GRAPHIQUES, *Code typographique*, Paris, 8ᵉ éd., 1965.

THIMONNIER, René, *Le système graphique du français*, Paris, Plon, 1967.

THIMONNIER, René, *Le code orthographique et grammatical*, Paris, Hatier, 1971.

THOMAS, Adolphe V., *Dictionnaire des difficultés de la langue française*, Paris, Larousse, 1956.

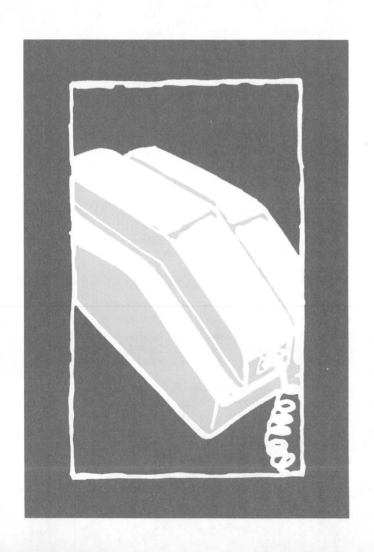

Chapitre

IV

Savoir écouter

La nature a donné à l'homme une langue, mais deux oreilles, afin qu'il puisse entendre deux fois plus qu'il ne parle.

ÉPICTÈTE

SECTION 1

L'importance de l'écoute

1.1 NOTIONS GÉNÉRALES

Notre monde est un monde de sons. Dès notre plus tendre enfance, nous sommes soumis aux mille et un sons des choses et des personnes qui nous entourent. Bien entendu, ces sons n'ont pas tous la même valeur, mais ils permettent d'acquérir une certaine expérience de la vie et de commencer à apprendre.

Rappelons aussi qu'avant l'invention de l'imprimerie tout le savoir humain était transmis de façon orale, de bouche à oreille. La découverte de l'imprimerie a sans doute accordé une certaine priorité à l'écriture et à la lecture pour la transmission des idées, mais cette priorité est actuellement battue en brèche par l'essor prodigieux des moyens de communication orale et des techniques audio-visuelles : téléphone, radio, phonographe, magnétophone, cinéma, télévision, etc.

Grâce à ces inventions, on diffuse à travers le monde une quantité énorme d'informations. Nos oreilles sont journellement assaillies par des informations utiles et importantes, mais aussi par des informations tronquées et fausses, de la propagande, des messages publicitaires exagérés, tout un ensemble de discours, de discussions et de nouvelles que nous devons filtrer avant de les faire nôtres. Devant cette masse d'informations orales, il importe de «retrouver» nos possibilités auditives et d'apprendre à écouter avec intelligence.

1.2 LA RÉCEPTION AUDITIVE

On a défini l'acte de communication comme la transmission des idées d'une personne à au moins une autre personne. Cette transmission, si elle est orale, est liée directement à l'habileté oratoire de l'émetteur mais aussi à l'acuité auditive du récepteur. Le message transmis par l'émetteur n'acquiert toute sa signification que s'il est bien reçu. Le rôle du récepteur dans la communication est donc d'une importance capitale. La quantité d'informations qu'un auditeur recueille est fonction de son attention.

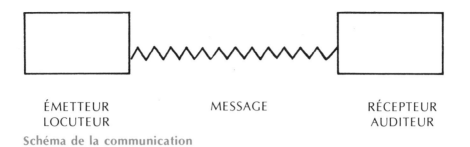

ÉMETTEUR   MESSAGE   RÉCEPTEUR
LOCUTEUR   AUDITEUR

Schéma de la communication

Si l'on pouvait faire des études statistiques sur le temps que nous con-sacrons à l'écoute, nous serions probablement fort étonnés par les résultats. On estime, en effet, que nous passons plus de 45% de notre temps à écouter, pourcentage énorme si l'on considère que notre pouvoir de réten-tion des choses entendues n'est que de 50% et qu'il diminue progressive-ment pour n'atteindre plus que 25% après quelques mois. Augmenter son pouvoir d'attention auditive, c'est donc augmenter sa puissance de réten-tion et, par là, élargir ses connaissances et participer plus activement à la vie sociale, politique et économique de son milieu.

Le succès de notre vie personnelle est intimement lié à de bonnes habitudes auditives. Elles nous permettent une meilleure compréhension des ressources de la langue; elles facilitent la conversation, la communication.

Il en est de même dans notre vie professionnelle. Pour bien faire son métier, quel qu'il soit, il est nécessaire de savoir écouter. Ainsi, d'un bout à l'autre de l'échelle hiérarchique d'une entreprise, du directeur général à la standardiste, tout le monde doit faire preuve d'attention auditive.

Le directeur d'une entreprise doit écouter les avis exposés par ses employés, s'il veut mener à bonnes fins sa tâche. Il a besoin d'une certaine quantité d'informations avant de pouvoir prendre une décision. L'ingénieur et l'ouvrier, tout comme la secrétaire, avant de commencer leur travail doivent écouter attentivement s'ils veulent réussir leur entreprise. Très souvent une écoute attentive est un gage d'efficacité.

1.3 ÉCOUTER ET ENTENDRE

De même que lire est plus que voir des mots écrits, écouter est plus qu'enten-dre des sons. Un auditeur peut percevoir des sons sans que son esprit ne leur accorde une attention particulière : l'auditeur ne fait qu'entendre. Dès que son esprit devient actif et se concentre sur les sons entendus, en les analysant et en les réorganisant, il écoute. Grâce à ses connaissances et à ses ex-périences antérieures, il peut classer les sons perçus et les idées évoquées, faire des comparaisons, dégager des sensations et des impressions et formuler un jugement. Tout ce processus lui permet de trouver la clé du message, sa signification.

SECTION 2

Les règles d'une écoute intelligente

2.1   TOUS LES SUJETS SONT INTÉRESSANTS

La première bonne habitude à acquérir est de s'intéresser à tous les sujets. Il ne faut donc pas décider d'avance, très souvent sans savoir de quoi il s'agit, que la conférence ou l'exposé présenté n'est pas intéressant ou instructif. Il y a toujours quelque chose à retirer d'une causerie, d'un discours ou d'une

Une écoute attentive est un gage d'efficacité.

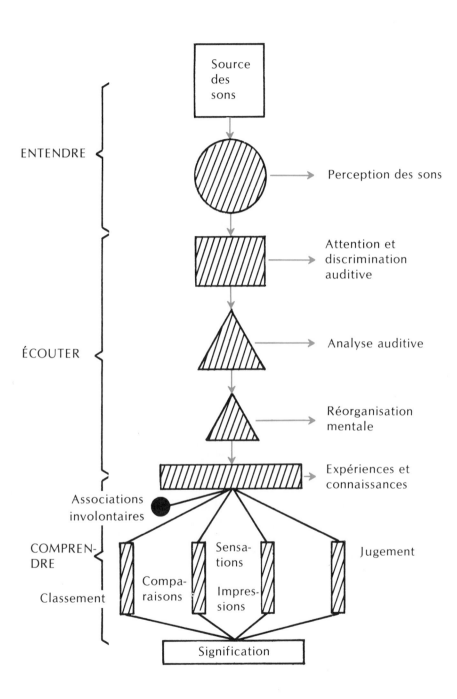

Schéma des étapes de l'audition

leçon. Comme le disait d'ailleurs un auteur célèbre, il n'y a pas de sujets in-intéressants, il n'y a que des gens qui ne s'y intéressent pas.

2.2. FAIRE CONFIANCE AU LOCUTEUR

Très souvent, on juge le conférencier sur son attitude, sur son physique et même sur sa façon de s'habiller. Des idées préconçues empêchent la transmission du message et ne permettent pas une écoute attentive, car toute l'attention est paralysée par la critique.

2.3 GARDER SON SANG-FROID

Si l'émotivité prend le pas sur l'intelligence, on ne peut entendre que ce qui plaît et l'on oublie l'enchaînement des idées. Certains mots possèdent en eux-mêmes toute une charge émotive et socio-culturelle. Ils peuvent donc facile-ment être le point de départ de «vagabondages» de l'esprit: l'auditeur ne fait que semblant d'écouter.

2.4 ÉVITER LES DISTRACTIONS

Très souvent on se laisse distraire par toute une série de petites choses, une mouche qui vole, une chaise qui grince, un crayon qui tombe, etc., et rapide-ment on oublie d'écouter.

2.5 PENSER ET RÉFLÉCHIR

Comme le débit d'un orateur atteint environ 150 mots à la minute et que la vitesse de pensée d'un auditeur est trois à quatre fois supérieure, il est possi-ble de consacrer cette différence de temps à la pensée et à la réflexion.

Il y a aussi avantage à prévoir la suite du développement d'une idée. Si l'on peut deviner ce que l'orateur va dire, l'idée est renforcée; si, au contraire, on a mal interprété les indications, il est tout aussi utile de chercher à en trouver les raisons. Quoi qu'il en soit, on gagne dans les deux cas.

Ce temps peut aussi être utilisé pour résumer les principaux points développés et évaluer les causes et les conséquences des conclusions présentées par l'orateur.

2.6 LA PRISE DE NOTES

Prendre des notes lors d'une communication orale renforce les bonnes habitudes auditives. Cette pratique est non seulement utile mais parfois nécessaire, car elle garantit une bonne rétention des informations recueillies et constitue une bonne source de référence assurant l'authenticité du message transmis. Cependant, l'auditeur ne doit pas écrire tout ce que dit l'orateur : il n'arrive pas à écrire assez rapidement et il risque de ne pouvoir suivre et comprendre l'essence du message.

En prenant des notes, on n'écrit que l'essentiel. On fait un schéma de l'exposé : idées principales, déductions échafaudées. C'est une excellente habitude de prêter une attention toute particulière aux formules suivantes : *en premier lieu, d'une part, d'autre part, par ailleurs, en revanche, premièrement, en résumé*, etc., car elles indiquent l'articulation du raisonnement et introduisent les principaux points.

La prise de notes

SECTION 3

Conclusion

Dans tous les métiers et dans toutes les professions, il est nécessaire de savoir écouter. L'écoute attentive est une condition essentielle de la compréhension; elle évite les erreurs, les malentendus, les pertes de temps.

Le succès sourit à ceux qui savent «se servir de leurs oreilles», car ils sont sûrs d'enrichir leurs connaissances, de parfaire leurs expériences, de trouver des amitiés nouvelles et de mieux connaître leur langue.

EXERCICES DE RÉVISION ET DE COMPRÉHENSION

L'importance de l'écoute

1. Montrez, dans un paragraphe ou deux, qu'une écoute attentive est un gage de succès.

2. Calculez le pourcentage de temps que vous consacrez à écouter dans une journée.

3. Dans votre chambre ou dans la nature, essayez d'écouter attentivement et d'identifier tous les bruits que vous entendez.

Les règles d'une écoute intelligente

1. Énumérez les règles d'une écoute attentive et justifiez-les.

2. Pourquoi faut-il prêter une attention particulière aux mots suivants dans un discours ?
   — en premier lieu
   — premièrement
   — d'une part . . . d'autre part
   — en résumé.

3. Comment l'inattention auditive peut-elle gêner la compréhension de la phrase suivante : «On n'en a plus» ?

BIBLIOGRAPHIE

GARDE, Édouard, *La voix*, Paris, Presses universitaires de France, «Que sais-je ?», n° 627, 1951.

GRIBENSKI, André, *L'audition*, Paris, Presses universitaires de France, «Que sais-je ?», n° 484, 1959.

MATRAS, Jean-Jacques, *Le son*, Paris, Presses universitaires de France, «Que sais-je», n° 293, 1959.

Chapitre
V
Savoir lire

«Dis-moi ce que tu lis, je te dirai qui tu es», il est vrai, mais je te connaîtrai mieux si tu me dis ce que tu relis.

François MAURIAC

SECTION 1

Pourquoi lire

1.1   L'IMPORTANCE DE LA LECTURE

On pourrait croire que le prodigieux développement des techniques audio-visuelles a considérablement réduit l'importance du livre. Il n'en est rien : le livre reste l'un des éléments essentiels de la diffusion de la pensée et, par conséquent, la base de la culture. Sans lecture, la transmission des idées les plus banales, comme par exemple un mode d'emploi sur une boîte de conserve, devient un acte difficile et presque impossible.

La lecture nous transmet à la fois des informations utiles à notre bien-être matériel et spirituel et nous procure des joies qui illuminent notre vie.

On a défini la lecture comme étant un acte de pensée qui nous livre une signification par des symboles écrits. La lecture est donc un mode d'échange entre celui qui interprète des signes écrits et celui qui les a combinés pour extérioriser ses connaissances, ses sentiments, sa pensée.

La civilisation de l'homme est liée à l'écriture et, par elle, à la lecture. N'oublions pas que le verbe lire dérive du latin *legere* qui signifie cueillir. L'homme qui lit est toujours prêt à récolter un savoir.

1.2   LES BUTS DE LA LECTURE

On lit toujours avec un but, et la façon de lire est intimement liée à l'objectif poursuivi : on ne lit pas de la même façon pour se divertir que pour s'instruire.

1.2.1   Lire pour se divertir

Lorsqu'on lit pour se divertir, on ne cherche pas à retenir chaque petit détail. On lit, selon l'expression, «des yeux» et on ne fait intervenir que très faiblement, ou même pas du tout, l'attention et la mémoire. On peut donc lire très rapidement et ne chercher qu'un plaisir instantané, une évasion. On estime que la vitesse normale de ce genre de lecture est d'environ 400 mots à la minute.

1.2.2   Lire pour trouver une information

Si l'on cherche un renseignement précis dans un livre ou dans un rapport, la meilleure façon de lire est de parcourir le texte des yeux. On saute de larges extraits et on lit «en diagonale», c'est-à-dire qu'on parcourt une page en ne lisant que quelques phrases où se trouvent exposés les faits et les détails pertinents. La lecture en diagonale est à recommander si l'on veut avoir une idée générale sur un article et décider ensuite de le lire à fond. C'est une excellente technique pour lire un journal.

1.2.3   Lire pour apprendre

Le but principal de ce type de lecture est d'acquérir des connaissances. Il ne s'agit plus de lire «des yeux» ou «en diagonale», mais de lire activement. Les fonctions intellectuelles participent à la lecture, car il faut comprendre ce qu'on lit et retenir ce qu'on a lu. Ces lectures incitent à la réflexion, enseignent et renseignent.

N'oublions pas non plus qu'un autre avantage de ce mode de lecture est le contact avec la langue. Chaque livre bien lu enrichit le vocabulaire de son lecteur et lui ouvre des possibilités syntaxiques et stylistiques. Une langue s'apprend, s'entretient, se développe, s'enrichit et se perfectionne par la lecture.

1.2.4   Lire pour vérifier

La plupart des employés de bureau doivent lire pour vérifier. Ce type de lecture consiste à comparer soigneusement des chiffres ou des lettres et à relever, pour les corriger, les erreurs, les coquilles et les fautes dans les lettres, les rapports, les comptes rendus, les factures, etc. Il faut à la fois lire le sens des mots et leurs lettres. Cette façon de lire peut se comparer à la lecture d'épreuves et, comme elle, exige un grand effort de concentration.

SECTION 2

Comment lire

2.1   LES YEUX

Il est banal d'affirmer que l'acte de lire est lié à la qualité de la vue, mais il est peut-être important de souligner qu'une bonne hygiène est aussi essentielle pour les yeux que pour les dents. Voici quelques suggestions qui vous aideront à préserver votre vue :

— Reposez vos yeux toutes les demi-heures en regardant au loin ou en les fermant pendant quelques instants;

— Renforcez les muscles oculaires en faisant aller vos yeux de gauche à droite et de haut en bas;

— Ne lisez pas en plein soleil ou dans un véhicule en marche;

— Consultez un oculiste si vous souffrez des yeux.

2.2   L'ÉCLAIRAGE ET LE CONFORT

Si vous lisez avec un mauvais éclairage, vos yeux se fatigueront vite et perdront de leur acuité. C'est évidemment la lumière naturelle qui est la meilleure source de luminosité. Si vous vous servez d'une source lumineuse artificielle, assurez-vous que l'éclairage est indirect ou semi-indirect. Installez-vous confortablement dans une pièce agréable, ni surchauffée ni froide, où votre attention ne sera pas distraite par le spectacle et les bruits de la rue, la conversation de votre entourage, la radio ou la télévision.

2.3   LA VITESSE DE LECTURE

Comme nous l'avons déjà indiqué, la vitesse à laquelle vous lisez dépend de ce que vous lisez. Si vous lisez pour vous divertir, vos yeux doivent déchiffrer environ 400 mots à la minute. Si, au contraire, vous lisez pour vous instruire, votre vitesse variera entre 200 et 250 mots à la minute.

Il existe des procédés spéciaux pour apprendre à lire plus rapidement. Certains condamnent sans réserve les méthodes de lecture rapide qui cherchent à faire acquérir des réflexes permettant de voir globalement toute une série de mots. D'autres, au contraire, sont des partisans enthousiastes de telles techniques. Quoi qu'il en soit, fixez la vitesse de vos lectures selon votre propre rythme et vos propres besoins.

En général, vous devez vous attacher à lire un texte par groupe de sens et non pas mot à mot ou syllabe par syllabe. Vous avez dépassé le stade où il faut déchiffrer un texte et même le lire avec les lèvres. Évitez aussi de revenir constamment en arrière; concentrez-vous suffisamment pour ne pas avoir oublié ce que vous avez lu lorsque vous arrivez à la fin de la phrase.

2.4   LA COMPRÉHENSION

Même si la rapidité avec laquelle vous lisez un texte peut être importante et influer directement sur le nombre de lectures que vous faites, rappelez-vous cependant que seules la compréhension et l'assimilation de ce que vous lisez rendront vos lectures profitables. Aussi n'hésitez pas à recourir au dictionnaire pour éclaircir un mot, un sens, une expression, ou pour vérifier ou chercher la signification d'un terme nouveau. En enrichissant votre vocabulaire, vous augmentez vos possibilités de compréhension et d'assimilation d'un texte.

On comprend plus facilement un ouvrage si, avant de commencer à le lire, on parcourt la table des matières, les illustrations et la préface; les principaux titres permettent déjà de se faire une idée de la matière traitée. On peut ainsi rassembler d'avance dans la mémoire toutes les connaissances qui se rapportent au même sujet.

Quand on lit un texte, il faut chercher à découvrir les idées principales exposées par l'auteur et la façon dont il les a présentées et ordonnées. Il n'est pas inutile d'étudier attentivement les dessins, gravures, graphiques ou tableaux, car très souvent ils servent d'exemples expliquant ou amplifiant les faits présentés par l'auteur. N'oubliez pas non plus de lire les notes infrapaginales, car les renseignements qu'elles fournissent peuvent vous apporter d'utiles précisions.

2.5 LA LECTURE AU CRAYON

Si le livre que vous lisez vous appartient, vous pouvez souligner ou marquer d'une façon quelconque les mots, les phrases ou les passages importants. Vous pouvez aussi faire des remarques dans les marges; encore faut-il savoir ce qui vaut la peine d'être noté. En général, il n'est pas conseillé de souligner un passage dès la première lecture, car l'idée générale que vous en avez est encore incomplète; contentez-vous de points de repère, comme des croix dans la marge. Réfléchissez au sujet traité, posez-vous des questions, puis reprenez votre lecture et soulignez les mots clefs qui vous donnent les idées principales. Ne soulignez pas des phrases complètes, car tous les mots n'ont pas la même importance; recherchez plutôt les idées essentielles et les détails utiles.

Si le livre ne vous appartient pas, la question d'y souligner les idées principales ne se pose pas. Vous pouvez cependant prendre les notes sur des fiches.

2.6 LES NOTES DE LECTURE

Il est souvent utile de reprendre les idées d'un auteur en les résumant et en les classant. On assimile ainsi beaucoup mieux ce qu'on a lu et on dispose d'une source importante de renseignements lorsqu'on a besoin de s'y référer plus tard.

En principe, un auteur ne traite qu'une seule idée par paragraphe; vous pouvez donc, en quatre ou cinq phrases, faire la synthèse de l'idée exprimée, en cherchant à répondre aux questions suivantes : «Qu'est-ce que l'auteur cherche à démontrer ?, Comment le fait-il ?, Comment ce que je viens de lire s'intègre-t-il à ce que je sais déjà sur le même sujet ?».

N'oubliez pas d'indiquer sur vos fiches de lecture le nom de l'auteur, le titre du livre, le nom de l'éditeur et la date de parution. Si vous lisez un article, notez le nom de l'auteur, le titre de l'article, le nom de la revue ou du journal, le numéro de publication, la date et les pages. Grâce à ces références, vous pourrez, plus tard, retrouver facilement le livre ou l'article, si vous en avez besoin.

SECTION 3

Les livres et la bibliothèque

Quels livres lire ? À première vue, la question semble simple. Pourtant il n'en est rien, car nos lectures sont conditionnées par notre travail et par nos goûts.

3.1   LES LECTURES PROFESSIONNELLES

Il existe de nombreux journaux, périodiques et revues qui traitent de questions touchant directement notre métier ou notre profession. Pour bien exercer nos fonctions, nous devons lire les livres techniques et les revues spécialisées qui se rapportent à notre travail. Ces lectures nous permettent de mieux connaître notre profession, d'enrichir notre savoir technique, de parfaire notre vocabulaire et de mieux répondre aux besoins de notre spécialité. Toutefois, si l'on ne s'en tient qu'aux lectures qui se rattachent directement à sa profession, on se prive de nombreux éléments essentiels de la culture.

3.2   LES LECTURES PERSONNELLES

S'il est difficile, pour ne pas dire impossible, d'établir une liste unique des livres que tout homme cultivé devrait avoir lus, il n'en reste pas moins que celui qui lit beaucoup et de façon intelligente dispose d'atouts supplémentaires. La lecture lui a fourni les renseignements nécessaires pour sortir des conversations banales et l'a préparé à mieux comprendre les questions capitales qui touchent son pays et le monde.

Un bon livre est un livre qui fait réfléchir et qui conduit normalement à un autre livre. Déjà Victor Hugo écrivait :

> Un livre est un engrenage. Prenez garde à ces lignes noires sur le papier blanc; ce sont des forces; elles se combinent, se composent, se décomposent, entrent l'une dans l'autre, pivotent l'une sur l'autre, se dévident, se nouent, s'accouplent, travaillent. Telle ligne mord, telle ligne serre et presse, telle ligne entraîne, telle ligne subjugue. Les idées sont un rouage. Vous vous sentez tiré par le livre. Il ne vous lâchera qu'après avoir donné une façon à votre esprit. Quelquefois, les lecteurs sortent du livre tout à fait transformés.

Comme le dit si bien Victor Hugo, le livre rompt la passivité et transforme le comportement de l'homme.

3.3. LA BIBLIOTHÈQUE

Même si chacun d'entre nous devrait posséder une petite bibliothèque personnelle groupant les ouvrages nécessaires à son travail (dictionnaires, encyclopédies, grammaires, traités techniques concernant la profession ou le métier), et un certain nombre de livres qu'on aime lire (philosophie, histoire, géographie, récits, romans, poésie), il n'en reste pas moins que la fréquentation d'une bibliothèque publique peut apporter les renseignements et les éléments de culture dont on a besoin.

La bibliothèque est le centre de culture de notre milieu, un réservoir de connaissances où tous peuvent trouver les mille et un renseignements permettant de satisfaire leur soif de culture et d'information. Grâce à un système fort simple de classement, il est facile de s'y procurer rapidement l'ouvrage que l'on cherche. Un catalogue sur fiches permet de trouver le livre désiré à partir du seul nom de l'auteur, du titre ou du sujet traité. La bibliothèque a en effet un fichier avec les noms des auteurs par ordre alphabétique, un fichier avec les titres dans le même ordre et un troisième fichier par sujet.

Chaque livre porte un numéro, appelé cote. La classification généralement adoptée est la classification américaine de Dewey ou classification décimale. Elle divise les connaissances humaines en neuf grandes classes. Chacune de ces classes se subdivise en neuf divisions, celles-ci en neuf subdivisions, etc. Ainsi, la cote 193 désignera un livre traitant des philosophes modernes allemands et la cote 034 groupera les encyclopédies générales françaises. Voici les grandes lignes de cette classification et un exemple détaillé des subdivisions (notez au passage les subdivisions qui correspondent à des sujets à caractère commercial ou économique; vous pourrez en avoir besoin pour vos travaux de recherche et tout au cours de votre carrière).

Classification générale :

    000 Généralités, ouvrages généraux
    100 Philosophie, morale
    200 Religion, théologie

300   Sciences sociales
400   Philologie
500   Sciences pures
600   Sciences appliquées
700   Beaux-arts
800   Littérature
900   Histoire, géographie, biographie

Subdivisions : (un exemple)

300 Sciences sociales

300   *Sciences sociales en général*
301   Philosophie et théorie de la sociologie
302   Résumés, manuels, sommaires
303   Dictionnaires
304   Essais
305   Périodiques de sociologie
306   Sociétés sociologiques
307   Étude et enseignement de la sociologie
308   Polygraphie, extraits d'œuvres sur la sociologie
309   Histoire de la sociologie

310   *Statistique*
311   Théorie, méthodes et procédés
312   Démographie, mouvement des populations
313   Sujets spéciaux
314   Statistiques : Europe
315   Statistiques : Asie
316   Statistiques : Afrique
317   Statistiques : Amérique du Nord
318   Statistiques : Amérique du Sud
319   Statistiques : Océanie

320   *Sciences politiques*
321   Formes de groupements sociaux
322   L'État et les Églises
323   Politique intérieure
324   Élections, suffrages
325   Immigration, colonisation
326   Esclavage, servage
327   Politique internationale, étrangère
328   Parlement, assemblées législatives
329   Partis politiques

330   *Économie politique*
331   Travail et travailleurs
332   Finance privée, les banques, la monnaie, le crédit, la Bourse

333 Les biens fonciers : propriété, revenus, droits
334 Coopération, mutualité
335 Socialisme, communisme
336 Finances publiques, le budget, les impôts, les emprunts, la dette publique
337 Douanes, protection et libre-échange
338 Production des richesses, organisation économique
339 Répartition et consommation des richesses; richesse et misère

340 *Droit en général, droit comparé*
341 Droit international, organisation, traités diplomatiques
342 Droit public, constitutionnel
343 Droit pénal
344 Droit pénal militaire et maritime
345 Droit privé, lois et procès : États-Unis
346 Droit privé, lois et procès : Angleterre
347 Droit civil, commercial, maritime
348 Droit canon, ecclésiastique
349 Droit privé : civil, commercial

350 *Administration publique*
351 Administration centrale, publique, en général
352 Administration locale : villes, communes
353 Administration centrale : États-Unis
354 Administration centrale : autres pays
355 Art et science militaires en général
356 Infanterie
357 Cavalerie
358 Artillerie, génie, aviation, services techniques
359 Marine militaire, science navale

360 *Assistance, oeuvres sociales, institutions diverses*
361 Assistance, charité
362 Oeuvres et établissements divers
363 Associations politiques
364 Établissements de réforme, de relèvement
365 Établissements pénitentiaires, disciplinaires
366 Sociétés secrètes
367 Associations mondaines, clubs, cercles
368 Assurances et sécurité sociale
369 Associations diverses

370 *Enseignement*
371 Professeurs, organisations scolaires, méthodes
372 Enseignement élémentaire, primaire
373 Enseignement moyen, secondaire
374 Éducation personnelle, postscolaire
375 Programmes d'enseignement

376   Éducation féminine
377   Éducation morale, religieuse et laïque
378   Enseignement supérieur, universitaire
379   Instruction publique officielle

380   *Commerce, communications*
381   Commerce intérieur, les commerçants
382   Commerce extérieur et avec colonies
383   Postes
384   Télégraphe, téléphone
385   Chemins de fer
386   Transports routiers
387   Transports maritimes, aériens
388   Transports urbains
389   Poids et mesures

390   *Ethnographie, coutumes, folklore*
391   Vêtement, costume
392   Vie privée et familiale
393   Coutumes funéraires
394   Vie publique et sociale
395   Cérémonial, étiquette, savoir-vivre
396   Féminisme : travail, conditions et droits de la femme
397   Populations nomades; tziganes
398   Folklore : contes et légendes, proverbes et dictons
399   Moeurs de guerre

Autre système de classification :

Un certain nombre de bibliothèques ont adopté la classification du Congrès des États-Unis, qui divise les connaissances humaines en vingt et une grandes classes. La première lettre désigne le sujet général; la deuxième précise la matière du livre.

A   Ouvrages généraux
B   Philosophie, religion
C   Histoire et sciences auxiliaires
D   Histoire et topographie
E   Histoire générale de l'Amérique
F   Histoire des États-Unis
G   Géographie, anthropologie
H   Sciences sociales
J   Sciences politiques
K   Droit
L   Éducation
M   Musique
N   Beaux-arts
P   Linguistique et littérature

Q   Sciences
R   Médecine
S   Agriculture
T   Sciences appliquées
U   Art militaire
V   Sciences navales
Z   Bibliographie et bibliothéconomie

Subdivisions :

H   *Sciences sociales*
H   Généralités
HA   Statistique
HB   Théorie économique
HC   Histoire et conditions économiques
HD   Histoire économique, agriculture, industrie
HE   Transports et communications
HF   Commerce
HG   Finance
HJ   Finance publique
HM   Sociologie
HN   Histoire sociale
HQ   Famille
HS   Sociétés
HT   Communautés
HV   Pathologie sociale
HX   Socialisme

EXERCICES DE RÉVISION ET DE COMPRÉHENSION

Pourquoi lire

1. Calculez le temps que vous consacrez à la lecture dans une journée.

2. À l'aide de quelques exemples précis, montrez l'importance de la lecture.

3. La lecture et la culture : pouvez-vous, dans la liste suivante, attribuer chaque oeuvre au bon auteur?

Le Cid	Victor Hugo
Le Passe-muraille	Simone de Beauvoir
Notre-Dame de Paris	Pierre Corneille
Mémoires d'une jeune fille rangée	Marcel Aymé
Le Grand Meaulnes	Albert Camus
La Peste	Antoine de Saint-Exupéry
Une Saison dans la vie d'Emmanuel	Alain-Fournier
Le Petit Prince	Gustave Flaubert
Lettres de mon moulin	Marie-Claire Blais
Madame Bovary	Alphonse Daudet

Comment lire

1. Est-ce que les séries de chiffres suivantes sont identiques?

1234567	1234657
768967	786967
654392	654392
323233	323323

2. À quelle vitesse lisez-vous ? Lisez le paragraphe intitulé «Importance de la lecture» en notant le temps qu'il vous faut. Jugez de votre capacité en utilisant le barème suivant :

temps / secondes	vitesse / mots par minute
10	540
15	360
30	180
40	120

Les livres et la bibliothèque

1. Dans une bibliothèque, comment pouvez-vous trouver le livre que vous cherchez si vous ne connaissez que le titre ? Que l'auteur ?

2. Pourquoi dit-on qu'un bon livre est celui qui fait réfléchir ?

3. Commentez le dicton suivant : «Dis-moi ce que tu lis et je te dirai qui tu es.»

BIBLIOGRAPHIE

CACÉRÈS, Geneviève, *Regards neufs sur la lecture,* Paris, Seuil, 1961.

MORGAN, Cliffort T. et James DEESE, *Comment étudier,* Montréal, McGraw-Hill, 1968.

VINET, Bernard, *La bibliothèque, instrument de travail,* Montréal, Centre de psychologie et de pédagogie, 2ᵉ éd., 1966.

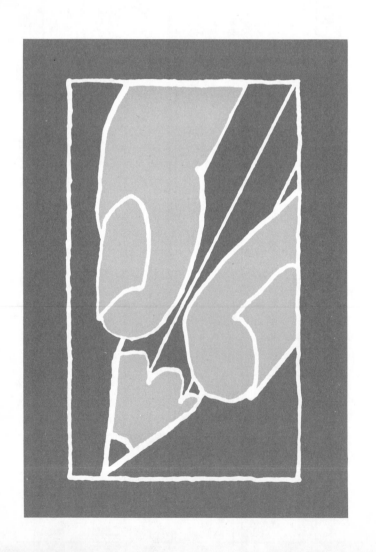

Chapitre

VI

Savoir écrire

La clarté des textes est un signe de l'honnêteté des esprits.

André MAUROIS

SECTION 1

L'art d'écrire

1.1 FAISONS LE POINT

Pour mesurer le chemin déjà parcouru dans l'étude de la langue commerciale, comparons notre progression à l'apprentissage de la conduite automobile. Dans les premiers chapitres, vous avez revu rapidement la liste des pièces détachées, leur assemblage et fonctionnement; en d'autres termes, le vocabulaire, la grammaire et la syntaxe. L'automobiliste, qui n'est pas seul à circuler sur la chaussée, doit connaître le code de la route pour éviter les accidents de la circulation : vous avez appris le code orthographique afin d'éviter des accidents de communication. Mais pour passer son permis de conduire, il ne suffit pas de connaître le fonctionnement d'une automobile et les règlements du code de la route; il faut aussi savoir conduire. C'est l'étape à laquelle nous sommes parvenus au début de ce chapitre. Il reste à vous donner quelques conseils sur l'art de bien conduire (règles de bon style) et à vous mettre en garde contre les principaux dangers de la circulation (fautes de style). Vous serez ensuite prêt à prendre le volant!

1.2 LA LANGUE, INSTRUMENT DE PENSÉE ET D'ACTION

La langue est un système de sons et de signes grâce auxquels nous pouvons exprimer nos pensées, c'est-à-dire nos idées et nos sentiments; elle nous permet de communiquer avec les autres et de manifester notre personnalité. Mais la langue est aussi un puissant moyen d'action : c'est par la «magie du verbe» qu'orateurs et meneurs d'hommes électrisent les foules, entraînent les peuples; c'est par le truchement de la langue que les chefs d'entreprise donnent des directives, que les rédacteurs publicitaires assurent le succès d'un nouveau produit, que les secrétaires convoquent les assemblées d'actionnaires. Dans chaque cas, la réaction attendue dépend de la qualité du message. La maîtrise de la langue est donc une condition essentielle de toute action efficace.

Les cours de français que vous avez suivis jusqu'ici ont porté principalement sur la langue considérée comme un instrument de pensée. Les rédactions, les exercices de composition, les dissertations visaient surtout à perfectionner vos moyens d'expression en vous donnant l'occasion d'exercer votre imagination ou votre esprit critique. Cet apprentissage était nécessaire, tout comme il est nécessaire de faire des gammes avant de jouer du piano; mais vous devez maintenant, pour vous préparer à votre carrière, transformer votre instrument de pensée en un outil de travail et de communication.

1.3 COMMUNICATION ET STYLE

Toute communication implique la transmission d'un message entre un émetteur et un récepteur au moyen d'un code, écrit ou parlé. Pour que le message soit compris, il faut donc que l'émetteur utilise le même code que le récepteur. C'est pourquoi le choix des mots, leur agencement et le respect du code orthographique sont essentiels à tout acte de communication écrite. Mais un même message peut être communiqué de différentes manières. C'est ici qu'entre en jeu la notion de style.

Il n'est pas facile de définir le style, car ce mot peut désigner plusieurs concepts différents. C'est ainsi qu'on parle du style Empire, d'un style de vie, du style de Réjean Ducharme ou de Maurice Richard. Dans le domaine de la langue, on entend habituellement par style l'utilisation des moyens d'expression en fonction 1° du sujet à traiter, 2° du destinataire du message, 3° de la personnalité ou des intentions de celui qui écrit ou parle. Dans ce sens, le style est donc à la fois la spécialisation et la personnalisation du langage. Précisons ces termes par un exemple où la même réalité est traduite en trois styles différents :

> J'ai une mauvaise nouvelle à vous apprendre! Les autorités ont décidé qu'à partir de maintenant il faut payer une taxe pour avoir le droit de tenir un commerce. Il paraît qu'on a une semaine pour s'opposer à cette nouvelle tracasserie.

> Nous informons nos lecteurs que les autorités administratives ont adopté un règlement en vertu duquel les commerçants de notre ville doivent maintenant payer un droit pour exercer leur activité. Les personnes visées par ce règlement peuvent toutefois s'y opposer dans les huit jours.

> Vous êtes avisés par les présentes qu'en conformité d'un arrêté pris en application de la loi des entreprises commerciales, tous les commerçants domiciliés dans la municipalité sont dorénavant tenus d'acquitter une patente. Les intéressés bénéficient d'un délai de huit jours pour faire opposition audit arrêté.

Ces trois textes transmettent le même message, mais d'une façon différente. En les lisant, on relève des particularités de style (choix des mots, construction des phrases, ponctuation, etc.) qui nous renseignent sur le caractère de la communication : lettre familière, article de journal, avis officiel. Nous verrons dans le chapitre suivant que l'activité commerciale a aussi son style propre.

D'une façon plus générale, le style désigne la façon d'écrire par rapport au critère de la correction. C'est dans ce sens que l'on parle de «fautes de style».

SECTION 2

Quelques règles de bon style

Le style ne peut s'enseigner ni s'apprendre en quelques pages; il demande un long apprentissage fait davantage de pratique que de théorie. Il existe toutefois quelques règles élémentaires de bon style que nous allons rappeler.

2.1   CLARTÉ

Après la correction, qui est primordiale, la principale qualité du style doit être la clarté. Les ambiguïtés et les imprécisions, en plus de faire perdre du temps au destinataire, peuvent causer de graves malentendus et des erreurs lourdes de conséquences. Avant de commencer à rédiger, il est donc essentiel de savoir ce que l'on veut dire : s'il s'agit d'un écrit élaboré, comme dans le cas d'un rapport, la nécessité d'un plan s'impose. Le travail de rédaction se trouvera grandement facilité si les idées que l'on veut exprimer sont clairement conçues et bien ordonnées.

2.2   NIVEAU DE LANGUE

Lorsqu'on sait ce que l'on veut dire, il est bon de se demander *à qui* on veut le dire. La qualité du destinataire joue un rôle essentiel dans le choix du niveau de langue, et donc du style employé. On ne s'adresse pas dans les mêmes termes à un compagnon de travail et à un auditoire; on ne rédige pas de la même façon une lettre destinée à un fournisseur, à un ecclésiastique, à un homme politique. La langue administrative et le langage de la diplomatie, en particulier, suivent un protocole très strict qui règle les rapports entre correspondants et interlocuteurs.

La confusion des niveaux de langue est une cause fréquente de fautes de style. En voici quelques exemples relevés au hasard dans les journaux :

«Il avait l'air de se marrer drôlement.» [de bien s'amuser]

«Le ministre n'a pas voulu révéler l'identité de ce nouveau macchabée.» [cadavre]

«Religieuse condamnée à 45 jours de tôle.» [de prison]

«Les policiers provinciaux se sont amenés sur le chantier . . .»
[sont arrivés]

«On signifie par là que le type est un as dans son métier»
[la personne]

Dans tous ces exemples, les journalistes ont employé des termes familiers ou populaires dans des articles rédigés au niveau de la langue écrite tenue. C'est la faute de niveau la plus fréquente (autres exemples relevés dans les journaux : bagnole, bouffer, bouquin, charcuter, fric, marrant, rigoler), mais il est également fautif d'employer hors de propos des termes appartenant à la langue littéraire ou administrative (derechef, ledit, nonobstant). Les dictionnaires signalent généralement les mots qui appartiennent à la langue familière (fam.) ou populaire (pop.) : il est toujours bon de les consulter lorsqu'on hésite sur le niveau d'un terme.

2.3   CHOIX DES MOTS

2.3.1   Les synonymes

La langue met à notre disposition un registre de mots qui nous permettent de préciser et de nuancer notre pensée. Encore faut-il user de ce registre à bon escient. Nous venons de voir que le premier écueil à éviter était la confusion des niveaux; le second est la confusion des sens.

Une erreur commune consiste à croire que les synonymes sont des mots interchangeables que l'on peut employer au petit bonheur. S'il en était ainsi, la langue serait un instrument bien médiocre : à quoi bon, en effet, disposer de cinq mots pour désigner le même concept? En réalité, les synonymes interchangeables sont rares; dans la majorité des cas, chaque terme d'une série synonymique se distingue des autres par une nuance de sens ou une différence de niveau. On peut donc dire que le choix des mots est une opération à deux dimensions et schématiser cette notion de la façon suivante :

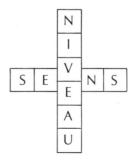

Imaginons que les deux axes SENS et NIVEAU sont des réglettes que l'on peut déplacer. Au moment de choisir un mot, nous devons nous poser deux questions :

1.   «À quel niveau veux-je m'exprimer?». Déplaçons verticalement la réglette NIVEAU jusqu'à ce que le niveau choisi soit en face de la réglette SENS.

2.   «Quel est le mot qui signifie exactement ce que je veux dire?». Nous aurons la réponse en déplaçant horizontalement la réglette SENS, c'est-à-dire en choisissant dans la série synonymique le mot qui convient.

Prenons un exemple. L'entreprise qui vous emploie a décidé d'envoyer à sa clientèle une publication de prestige pour mieux se faire connaître. Il s'agit d'un petit livre broché d'une trentaine de pages, avec texte et illustrations, imprimé sur papier glacé. Comment allez-vous appeler cette publication dans la lettre qui accompagnera l'envoi?

Dans un dictionnaire de synonymes, vous trouvez au mot «livre» les synonymes suivants : volume, tome, ouvrage, publication, bouquin, plaquette, fascicule. On vous renvoie au mot «brochure» où vous lisez : pamphlet, opuscule.

1.   Vous placez la réglette au niveau de la langue écrite tenue, qui est celui d'une lettre commerciale; automatiquement, vous éliminez *bouquin* puisque le dictionnaire précise «synonyme de livre en langage familier et argot des écoles».

2.   Il vous reste maintenant à choisir le mot qui décrit exactement la publication (réglette SENS). Éliminons *livre, ouvrage, tome, volume,* qui désignent une oeuvre plus importante que notre publication, et cherchons le sens exact des autres synonymes.

Brochure :   «petit ouvrage de peu de pages qui n'est pas relié»

Fascicule :   «cahier ou groupe de cahiers d'un ouvrage qui paraît par fragments successifs»

Opuscule :   «petit ouvrage de science ou de littérature»

Pamphlet :   «écrit satirique»

Plaquette :   «petit volume de peu d'épaisseur, broché ou relié»

Publication : «tout ce qui est donné imprimé au public»

Le terme *publication* est trop général; *fascicule, opuscule* et *pamphlet* sont inexacts dans notre cas: il reste donc *brochure* et *plaquette.* Lequel choisir? Avant de répondre, il est nécessaire de préciser que la «fiche signalétique» d'un mot ne comprend pas que le sens et le niveau; il faut y ajouter la situation dans le temps (archaïsmes et néologismes) et dans l'espace (régionalismes) ainsi que les connotations mélioratives et péjoratives (évocation favorable ou défavorable). Il semble que *plaquette* soit plus «relevé» que *brochure;* c'est donc *plaquette* que nous choisirons pour notre exemple.

2.3.2   Les nuances de sens

Nous avons dit que les mots interchangeables étaient rares, que les synonymes se distinguaient souvent par une légère nuance de sens ou différence de
niveau. Voici quelques exemples de termes qui n'ont pas exactement le
même sens, bien qu'on les emploie habituellement l'un pour l'autre.

aborder/accoster	En parlant de personnes, *accoster* est plus familier qu'*aborder*.
achalandé/approvisionné	*Achalandé* signifie «fréquenté par de nombreux clients» (d'où achalandage : la clientèle) et, par extension, «fourni en marchandise»; il est préférable d'employer dans ce dernier sens l'adjectif *approvisionné*.
à/de nouveau	*À nouveau* signifie «en recommençant de façon différente»; *de nouveau*, «en recommençant de la même façon».
	Ex. : Ce rapport est mal rédigé; il faudra le refaire à nouveau.
	Le directeur est absent; passez de nouveau cet après-midi.
au-dessous/en dessous **au-dessus/en dessus**	*Au-dessous*, normalement suivi d'un complément, signifie plus bas par rapport à un point donné. *En dessous* n'établit pas de rapport précis. (Même remarque pour *au-dessus / en dessus*.)
	Ex. : Son bureau est au-dessous du mien.
	La notice est en dessous.
aussi/également	*Aussi* a le sens de pareillement, autant, de plus. *Également* signifie d'une manière égale, au même degré.
	Ex. : Il est aussi honnête que poli; vous aussi.
	Les bénéfices sont répartis également.
bâtiment/bâtisse/ **édifice/immeuble**	*Bâtiment* et *immeuble* désignent une construction assez importante destinée au logement ou à l'industrie. Une *bâtisse* est une construction grossière, sans art. Un *édifice* est un bâtiment imposant, généralement public ou administratif.
	Ex. : Les bâtiments de l'usine.
	Louer un appartement dans un immeuble de rapport.

| | Quelques vieilles bâtisses déparent le centre de la ville. |
| | Les édifices du Parlement. |

cher/dispendieux

Cher signifie «d'un prix élevé»; *dispendieux,* qui occasionne beaucoup de dépenses.

Ex. : Sa maison ne lui a pas coûté cher, mais elle est dispendieuse.

collègue/confrère

Les *collègues* font partie d'un même établissement; les *confrères* exercent la même profession.

directives/instructions

Les *directives* sont des indications générales, moins précises que les *instructions*.

individu/type/personne

Individu est péjoratif (sauf en langage scientifique); *type* est familier. Dire une *personne, quelqu'un.*

modéré/modeste/modique

En parlant de prix, la gradation décroissante est : *modéré* (raisonnablement cher), *modeste* (pas trop élevé), *modique* (bas).

pour/afin de

Pour indique une fin poursuivie de façon moins directe que *afin de.*

Ex. : Il parle pour ne rien dire.
Il crie afin de se faire entendre.

presque/pratiquement

Pratiquement signifie «de façon pratique» et, dans la langue familière, «à peu près, quasiment».

Ex. : C'est pratiquement impossible.
Il est presque arrivé.

second/deuxième

Il est préférable de réserver *second* aux énumérations se limitant à deux (le Second Empire) et d'employer *deuxième* dans les autres cas (le deuxième étage d'un immeuble qui en compte quinze).

susceptible/ capable

Possibilité passive; éventualité.
Possibilité active; aptitude.

Ex. : Il est susceptible de tomber malade.
Il est capable de réussir.

2.4   ORDRE DES MOTS

En français, l'ordre normal des éléments de la phrase est le groupe sujet-verbe-compléments (**ex.:** Le chat a mangé la souris dans la grange), mais cet ordre de succession n'est pas une servitude absolue. Sans aller jusqu'à imiter le Bourgeois gentilhomme («Belle marquise, vos beaux yeux d'amour me font mourir»), on peut modifier l'ordre des éléments de la phrase. Voici quelques exemples de variations courantes et d'excès à éviter.

2.4.1   Mise en relief

On place très souvent en tête de phrase un mot ou un groupe de mots qu'on désire mettre en relief.

Ex. : La qualité, voilà notre devise!
   Lui, il refuse de signer.
   Tout ce qu'il a demandé, nous le lui avons accordé.

L'emploi des périphrases *c'est . . . que, il y a . . . que* est aussi un procédé de mise en relief.

Ex. : C'est à vous que je parle.
   Il y a dix ans que nous attendons ce changement.

2.4.2   Inversion

On place le verbe avant le sujet dans les phrases interrogatives (langue tenue), après certains adverbes (peut-être, sans doute, aussi), pour exprimer un souhait ou énoncer une règle.

Ex. : Avez-vous reçu ma lettre?
   Aussi estimons-nous que . . .
   Fasse le ciel . . . Vienne le jour où . . .
   Prennent la marque du pluriel les mots . . .

2.4.3   Compléments circonstanciels

Il est très fréquent en français de placer les compléments, les propositions et les adverbes circonstanciels en tête de phrase. Ce procédé relève de la «démarche» de la langue et ne constitue pas une mise en relief.

Ex. : En trois semaines, tout était terminé.
   Malheureusement, on ne peut plus rien y faire.
   Lorsque vous viendrez, je vous ferai visiter l'usine.

2.4.4   Place de l'adjectif

Dans certains cas, la place de l'adjectif est une servitude imposée par la langue ou par le sens.

Ex. : des murs noircis; une belle maison; un brave homme; un homme brave.

L'inversion de l'adjectif, lorsqu'elle est possible, est un procédé stylistique fréquemment utilisé dans la langue poétique et littéraire. Il n'a pas sa place dans la langue courante, et on évitera d'écrire, comme certains journalistes : «les intentions de l'actuel gouvernement», «une opportune concession», etc.

Lorsqu'un substantif est accompagné de plusieurs adjectifs épithètes, on peut :

a)   les placer à la suite du substantif, en les séparant par des virgules ou en les reliant par la conjonction *et* (il est préférable de placer en tête les adjectifs les plus courts).

Ex. : une entreprise prospère et dynamique
        un rapport long, confus, peu concluant

b)   les placer de chaque côté du substantif, notamment lorsqu'ils désignent des qualités morales et physiques.

Ex. : un grand garçon intelligent

2.5   CONSTRUCTION DES PHRASES

2.5.1   Déroulement logique

Après avoir choisi les mots et déterminé leur ordre, il reste à organiser les différents éléments en propositions et phrases. Le but à atteindre étant toujours la clarté de l'expression, cette organisation doit se faire avec logique et concision.

Une phrase doit normalement exprimer une idée. Il faut donc éviter deux défauts extrêmes : la phrase confuse, où les idées se mêlent sans ordre logique, et la phrase incomplète dans laquelle manque un élément essentiel (sujet, verbe ou complément).

Ex. : La campagne publicitaire entreprise avec la collaboration de nos concessionnaires et qui doit durer une semaine vise à faire connaître notre nouveau produit, vendu à un prix défiant toute concurrence grâce à une production en série et à un réseau de vente bien organisé; c'est une expérience que nous tentons avec une nouvelle agence de publicité.

Il y a dans cette phrase deux idées qu'il aurait fallu traiter séparément :
1.   Campagne publicitaire.
2.   Prix du nouveau produit.

Ex. : Les appareils sont livrés en état de marche et l'emballage consigné.

Il faut répéter le verbe *être* (car *sont* ne peut être sous-entendu après *emballage*), ou bien modifier la phrase :

a)   Les appareils sont livrés en état de marche et l'emballage est consigné.

b)   Les appareils sont livrés en état de marche, dans un emballage consigné.

La dernière étape de la rédaction consiste à grouper les phrases en paragraphes. La division en paragraphes, comme l'agencement des propositions, doit suivre un ordre logique correspondant au déroulement de la pensée. À défaut d'un plan, il est toujours bon de noter les idées maîtresses que l'on désire développer : il est facile ensuite de dégager l'ordre dans lequel elles doivent être exposées. En règle générale, tout écrit (lettre commerciale, proposition de vente, rapport) comprend trois parties :

1. une entrée en matière;
2. un développement, qui peut se diviser en plusieurs points;
3. une conclusion.

Dans l'exemple qui suit, les idées sont exposées sans ordre logique. Avant de pouvoir répondre à cette lettre, le destinataire devra en extraire les principales idées et les ordonner, c'est-à-dire faire le travail négligé par son correspondant.

> Les articles que vous nous avez envoyés sont arrivés avec plusieurs jours de retard. (Le colis a d'abord été livré à notre succursale de banlieue, parce que l'adresse était incomplète.) Néanmoins, ils se sont vendus rapidement et nous désirons renouveler la commande aux mêmes conditions. Nous espérons qu'entre-temps vous avez bien reçu notre chèque. Nous avons déduit 2% d'escompte comme d'habitude et corrigé une erreur de calcul (le prix convenu était de $9,25 et non de $9,75). Il manquait aussi dans le colis les échantillons que vous nous aviez promis. Nous vous rappelons que notre adresse est la suivante : 123, rue Bourassa, Montréal H3T 1L7. Nous comptons sur vous pour nous envoyer notre commande le plus rapidement possible.

Plan qu'il aurait fallu suivre

1. Commande précédente
   — arrivée avec retard; raison
   — adresse exacte
   — échantillons manquants
2. Règlement
   — chèque envoyé
   — escompte déduit
   — erreur corrigée
3. Nouvelle commande
   — même quantité, mêmes conditions
   — livraison rapide

En regroupant les idées dans un ordre logique, on s'aperçoit que la lettre traite de trois questions différentes qui concernent trois services différents : expédition, comptabilité et commandes. S'il avait séparé ces questions en trois paragraphes, le client aurait facilité la tâche de son fournisseur et évité en même temps qu'un des éléments de la lettre échappe à la lecture.

2.5.2 Liaisons

Nous avons déjà vu (chap. III, § 7.2) que la ponctuation servait notamment à indiquer les rapports logiques entre les différents éléments de l'énoncé; son rôle est donc important dans la structuration des phrases. Également importante est la fonction de liaison grammaticale que remplissent les conjonctions et les pronoms relatifs. En voici un exemple :

a)   Vous m'avez présenté un rapport. Il est intéressant.
     Je le trouve un peu long.

b)   Le rapport que vous m'avez présenté est intéressant, mais je le trouve un peu long.

Il existe aussi des formules, des mots-liens, appelés *charnières,* qui précisent le déroulement logique de la pensée. On peut les classer en quatre catégories :

1.   Les charnières d'introduction, qui marquent le début d'un énoncé et annoncent ce qui va suivre.

     Ex. : Mesdames et Messieurs; . . . les trois questions suivantes :

2.   Les charnières de liaison, qui relient les éléments et précisent leurs rapports.

     Ex. : or; donc; par contre; d'une part, d'autre part; d'abord, ensuite.

3.   Les charnières de rappel, qui renvoient à ce qui a déjà été dit.

     Ex.: nous avons vu que...; celui-ci; dans l'exemple précédent.

4.   Les charnières de terminaison, qui marquent la fin d'une série, d'un énoncé.

     Ex. : enfin; pour conclure; au terme de cette étude . . .

Nota — La charnière ne se place pas nécessairement en tête de phrase; il est même préférable dans certains cas (alors, donc, en effet) de la renvoyer en deuxième ou troisième position.

Ex. : nous pouvons donc dire . . . ; il fut alors décidé . . .

Exemples de charnières:

> *En réponse* à votre lettre du 15 janvier, nous acceptons volontiers de vous donner les raisons pour lesquelles nos commandes ont été plus rares ces derniers temps.
>
> *Il est vrai que* nous traitons avec votre maison depuis de nombreuses années et que nous avons toujours été satisfaits de vos services. *Néanmoins,* vous comprendrez aisément que nous devons surveiller nos prix afin de faire face à la concurrence. *Or,* nous avons constaté à plusieurs reprises que nous pouvions obtenir chez d'autres fournisseurs des prix nettement plus avantageux que les vôtres. *C'est pourquoi* nous avons décidé de limiter les commandes que nous vous adressons. Si *toutefois* vos prix redevenaient compétitifs, vous pouvez être assurés que nous vous accorderons de nouveau la préférence.

2.5.3   Longueur des phrases

Il n'existe pas de règle absolue régissant la longueur des phrases. Tout au plus peut-on dire que l'ampleur d'une phrase dépend généralement de la complexité de l'idée à exprimer et du niveau de langue auquel on l'exprime. On pourrait ainsi opposer la longue période caractéristique de l'art oratoire à la phrase courte du roman d'action. Étant donné que le danger de perdre le fil des idées est d'autant plus grand que la phrase est longue, il est préférable d'employer des phrases courtes en langue commerciale.

SECTION 3

Fautes de style

Un inventaire des fautes de style pourrait être long, car les embûches sont nombreuses. Aussi nous nous limiterons à rappeler quelques règles mal connues et à signaler les erreurs les plus fréquentes.

3.1   BARBARISMES ET SOLÉCISMES

On appelle *barbarisme* une faute qui consiste à confondre le sens des mots ou à employer des mots inexistants ou déformés. Un *solécisme* est une faute contre les règles de la syntaxe. Dans les exemples qui suivent, la forme fautive est indiquée par le ×; la forme correcte, par le signe →. Notons enfin que la notion d'impropriété est très relative : l'usage a réussi à imposer des expressions ou des constructions que les grammairiens condamnaient.

à/ou

Pour indiquer un nombre approximatif :
Ce livre coûte de trois à quatre dollars.
(Il peut coûter $3,50.)
× Il y a trois à quatre personnes. (Comme il ne peut y avoir 3 personnes et demie, il faut dire *ou*.)
→ Il y a 10 à 15 personnes. (Il peut y en avoir 12.)

alternative

Choix entre deux possibilités
× Hésiter entre deux alternatives.
→ Hésiter entre deux possibilités, solutions, partis.
→ Être placé devant une alternative.

amener, emmener

S'emploie avec des êtres vivants.
Amenez-moi votre chien; emmenez votre enfant chez vous.

apporter, emporter

S'emploie pour des choses.
Apportez vos livres en arrivant; emportez-les en partant.

après que, avant que	Régit l'indicatif. Régit le subjonctif. Après que je suis parti; avant que je sois parti.
avérer (s')	Se révéler vrai × Cette nouvelle s'est avérée fausse. → Cette nouvelle s'est révélée fausse.
chaque **chacun**	Adjectif Pronom × Ces stylos coûtent $2 chaque. → Ces stylos coûtent $2 chacun. → Chaque stylo coûte $2.
ci-attaché **ci-bas** **ci-haut**	Ces locutions n'existent pas. On doit dire : ci-joint, ci-annexé; ci-dessous, ci-après, plus bas; ci-dessus, plus haut.
convenir	Avec être: tomber d'accord. Avec avoir : être acceptable. → Nous sommes convenus de nous revoir. → Ma proposition ne lui a pas convenu.
courser	Ce mot n'existe pas. Dire *faire la course*. × Ils se sont coursés sur l'autoroute. → Ils se sont fait la course sur l'autoroute.
débuter	Verbe intransitif × Nous débuterons la séance par . . . → Nous commencerons la séance par . . . → La séance débutera par . . .
décennie	Période de dix ans; une décade est une période de dix jours.
de d'autres	Incorrect × Nous avons demandé l'avis du comptable et de d'autres personnes. → Nous avons demandé l'avis du comptable et d'autres personnes.
défrayer	Payer les frais de quelqu'un. On ne doit donc pas dire «défrayer les frais».
vis-à-vis de	La suppression de la préposition *de,* sans être fautive, est un archaïsme. → Il était placé vis-à-vis du directeur.
épouse **dame**	× Présentez mes hommages à votre épouse, à votre dame. → Présentez mes hommages à votre femme, à Madame Dubois.

espèce	Mot féminin
	✗ C'est un espèce d'exalté.
	→ C'est une espèce d'exalté.
excessivement	Trop
	✗ Il est excessivement aimable.
	→ Il est extrêmement aimable.
	→ Dormir excessivement.
fusionner	✗ Les deux entreprises se sont fusionnées.
	→ Les deux entreprises ont fusionné.
grâce à	Dans le cas d'une intervention favorable
à cause de	Dans le cas d'une intervention défavorable.
	→ C'est grâce à lui que nous avons réussi.
	→ C'est à cause de lui que nous avons échoué.
ignorer	Ne pas savoir
	✗ Vous n'êtes pas sans ignorer.
	→ Vous n'êtes pas sans savoir; vous n'ignorez pas.
infractus	C'est infarctus qu'il faut dire.
jadis	Il y a longtemps
naguère	Il y a peu de temps (il n'y a guère).
jouir	Bénéficier de
	✗ Il jouit d'une mauvaise réputation.
	→ Il a une mauvaise réputation.
	→ Il jouit d'une bonne santé.
objecter (s')	Dire s'opposer à, s'élever contre.
originer	Verbe inexistant : provenir.
pallier	Verbe transitif direct
	✗ Pallier à un inconvénient.
	→ Pallier un inconvénient; remédier à un inconvénient.
pesanteur	Attraction exercée par la Terre
	✗ Quelle est la pesanteur de ce colis?
	→ Quel est le poids de ce colis?
pire	Plus mauvais
pis	Plus mal
	→ Ce médicament est mauvais; celui-là est pire.
	→ Il va de mal en pis.
	Nota — Ne pas dire «C'est pas pire, c'est moins pire», mais «ce n'est pas mal, c'est moins mal».

au point de vue	Avec un adjectif
au point de vue de	Avec un substantif
	→ Au point de vue grammatical
	→ Au point de vue de la grammaire
quoique	Régit le subjonctif
	→ Quoiqu'il soit absent.
rebattre	→ Il nous rebat (et non rabat) les oreilles avec son histoire.
responsable	En parlant d'une personne, signifie : chargé de, qui doit rendre compte de ses actes ou réparer les dommages causés.
	✕ Il est responsable du succès de la soirée.
	→ C'est à lui qu'on doit le succès de la soirée.
rester	N'est pas synonyme d'*habiter*.
	✕ Il reste à Vaudreuil.
	→ Il habite/demeure à Vaudreuil.
risquer	S'exposer à un événement défavorable
	→ Il risque d'échouer.
	→ Il a des chances de réussir.
si . . . et que	Est suivi du subjonctif :
	→ Si vous venez et que la porte soit fermée
soi-disant	Se dit d'une personne
prétendu	Se dit d'une chose
	→ Un soi-disant expert
	→ Une prétendue maladie

3.2   CONSTRUCTIONS FAUTIVES

3.2.1   Phrases à tiroirs

Une phrase longue n'est pas nécessairement obscure et lourde; elle est trop longue si le lecteur n'arrive pas à suivre le fil de la pensée. La compréhension peut être gênée en particulier par des séries de compléments «en cascade» et par l'abus d'incidentes. En voici deux exemples :

✕   Le président a communiqué aux actionnaires *de* la Compagnie les résultats *de* l'étude de la situation *d'*ensemble *de* l'entreprise.

→   Le président a communiqué aux actionnaires les résultats de l'étude portant sur la situation générale de l'entreprise.

✕   En ce qui concerne cette question, nous sommes d'avis, comme les membres du comité, qu'il serait nécessaire de remplacer, si toutefois cela est possible, les machines qui sont déjà amorties, à condition, bien entendu, que le remplacement, s'il doit se faire, n'ait pas pour effet de ralentir la production.

→ À cet égard, nous estimons avec les membres du comité qu'il serait nécessaire de remplacer, dans la mesure du possible, les machines déjà amorties, à condition que le remplacement éventuel ne ralentisse pas la production.

3.2.2 Pronoms équivoques

Par définition, le pronom tient la place d'un nom. Il est donc nécessaire que ce nom soit déterminé et que le rapport nom-pronom soit clair dans la phrase. Voici les principales fautes à éviter :

1. *Substantif indéterminé* — Le substantif que remplace un pronom personnel doit être clairement exprimé et ne pas faire partie d'une locution.
   Ex. :
   ✕ C'est la décision du Conseil. Je leur ai dit que j'acceptais.
   → C'est la décision du Conseil. J'ai dit aux administrateurs que j'acceptais.
   ✕ Vous nous faites plaisir et nos amis le partagent.
   → Vous nous faites un plaisir que nos amis partagent.

2. *Substantif mal déterminé* — Il ne doit pas y avoir de confusion possible dans le rapport entre le nom et le pronom, sinon on s'expose à des équivoques, parfois cocasses. Le même pronom ne peut désigner des personnes ou des choses différentes.
   Ex. :
   ✕ La commande est prête; quand la dactylo aura tapé l'adresse, expédiez-la.
   → La commande est prête. Expédiez-la dès que la dactylo aura tapé l'adresse.
   ✕ Il y a un contremaître dans l'usine qui travaille la nuit.
   → Il y a dans l'usine un contremaître qui travaille la nuit.
   ✕ On dit qu'on ne produit pas assez.
   → On dit que nous ne produisons pas assez.

3. *Relatifs en cascade* — On doit éviter d'alourdir les phrases en employant une succession de pronoms relatifs.
   Ex.:
   ✕ En ce *qui* concerne le rapport *qui* a été présenté à la réunion du Conseil, et *dont* le texte est annexé au projet *qui* vous a été remis, nous tenons à vous signaler *qu'il* contient certaines inexactitudes *qu'il* importe de corriger.

3.2.3 Infinitif et participe

Le sujet sous-entendu d'une proposition participiale ou infinitive doit être le même que le sujet de la proposition principale.

Ex. :

×   Espérant recevoir une réponse favorable, veuillez agréer . . .
→   Espérant recevoir une réponse favorable, je vous prie d'agréer . . .
×   Avant de vous répondre, veuillez me dire . . .
→   Avant que je puisse vous répondre, veuillez me dire . . .

S'il y a deux sujets différents, ils doivent être exprimés.

×   Il est engagé tout en sachant qu'il ne restera pas.
→   Il est engagé bien qu'on sache qu'il ne restera pas.
×   Il a été engagé sans connaître son passé.
→   Il a été engagé sans qu'on connaisse son passé.

3.2.4 Coordination incorrecte

On ne peut donner le même complément à deux verbes de constructions différentes. Il suffit, le plus souvent, de construire le deuxième verbe avec un pronom.

Ex. :

×   Nous nous efforçons de bien servir et de donner satisfaction à nos clients.
→   Nous nous efforçons de bien servir nos clients et de leur donner satisfaction.

La même règle s'applique aux noms, adverbes, prépositions :

×   La renonciation ou la déchéance de ce droit.
→   La renonciation à ce droit ou sa déchéance.
×   Pendant et du fait de son travail.
→   Au cours et du fait de son travail.

3.2.5 Ellipses à éviter

L'ellipse du verbe après *quand* et *lorsque* est contraire au bon usage. Il est préférable de l'éviter après *comme, si* et *tel que.*

Ex.:

× Lorsqu'en service	→ Lorsqu'il est en service
× Quand arrêté	→ Quand il est arrêté
× Comme indiqué	→ Comme on l'indique
× Si nécessaire	→ Si c'est nécessaire, s'il le faut
× Tel que convenu	→ Tel qu'il a été convenu

On peut très souvent supprimer ces constructions qui alourdissent le style.

Ex. :

× Comme on l'avait prévu	→ Selon les prévisions
× Les règlements tels que modifiés	→ Les règlements modifiés

C'est une incorrection de faire l'ellipse après un pronom démonstratif suivi d'un adjectif ou d'un participe.

Ex. :

× Nous avons choisi ceux nécessaires à notre publicité.

→ Nous avons choisi ceux qui sont nécessaires à notre publicité.

× Il préfère celui présenté la semaine dernière.

→ Il préfère celui qui a été présenté la semaine dernière.

3.2.6 Autres pièges

1. *Prépositions*

L'emploi des prépositions présente de nombreuses difficultés. Nous ne signalerons que les principales.

(Cf. ANGLICISMES, § 4.2.2a) et 4.4 (*par, pour, sur*).

a) «Est-ce *à* ou *de*?» Un ouvrage a été consacré à cette question (voir Bibliographie). Rappelons que certains verbes se construisent avec ces deux prépositions, sans que l'usage tienne compte des nuances de sens. Ce sont *commencer, continuer, contraindre, s'efforcer, forcer, obliger*.

b) On répète les prépositions *à, de* et *en* devant chaque complément, sauf dans le cas d'une longue énumération.

Ex.: Il est prêt à venir et à nous aider.

c) Les constructions *être à, être après* devant un infinitif sont archaïques.

Ex. :

× Il est à/après rédiger un rapport.

→ Il est en train de rédiger; il rédige actuellement.

d) La préposition *à* est parfois inutile devant *chaque* et *tout* indiquant une périodicité; elle est facultative dans l'expression *à bon marché*.

Ex. :

× Nous envoyons un relevé à chaque semaine, à tous les jeudis.

→ Nous envoyons un relevé chaque semaine, tous les jeudis.

2. *Pronoms relatifs*

a) Il est préférable d'éviter la construction «comme quoi», employée dans le sens de «disant que».

Ex. :

× Il nous a envoyé une lettre comme quoi il ne viendrait pas.

→ Il nous a envoyé une lettre nous informant qu'il ne viendrait pas.

b) Le pronom *dont* est d'un maniement délicat. Voici quelques exemples d'emploi fautif :

× Un livre dont vous connaissez son auteur [→ l'auteur].

× Un instrument dont j'en connais la précision [→ dont je connais].

× Une affaire dont je m'intéresse au progrès [→ au progrès de laquelle je m'intéresse].

c)   L'emploi des pronoms *lequel, duquel, auquel* alourdit la phrase. Il ne se justifie que pour éviter une ambiguïté ou remplacer *dont* (3ᵉ exemple ci-dessus).

    Ex. :

    ✕   J'ai rencontré le président, lequel m'a déclaré . . . [→ qui]

    →   J'ai rencontré le mari de l'employée, lequel m'a déclaré . . .

d)   La construction suivante est un anglicisme :

    ✕   Un versement de $100, à laquelle somme il faut ajouter . . .
    On doit dire :

    →   Un versement de $100, somme à laquelle il faut ajouter . . .

3.   *Négations*

a)   «Deux négations valent une affirmation» : on évitera donc les contresens suivants :

    ✕   Il n'y avait pas personne.   →   Il n'y avait personne.
    ✕   Je n'ai pas rien vu.   →   Je n'ai rien vu.

b)   La particule *ne* est inutile après *sans que* et *avant que,* mais elle doit accompagner *aucun, nul* et *rien.*

    Ex. :

    →   Il est venu sans que je le sache; avant que j'arrive.

    →   Aucun ne se ressemble; nul ne l'a averti; il ne sait rien.

c)   Après les verbes et locutions exprimant la crainte, le doute ou la négation, l'emploi de *ne* est facultatif (**ex. :** Je crains qu'il [ne] vienne) sauf que :

    —   un verbe de crainte est toujours suivi de *ne . . . pas* si l'on craint que la chose n'arrive pas.

        Ex. : Je crains qu'il ne vienne pas.

    —   un verbe de doute ou de négation n'est jamais suivi de *ne* s'il est employé affirmativement.

        Ex. : Il nie être venu; je doute qu'il ait raison.

d)   *ne . . . que* élimine *seulement.*

    Ex. :

    ✕   Cet article ne coûte que $2 seulement.

    →   Cet article ne coûte que $2.

e)   *Aucun* ne prend la marque du pluriel que devant un mot inusité au singulier ou qui prend un sens différent au pluriel.

    Ex. : Aucuns frais; aucunes troupes.

3.3 PLÉONASMES ET RÉPÉTITIONS

3.3.1 Exemples de pléonasmes

Un *pléonasme* est la répétition de deux termes ayant la même signification. Cette répétition n'est pas nécessairement condamnable : elle peut servir à donner plus de force à l'expression de la pensée (**ex. :** Je l'ai vu de mes propres yeux). Le pléonasme est une faute de style lorsqu'il n'ajoute rien à l'idée exprimée. C'est le cas dans les exemples suivants :

additionner ensemble	monopole exclusif
ajouter en outre	panacée universelle
au grand maximum	prévoir d'avance
collaborer ensemble	en première priorité
commémorer un anniversaire	puis ensuite
[→ célébrer]	répéter de nouveau
comparer entre eux	réunir ensemble
s'entraider mutuellement	il suffit simplement
hasard imprévu	tous sont unanimes

On évitera aussi les expressions redondantes *d'une durée de, d'un poids de, d'un montant de,* etc.

Ex. : Une absence d'une durée de trois mois [→ une absence de trois mois].
Un chèque d'un montant de $100 [→ un chèque de $100].
Votre lettre en date du 6 décembre [→ votre lettre du 6 décembre].

3.3.2 Comment éviter les répétitions

La répétition de mots ne se justifie que si elle crée un effet stylistique voulu par l'auteur. On en trouve de nombreux exemples dans la littérature.

Il entassait adage sur adage,
Il compilait, compilait, compilait.

VOLTAIRE

Pompée a le coeur grand, l'esprit grand, l'âme grande,
Et toutes les grandeurs dont se fait un grand roi.

CORNEILLE

Dans les autres cas, on doit éviter les répétitions de mots : elles sont déplaisantes pour l'oreille française et dénotent un style négligé ou une pauvreté d'expression. Plusieurs moyens permettent de contourner la difficulté :

1. *Synonymes* — On peut très souvent remplacer le mot répété par un synonyme ou un terme équivalent (**ex. :** quand/lorsque; autoriser/permettre; accord/entente), sans pour cela sacrifier la précision à l'élégance. Au contraire, il n'est pas rare qu'on soit obligé de préciser sa pensée en voulant éviter une répétition. On fait ainsi d'une pierre deux coups.

   Ex. : Avant de mettre la machine en marche, mettez [→ branchez] la fiche dans la prise.

2. *Pronoms* — Les pronoms personnels (*le, y, en*) et démonstratifs (*celle-ci, ceux-là*) sont aussi très utiles pour éviter les répétitions.

   Ex. : La mise au point de cet appareil est très simple. Il suffit de placer l'appareil . . . [→ de le placer].
   Le directeur de l'usine et l'ingénieur sont passés au bureau. L'ingénieur désirait savoir . . . [→ ce dernier].

3. *Autre tournure* — Lorsqu'on ne peut substituer un synonyme ou un pronom, il est toujours possible de changer la construction de la phrase.

4. *Adjectif démonstratif* — Sans supprimer la répétition, l'adjectif démonstratif en atténue la monotonie : on sait au moins qu'elle n'est pas due à une négligence!

    Ex. : Nous avons en dossier une lettre précisant les termes du contrat, et nous aimerions savoir si vous avez reçu une copie de cette lettre. (Le pronom *en* serait ici ambigu.)

5. *Relative* — On peut éviter une répétition de participes présents ou passés en employant une proposition relative, et vice versa.

    Ex. :

    ×   La convention collective annulant le règlement régissant . . .
    →   La convention collective annulant le règlement qui régit . . .
    ×   La question étudiée par le comité chargé de . . .
    →   La question qu'étudie le comité chargé de . . .

3.4   STYLE ARTIFICIEL

La première qualité du style est la simplicité. La langue commerciale en particulier, étant avant tout un moyen de communiquer, exige un style clair et naturel, élagué de toutes fioritures. L'emphase et la préciosité ne peuvent que nuire à l'efficacité de la communication; elles portent le destinataire à douter du sérieux et même de l'honnêteté de la personne ou de l'entreprise qui lui écrit. Comme le fait observer René Georgin dans son étude critique *L'inflation du style* (voir Bibliographie), «...tromper sur la valeur des mots qu'on emploie, c'est tromper aussi, consciemment ou non, sur les idées».

Il importe ici de faire la distinction entre langue commerciale et langue publicitaire. En effet, le rôle de la publicité est d'informer, mais aussi «d'accrocher» le client, de l'inciter à acheter. Il s'ensuit, presque nécessairement, que les publicitaires doivent avoir recours à tous les moyens expressifs de la langue pour attirer l'attention des «chalands», sollicités de tous côtés. La langue qu'ils utilisent se ressent de cette nécessité; elle abonde en néologismes, mots étrangers, expressions inattendues et superlatifs. Bref, ce n'est pas dans la langue publicitaire qu'il faut chercher un modèle de style naturel.

Les excès que nous allons maintenant signaler concernent la langue des affaires : celle des lettres, rapports et autres imprimés à caractère commercial.

3.4.1   Néologismes

Une langue ne reste vivante qu'en créant des mots nouveaux. Le néologisme n'est donc pas un mal en soi; il n'est condamnable que si le mot créé est inutile ou mal formé.

On ne doit pas employer un néologisme pour sa seule nouveauté, parce qu'il «fait savant». Il n'est pas recommandé non plus de créer soi-même des néologismes : on risque de ne pas être compris ou de passer pour illettré (comme le rédacteur en chef d'une revue, qui écrit : «il intuitionnait sa brillante carrière»). Le dictionnaire permet de s'assurer rapidement qu'un mot nouveau est accepté et de vérifier son sens exact.

Voici quelques exemples de néologismes qu'il est préférable d'éviter parce qu'ils sont inutiles, prétentieux ou cacophoniques :

attractionnel	débudgétiser	inévitabilité
automaticité	départementalisation	interchangeabilité
compétitivité	événementiel	relationné
conjoncturiste	imputabilité	sélectionnement

3.4.2 Mots «prestigieux»

Certains mots, certaines expressions connaissent parfois un engouement épidémique; pour reprendre l'une de ces expressions, ils sont «dans le vent». Mots oubliés remis à la mode, termes rares ou techniques passant dans l'usage quotidien, adjectifs pompeux devenus indispensables — petit arsenal des amateurs de style à bon marché. Ces mots «prestigieux», employés sans discernement ni mesure, finissent par ne plus rien dire. Le texte suivant en présente une collection; la fiction y dépasse à peine la réalité . . .

Le *symposium* sur les *structures fonctionnelles s'inscrit dans le cadre* des progrès *exponentiels réalisés au niveau* de la *planification. Il se déroulera dans le contexte* des *impératifs que comporte* la *conjoncture* et *mettra l'accent sur* les *options* offertes aux *complexes industriels se situant à la fine pointe* de la recherche *prévisionnelle. Les plus hautes instances* ont été *saisies de ce problème,* et des *interlocuteurs valables se pencheront* sur l'*incidence* de ce mouvement *irréversible intéressant* tous les secteurs de l'économie. *Soulignons* que ce *symposium possédera* une large *audience,* ce qui *constitue un préalable* à toute *communication* qui *se veut efficiente* et lui *confère* un caractère singulièrement *dynamique.*

3.4.3 Clichés et images incohérentes

1. Les clichés sont des expressions toutes faites qui ont perdu leur originalité à force d'être répétées. Parmi les clichés les plus fréquents, signalons les couples nom-épithète, les formules pseudo-savantes, les comparaisons banales. En voici quelques exemples :

augmentation substantielle	en gestation
étroitement liés	éponger un excédent
impérieuse nécessité	lever une hypothèque
intense activité	marqué au coin du bon sens
légitime fierté	motifs militant en faveur de
précieuse contribution	par le truchement (le canal) de
sommes astronomiques	poser un geste
vive satisfaction	procéder à un tour d'horizon
coller à la réalité	résorber une perte

2.   Certains écrivains se sont amusés à créer des images incohérentes pour
      le divertissement de leurs lecteurs : «le char de l'État navigue sur un
      volcan» en reste l'exemple le plus connu. Mais l'incohérence n'est pas
      toujours volontaire, et les sottisiers abondent en coq-à-l'âne attribuables
      à la distraction. On doit donc se montrer prudent dans l'emploi des ima-
      ges et éviter de tomber dans le ridicule des exemples suivants:
           épauler les efforts
           le marché est essoufflé
           mettre en marche un train de réformes
           mettre sur pied une nouvelle politique
           mettre un frein à l'immobilisme
           monter une affaire sur une grande échelle

3.4.4   Exagération

L'emploi de superlatifs et d'adjectifs hyperboliques a souvent un effet contraire à celui que l'on cherchait. «The best in the world» n'impressionne plus
personne. La sobriété du style s'accommode mal de cette forme d'inflation,
quel que soit le procédé employé :

—   Superlatifs : le meilleur, le plus grand; lave plus blanc.
—   Adjectifs   : exceptionnel, imbattable, inégalable, sensationnel, supé-
                   rieur, unique.
—   Adverbes   : admirablement, exclusivement, formidablement, haute-
                   ment, remarquablement.
—   Préfixes   : extrafin, superpuissant, ultra-nettoyant.

3.5   CACOPHONIE

Les sons peuvent avoir une valeur expressive, et leur répétition volontaire
permet de créer des effets stylistiques. Citons comme exemple ce vers de
Racine: «Pour qui sont ces serpents qui sifflent sur vos têtes»; plus prosaï-
quement, un publicitaire cherche à attirer l'attention du lecteur par cette
phrase : «Et si vous l'aviez, l'évier dont vous rêviez?»

      Lorsqu'elle est involontaire, la répétition blesse l'oreille et rend la lec-
ture difficile. Pour la même raison, on doit éviter les mots qui alourdissent la
phrase, en particulier certains adverbes en -*ment*. Il suffit de se relire pour
assurer l'euphonie de la phrase, c'est-à-dire l'harmonieuse succession des
voyelles et des consonnes.

1.   *Hiatus* (rencontre de deux voyelles) et *allitération* (répétition des mêmes
      sons au début de plusieurs mots) :
      Ex. : celui qui quitte, ici si c'est possible, il alla à, il peut peut-être, pas
      patient, quoique qui que ce soit.

«Notre société vend des petits plats à cuisiner, M. Lanthier, pas des casseroles!»

2. *Répétition de finales :*

    Ex. : L'obtention d'une subvention pour la construction . . .
    Sachant que le règlement prévoyant un changement . . .

3. *Succession d'adverbes en -ment:*

    Ex. : Exceptionnellement, nous envisagerions éventuellement d'appli-
    quer cette disposition rétroactivement.

SECTION 4

Anglicismes

4.1 DÉFINITION ET ORIGINE

On appelle *anglicisme* un mot, une expression ou une construction empruntés
à la langue anglaise. L'emprunt d'une langue à l'autre est chose courante; au
cours des siècles, les peuples ont échangé des mots comme ils ont échangé
des marchandises, et les langues sont le résultat de ces contacts linguistiques.
Les langues «pures» n'existent pas: il ne reste dans le français contemporain
qu'une centaine de vocables d'origine gauloise, et il serait impossible de s'exprimer en anglais avec seulement des mots anglo-saxons.

Les échanges ont été particulièrement nombreux entre le français et
l'anglais, depuis l'occupation de l'Angleterre par les Normands de Guillaume
le Conquérant jusqu'à nos jours. La langue anglaise s'est enrichie de termes
français relatifs à la diplomatie (alliance, attaché, entente), à l'art militaire
(artillery, discipline, manoeuvre), à la cuisine (consommé, hors-d'oeuvre,
menu) et à la mode (corsage, décolleté, vest); de son côté, le français a emprunté au vocabulaire anglais des termes de marine (ballast, ferry-boat), de
commerce (dumping, stock, trust) et, plus récemment, de technique
(bulldozer, cracking, offset). L'emprunt de mots est un moyen naturel d'enrichissement des langues; l'anglicisme ne devient dangereux que si les emprunts sont trop massifs, s'ils menacent les structures mêmes de la langue et
paralysent le dynamisme interne de création lexicale. Il est donc nécessaire
de distinguer les différentes formes d'anglicismes.

4.2 CATÉGORIES D'ANGLICISMES

On peut ranger les anglicismes en deux grandes catégories : les *anglicismes
sémantiques* et les *anglicismes syntaxiques*. Nous avons déjà vu (chap. III,

§ 1.7) qu'il existait aussi des anglicismes orthographiques, et l'on pourrait ajouter les anglicismes de prononciation (mots français prononcés à l'anglaise : [alkɔɔl] au lieu de [alkɔl]).

4.2.1 Anglicismes sémantiques

a) Lorsqu'une langue adopte un mot étranger, ce mot s'appelle un *emprunt*. Dès que l'usage a consacré cette adoption et que les dictionnaires ont accordé droit de cité au mot emprunté, celui-ci entre dans le fonds de la langue. Dans le cas d'un mot anglais, il cesse alors d'être un anglicisme. L'emprunt peut garder son orthographe d'origine (stock) ou être francisé *(paquebot* [packet-boat]); il suit les règles françaises de dérivation *(stocker, stockage).*

L'emprunt n'est justifié que s'il comble une lacune, c'est-à-dire l'absence d'un mot pour désigner une chose ou un concept dans la langue emprunteuse. Il est inutile et condamnable s'il fait double emploi avec un mot déjà existant. Enfin, en employant des mots étrangers qui ne sont pas acceptés par l'usage, on s'expose à ne pas être compris ou à être mal compris. Dans les exemples suivants, les emprunts fond double emploi avec le mot indiqué en italique :

«Avec un tel trade-in, c'est un bargain» : avec une telle *reprise,* c'est une *bonne affaire.*

«Checker un bill» : *vérifier* une *facture.*

«Placez les stocks dans le safe» : placez les *titres* dans le *coffre-fort.*

b) Les *faux amis* sont une autre forme d'anglicisme sémantique. Ce sont des mots anglais d'origine latine ou française dont le sens a subi au cours des siècles une évolution différente de celle du mot français. On les appelle faux amis ou mots-sosies parce qu'ils ressemblent par leur orthographe au mot français de même origine, mais s'en différencient par le sens. La confusion de ces mots est toujours condamnable, car elle entraîne des contresens.
Ex. :
× Veuillez nous envoyer un pamphlet décrivant vos dactylos.
→ Veuillez nous envoyer une brochure décrivant vos machines à écrire.
(Pamphlet : écrit satirique. *Dactylo :* personne qui écrit à la machine.)

c) Sans être des anglicismes, certains termes ont un taux de fréquence nettement plus élevé au Canada que dans les autres pays francophones parce qu'ils bénéficient, si l'on peut dire, de l'appui de mots-sosies anglais.
Ex. :

| **à tout événement** | Dire plutôt *de toute façon, quoi qu'il en* |
| [in any event] | *soit, quoi qu'il arrive.* |

discontinuer [to discontinue]	On dira de préférence *cesser, prendre fin; interrompre, suspendre.*
malle [mail]	Archaïsme : dire le *courrier.*
position [position]	Employer plutôt les synonymes d'usage courant : *poste, situation, place, emploi.*
possiblement [possibly]	Cet adverbe ne figure pas dans tous les dictionnaires. Il est préférable de le remplacer par *c'est possible* ou *peut-être.*
prévenir [to prevent]	Le sens le plus courant de ce verbe est *avertir;* il signifie aussi *parer à (prévenir un malheur).* Dans la plupart des cas, on devrait dire *éviter* ou *empêcher.*

4.2.2   Anglicismes syntaxiques

L'anglicisme syntaxique est le calque d'une construction propre à la langue anglaise. C'est la forme la plus pernicieuse d'anglicisme, parce qu'elle menace la structure même du français. On peut dire que l'anglicisme syntaxique consiste à parler anglais avec des mots français; c'est pourquoi il est souvent difficile de détecter les anglicismes syntaxiques et de s'en corriger.

Cas les plus fréquents d'anglicismes syntaxiques

a)   *Emploi des prépositions* — Les prépositions et locutions prépositives servent à exprimer une grande variété de rapports entre les éléments de la phrase (lieu, but, manière, agent, etc.), mais les langues n'utilisent pas nécessairement la même préposition pour indiquer un rapport donné. On doit donc éviter de confondre les usages en calquant la construction anglaise.

   Ex.:   ×   Siéger sur le comité [→ au comité].
             ×   Responsable au Parlement [→ devant le Parlement].
             ×   Habiter en campagne [→ à la campagne].

b)   *Voix passive* — À la voix passive anglaise, le français préfère souvent la voix active ou pronominale.

   Ex. :   ×   Vous êtes demandé au téléphone.
              →   On vous demande au téléphone.

c)   *Locutions et constructions calquées* — Citons à titre d'exemple les barbarismes «à l'effet que», «$10 en montant», «la troisième plus grande ville du Canada». On trouvera une énumération de ces anglicismes au paragraphe 4.4.

d)   *Juxtapositions* — Tandis que l'anglais, langue synthétique, peut juxtaposer les mots sans préciser les rapports qui les unissent, le français, langue articulée, exprime ces rapports au moyen de prépositions ou autres particules de liaison. Même si certaines constructions juxtaposées sont passées dans l'usage français (prêt-bail, science-fiction), il est préférable de ne pas en abuser. Cf. ELLIPSE, 3.2.5.

4.3 ANGLICISMES ET BILINGUISME

Si la vie dans un pays bilingue offre des avantages linguistiques indéniables, elle présente aussi des dangers du fait qu'il s'établit presque toujours un déséquilibre entre les deux langues en présence, l'une «déteignant» sur l'autre. Au Canada, la langue française subit quotidiennement les assauts de l'anglais, que ce soit sous forme de publications et d'émissions en anglais ou de traductions calquées. La connaissance d'une langue étrangère a toujours été un atout précieux; elle l'est encore davantage dans le monde des affaires et à notre époque où se multiplient les échanges internationaux. Encore faut-il que le bilinguisme ne consiste pas, comme l'a dit un humoriste, «à parler deux langues en même temps».

Le plus grand danger du bilinguisme au Canada est évidemment l'anglicisme, sous toutes ses formes. Ce danger ne menace pas d'ailleurs que les personnes bilingues, les francophones unilingues y sont exposés presque au même degré. Le respect de sa langue exige ainsi une attention constante et un effort de volonté soutenu. Le but à atteindre n'est pas de rivaliser avec les beaux esprits de salons, mais tout simplement d'avoir à sa disposition un moyen d'expression et de culture qui soit en même temps un bon outil de travail.

4.4 ANGLICISMES À PROSCRIRE

La langue tenant une place importante dans le patrimoine d'un peuple, il est normal que les dangers qui la menacent soient dénoncés par ceux qui se soucient de la préservation de ce patrimoine. Si l'anglomanie a eu en France un pourfendeur infatigable en la personne de René Étiemble *(Parlez-vous français?)*, si les menaces que font peser en Suisse et en Belgique les contacts linguistiques avec l'allemand et le néerlandais ont suscité la création de comités de défense de la langue française, l'anglicisme a trouvé au Québec une ligne de résistance à la mesure d'un danger toujours présent et plus redoutable que partout ailleurs. On trouvera dans la bibliographie la liste des principaux ouvrages consacrés à cette question; il faudrait y ajouter les chroniques de bon usage, les campagnes de presse, les bulletins et fiches d'organismes officiels ou privés, les émissions de radio et de télévision : la somme en serait imposante.

Dans les pages qui suivent, nous signalons les anglicismes les plus fréquents, en particulier ceux qu'on trouve dans la langue commerciale.

	ANGLICISME	FORME CORRECTE
accru	Intérêts accrus	Intérêts courus
actuellement	Actuellement, c'était faux.	En réalité, en fait
admission	Pas d'admission	Défense d'entrer
	Pas d'admission sans affaires	Entrée interdite sans autorisation

	ANGLICISME	**FORME CORRECTE**
affaires	Il est d'affaires	C'est un bon commerçant; il a le sens des affaires.
agenda	L'agenda de la réunion	L'ordre du jour, le programme
agressif	Un vendeur agressif	Un bon vendeur; un vendeur dynamique, persuasif
ajustement	Ajustement de compte	Rectification, régularisation
	Ajustement de salaires	Rajustement, révision, relèvement
	Ajustement d'un appareil	Réglage, mise au point
alors que	Nous vous invitons à la prochaine réunion, alors que le directeur vous expliquera . . .	Au cours de laquelle
	Il a été président jusqu'en 1966, alors qu'il prit sa retraite.	Année où
altération	Fermé pendant les altérations	Transformations, rénovations, réparations, travaux; retouches
	Faire des altérations à un vêtement	
anticiper	Anticiper une reprise du marché	Prévoir
anxieux	Être anxieux de savoir	Avoir hâte, être impatient, désirer vivement
application	Faire application pour un emploi	Faire une demande, postuler, solliciter
appointement	Donner un appointement	Donner, fixer un rendez-vous
approbation	Marchandises en approbation	Marchandises à condition, à l'essai
appropriation	Une appropriation de fonds	Affectation
argents	Les argents nécessaires	L'argent, les sommes, les fonds, les capitaux
assistant	L'assistant-directeur	Directeur adjoint, sous-directeur

	ANGLICISME	FORME CORRECTE
aucun temps	Venez en aucun temps	Quand vous voulez, à tout moment, n'importe quand
auditeur	L'auditeur de notre société	Vérificateur, commissaire aux comptes
aussi peu que	Pour aussi peu que $2	Pour seulement, pour la modique somme de . . .
autant	En autant qu'il accepte	Pour autant que, dans la mesure où
	En autant que je suis concerné	En ce qui me concerne
aviseur	Aviseur légal	Conseiller juridique
balance	La balance du compte	Le solde
	La balance de la commande	Le complément, le restant
	La balance de la semaine	Le reste
balancer	Balancer le budget	Équilibrer
banqueroute	Il a fait banqueroute	Il a fait faillite
«bargain»	C'est un(e) bargain	Bonne affaire, marché avantageux, occasion
base	Sur la base de ces renseignements	D'après, selon; grâce à, à l'aide de
	Sur la base des résultats obtenus	En fonction, d'après
bénéfice	Bénéfices marginaux	Avantages sociaux, sursalaire
	Bénéfices de l'assurance	Prestations, indemnités
	Pour le bénéfice du personnel	Dans l'intérêt
bienvenue	—Merci beaucoup —Bienvenue	À votre service, je vous en prie, il n'y a pas de quoi, de rien
billet	Un billet promissoire	Un billet (à ordre)
blanc	Blanc de chèque	Formule de chèque, chèque en blanc
	Blanc de commande	Bon de commande
branche	Notre branche à Québec	Notre succursale de Québec
«breakdown»	Établir le breakdown d'un compte	Détail; ventilation

	ANGLICISME	FORME CORRECTE
bureau	Le bureau-chef	Siège social, bureau principal, direction
	Le bureau des directeurs	Conseil d'administration
calendrier	Année de calendrier	Année civile
cancellation	Canceller un contrat	Résilier, dénoncer
canceller	Canceller une mention	Biffer, rayer
	Canceller une réunion	Annuler, reporter, contremander
capital	Dépenses capitales	(Dépenses en) immobilisations; frais d'équipement
capitaliser	Capitaliser sur une situation	Exploiter, mettre à profit
«carbon»	Papier carbon	Papier carbone, un carbone
cédule	Cédule des salaires, des prix	Échelle, tarif, barème
	Cédule des travaux	Programme, calendrier
	Cédule des trains	Horaire, indicateur
centre	Centre d'achats	Centre commercial
chambre	Immeuble Concorde, chambre 250	Bureau, local 250
chance	Il prend des chances	Il court des risques, il s'aventure.
change	Je n'ai pas de change	Je n'ai pas de monnaie
	Petit change	Petite, menue monnaie
changer	Changer un chèque à la banque	Toucher, encaisser
charge	Sans charges additionnelles	Sans supplément, tous frais compris
	Être en charge du personnel, de la publicité	Être le responsable du personnel, chargé de la publicité
charger	Combien chargez-vous?	Combien demandez-vous? Quel est votre prix?
	Charger à un compte	Porter à, imputer sur, débiter un compte
«checker»	Checker une facture, une commande	Vérifier
	Checker ses bagages	1) Consigner; 2) enregistrer

	ANGLICISME	FORME CORRECTE
clair	Un bénéfice clair	Un bénéfice net
	Bien clair d'hypothèque	Franc, libre d'hypo-thèque, non hypothéqué
«clairer»	Clairer un employé	Congédier
	Se clairer de ses dettes	Régler, se libérer de
	Clairer $100	Gagner, faire un bénéfice de $100
	Clairer des marchandises	Dédouaner
clérical	Erreur cléricale	Erreur de transcription, d'écriture, matérielle
	Personnel, travail clérical	Travail administratif, de bureau
«collecter»	Collecter des loyers	Percevoir, encaisser
	Collecter une dette	Recouvrer une créance
collecteur	Notre collecteur passera	Encaisseur, agent de recouvrement
collection	La collection des loyers	Perception, encaissement
	La collection de la malle	La levée du courrier
collet	Les collets-blancs	Employés de bureau, «cols-blancs»
commercial	Faire passer un commercial	Annonce publicitaire
compléter	Compléter une formule	Remplir
	Compléter un calcul	Terminer
«complétion»	À la complétion des travaux	Achèvement
compliment	Compliments de la saison	Nos meilleurs voeux; souhaits de bonne année; joyeuses fêtes. V. courtoisie
comprendre	Nous comprenons qu'il acceptera	Nous croyons savoir, nous avons lieu de penser
compte	En compte avec (facture)	Doit à
condition	Marchandises en mauvaise condition	En mauvais état, avariées
	Machine en bonne condition	En bon état de marche
confiant	Nous sommes confiants que . . .	Assurés, convaincus; nous avons bon espoir
connexion	Avoir des connexions	Avoir des relations

	ANGLICISME	FORME CORRECTE
conservateur	Un chiffre conservateur	Un chiffre prudent; au minimum, au bas mot
considération	Sous/pour aucune considération	À aucun prix; sous aucun prétexte
«contracteur»	Contracteurs et sous-contracteurs	Entrepreneurs et sous-traitants
contrôle	Contrôler la situation	Avoir la situation en main
	Contrôler le marché	Être maître du, dominer le marché
	Circonstances hors de notre contrôle	Imprévisibles, indépendantes de notre volonté
convention	La convention des concessionnaires	Le congrès des concessionnaires
copie	Copie d'une revue, d'un journal	Numéro, exemplaire
	Contrat en trois copies	Exemplaires
corporation	Une corporation industrielle	Compagnie, entreprise
correct	Le calcul est correct	Exact
	C'est correct!	Très bien! Ça va! D'accord!
cotation	Les cotations de la Bourse	Cotes, cours
	Faire une cotation	Établir, fixer, faire un prix
couper	Couper les prix	Réduire les prix, vendre au rabais
courtoisie	Courtoisie de la Société X	Hommage de, offert par, gracieuseté de, avec les compliments de
coût	Comptabilité des coûts	Comptabilité de prix de revient, industrielle
dactylographe	Acheter un bon dactylo(graphe)	Une bonne machine à écrire
date	Jusqu'à date	Jusqu'à maintenant, à ce jour, pour le moment
	Mettre à date	Mettre à jour
dedans	En dedans de 15 milles	À moins de, dans un rayon de 15 milles
	En dedans de 15 jours	Dans un délai de, d'ici, dans les 15 jours

	ANGLICISME	FORME CORRECTE
déduction	Déductions sur le salaire	Prélèvements, retenues (à la source)
définitivement	— Êtes-vous d'accord? — Définitivement!	Certainement, assurément, bien sûr, absolument
délivrer	Délivrer une commande	Livrer
demander	Demander une question	Poser une question
dénomination	Obligation en dénomina-tions de $100	En coupures, titres de $100
département	Département des réparations	Service des réparations
	Département de la quincaillerie	Rayon, comptoir
dépendant	Avoir des dépendants	Avoir des personnes à sa charge; être chargé/ soutien de famille
dépôt	Demander un dépôt	Acompte, versement comptant, arrhes
	Pas de dépôt	Non consigné, emballage perdu
dernier	Les derniers cent dollars	Les cent derniers dollars
développement	Financer un nouveau développement	Lotissement
	Attendre les développe-ments	(Tournure des) événe-ments, fait nouveau
développer	Développer un nouvel appareil	Concevoir, réaliser, mettre au point
devoir	Être en devoir	Être de (en) service
directeur	Les directeurs sont élus par les actionnaires	Administrateur
directions	Les directions sont indi-quées sur la boîte	Mode d'emploi
disponible	Disponible en bleu ou vert	Livrable en bleu ou vert
	Disponible dans tous les magasins	En vente dans tous les magasins
disposer	Disposer d'un stock de marchandises	Vendre, écouler, liquider
	Disposer d'une question	Trancher, régler
domestique	Le commerce domestique	Le commerce intérieur

ANGLICISME	FORME CORRECTE
Un produit domestique	Un produit du pays
Articles domestiques	Articles de ménage

	ANGLICISME	FORME CORRECTE
drastique	Prendre des mesures drastiques	Mesures draconiennes, radicales, énergiques
dû	Billet, compte passé dû	Billet échu, compte en souffrance, impayé
	Dû à un oubli	En raison, par suite d'un oubli
effectif	Effectif du 12 octobre...	À partir, à compter du 12 octobre...
effet	La nouvelle à l'effet que...	La nouvelle selon laquelle...
éligible	Être éligible à une indemnité	Avoir droit à
	Être éligible à un concours	Être admissible
émettre	Émettre un reçu, un permis	Délivrer, donner, établir
emphase	Mettre l'emphase sur	Insister
emploi	Être à l'emploi de...	Être au service de, travailler chez
endos	Écrire à l'endos d'une formule	Au verso
	Signer à l'endos d'un chèque	Endosser un chèque
endosser	Endosser une décision	Approuver, appuyer
engager	La ligne est engagée	La ligne est occupée, n'est pas libre
	Le secrétaire est engagé jusqu'à 2 h.	Est occupé, pris, retenu
engagement	Avoir un engagement	Avoir un rendez-vous
en montant	Dix dollars en montant	À compter, à partir de; et plus
enregistrer	Lettre enregistrée	Lettre recommandée
	Les actionnaires enregistrés	Les actionnaires inscrits
	Modèle enregistré	Déposé, breveté
	Enregistrer un véhicule	Immatriculer
entraînement	L'entraînement des nouveaux employés	Formation, apprentissage, initiation
	Période d'entraînement	Stage, période d'essai

	ANGLICISME	FORME CORRECTE
entrée	Les entrées dans les livres de comptabilité	Écritures (comptables), inscriptions
espace	Espace à louer Taper un texte à double espace	Locaux, bureaux à louer Taper à double interligne
«estimé»	Un estimé des dépenses, des réparations	Estimation, évaluation, état estimatif, devis, prévisions
étampe	L'étampe du service de contrôle	Le timbre, le cachet
être mieux	Vous êtes mieux de leur écrire	Vous feriez mieux de
éventuellement	Ils signèrent éventuellement le contrat	Finalement, à la longue, en fin de compte; ils finirent par...
exécutif	L'exécutif de l'association Secrétaire exécutif Les exécutifs	Le bureau Secrétaire général, de direction, chef du secrétariat Personnel de direction, cadres
exhibit	Nous avons de nombreux exhibits en vitrine Les exhibits joints au rapport	Articles, échantillons exposés Annexe, documents à l'appui
extension	Construire une extension Extension de congé Extension 315 (téléphone)	Agrandissement, rajout Prolongation Poste 315
facilités	Les nouvelles facilités de l'usine	Installations, aménagements
figurer	Nous figurons que ce travail coûtera $500	Estimer, prévoir
figures	D'après mes figures	D'après mes chiffres, mes calculs
filière	Mettre des dossiers dans une filière	Classeur
final	Sa décision est finale Vente finale	Définitive, sans appel, irrévocable Vente ferme

	ANGLICISME	**FORME CORRECTE**
finance	Compagnie de finance	Société, établissement de crédit, de prêts
	Acheter sur la finance	Acheter à crédit
fiscal	Année fiscale	Année financière, exercice
«fixtures»	Fixtures électriques	Appareils d'éclairage, appliques électriques
	Les fixtures du magasin	Aménagements, agencements
force	Le règlement en force	En vigueur
franchise	Accorder la franchise pour un produit	Concession
futur	Dans le futur	À l'avenir
gages	Les ouvriers reçoivent des gages	Un salaire
gérant	Le gérant des ventes	Directeur commercial, chef des ventes
implication	Les implications d'une décision	Conséquences, répercussions, effets, portée
impression	Être sous l'impression que . . .	Avoir l'impression que . . .
incidemment	Incidemment, il a téléphoné	À propos, au fait
	Il aurait déclaré, incidemment, que . . .	Rappelons-le; soit dit en passant
incorporation	Les formalités d'incorporation	Constitution en société
incorporer	Une compagnie incorporée	Légalement constituée
«initialer»	Initialer les ratures d'un contrat	Parapher, apposer ses initiales
inventaire	Nous avons trop d'inventaire	Stocks, marchandises en magasin
	Faire l'inventaire physique	Inventaire matériel, extra-comptable
item	Un item à l'ordre du jour	Question, point
	Les items commandés	Articles
	Les items du bilan	Postes
job	Travailler à la job	Travailler à l'entreprise, à forfait
joindre	Joindre un groupement	Se joindre à, devenir membre de

	ANGLICISME	**FORME CORRECTE**
juridiction	Ce n'est pas de votre juridiction	Compétence, ressort
légal	Le Service légal	Le contentieux, le service juridique
	La terminologie légale	Terminologie juridique
	Des poursuites légales	Poursuites judiciaires
ligne	Quelle est votre ligne?	Profession, métier, genre d'affaires, spécialité
	Une ligne complète d'articles	Assortiment, gamme, éventail, série, ensemble
	Nous ne tenons pas cette ligne	Nous ne tenons (vendons) pas ce genre d'article
	Balance, bout de ligne	Solde, fin de série
liste	Envoyer une liste de prix	Un prix courant, tarif
	Prix de liste	Prix du catalogue, courant
«lister»	Les articles listés	Énumérés, inscrits, figurant sur la liste
	Lister des articles	Dresser, établir une liste
littérature	Littérature sur demande	Documentation, prospectus, imprimés
local	Local 125 (téléphone)	Poste 125
loger	Loger une plainte	Déposer une plainte, porter plainte
	Loger, placer un appel téléphonique	Demander la communication
«maller»	Maller une lettre	Poster, mettre à la poste, envoyer
manquer	Nous manquons beaucoup notre secrétaire	Notre secrétaire nous manque beaucoup
marital	Statut marital de l'employé	Situation de famille, état matrimonial
meilleur	Au meilleur de notre connaissance	À notre connaissance, d'après nos renseignements
minutes	Les minutes de l'assemblée	Le procès-verbal
monétaire	Revendiquer des avantages monétaires	Avantages pécuniaires
montant	Un chèque au montant de $50	Un chèque de $50, d'un montant de $50

	ANGLICISME	FORME CORRECTE
notice	La notice est affichée au tableau	L'avis
	Le comptable a donné sa notice	Donner sa démission
	La dactylo a reçu sa notice	Recevoir son congé, son avis de congédiement; être congédié, remercié de ses services
office	Il travaille à l'office	Bureau
officier	Les officiers de la compagnie	Dirigeants, membres de la direction
	L'officier du personnel	Agent, préposé
opération	Le coût d'opération	Les frais d'exploitation
	Être en opération	Être en activité, en service, en exploitation, être ouvert, fonctionner
opérer	Opérer un commerce	Diriger, tenir, exploiter
	Opérer un camion	Conduire, exploiter
opportunité	À la première opportunité	À la première occasion
	Domaine offrant de grandes opportunités	Possibilités, perspectives d'avenir
optionnel	Clause optionnelle	Clause facultative
ordonner, «order»	Ordonner, order des marchandises	Commander, passer une commande
ordre	Un ordre de papier carbone	Une commande
	L'appareil est hors d'ordre, en mauvais ordre	L'appareil ne fonctionne pas, est défectueux, en panne
ouverture	Il y a une ouverture au bureau	Emploi vacant, vacance, poste offert
pamphlet	Pamphlet rédigé par le service de la publicité	Brochure publicitaire, prospectus, dépliant
par	Un imprimé de 8 par 11	8 sur 11
	Voyager par affaires	Voyager pour affaires, faire un voyage d'affaires
part	Acheter des parts à la Bourse	Actions
partir	Partir une entreprise, un commerce	Fonder, créer, lancer, monter, ouvrir
	Partir à son compte	S'établir à son compte

	ANGLICISME	**FORME CORRECTE**
partition	Une partition sépare les deux bureaux	Cloison
passer	Passer des remarques	Faire des observations
patronage	Nous apprécions votre patronage	Nous sommes heureux de vous avoir pour client
payeur	Les payeurs de taxes	Les contribuables
plan	Un plan de pension	Régime, caisse de retraite
	Un plan de paiement	Mode de paiement (à crédit)
plancher	Le bureau est au 2e plancher	2e étage
plant	Un plant de textile	Une usine
plus	Le deuxième plus grand producteur du Canada	Le deuxième producteur du Canada; au deuxième rang des producteurs canadiens
pool	Le pool des sténos	Service de dactylographie, central dactylographique
pour	Moi pour un	Quant à moi, pour ma part
	Pour publication	À publier
pouvoir	Le pouvoir fait défaut	Il y a une panne de courant, d'électricité
préjudice	Nous n'avons pas de préjudice contre lui	Préjugés
prévaloir	Le tarif prévalant	Le tarif courant, actuel, pratiqué, en vigueur
procédure	Adopter une nouvelle procédure	Méthode, procédé, marche à suivre
	Les règles de procédure	Règlement intérieur
progrès	Les travaux en progrès	Les travaux en cours
projet	L'ingénieur en chef du projet	Chef de chantier, des travaux
«puncher»	Puncher une feuille de papier	Perforer
qualifications	Nous ne doutons pas de ses qualifications	Compétence
quand	Il fut blessé quand sa lampe à souder explosa	Il fut blessé par l'explosion ...
question	Comme question de fait	En réalité, en fait, de fait

	ANGLICISME	FORME CORRECTE
questionner	Nous questionnons l'à-propos de cette déclaration	Douter de, mettre en doute, contester
rapport	En rapport avec cette question	Au sujet de; relativement à; concernant
	Rapport d'impôt	Déclaration d'impôts, de revenus
rapporter	Rapporter un accident	Signaler
	Se rapporter au travail	Se présenter
rayon	Magasin à rayons	Grand magasin
record	Les records de la succursale	Registres, dossiers, archives
	Il a un bon record	Un bon dossier
référence	Lettre de référence	Lettre de recommandation
référer	Veuillez référer au texte de la loi	Veuillez vous reporter, vous référer au texte
	Je dois référer à mon supérieur	Consulter, demander l'avis, en référer à
	Le candidat que vous nous avez référé	Envoyé, recommandé
régulier	Modèle, prix, tarif régulier	Ordinaire, standard, normal
	Méthode, voie régulière	Habituelle
remplir	Remplir une commande	Exécuter
rencontrer	Veuillez rencontrer M. Untel	Je vous présente M. Untel
	Je suis heureux de vous rencontrer	Heureux, enchanté de faire votre connaissance
	Rencontrer ses paiements	Acquitter ses dettes, faire face à ses échéances
	Rencontrer ses engagements	Respecter, tenir, faire honneur à
	Rencontrer des exigences	Répondre, satisfaire à
représentant	Un représentant des ventes	Un représentant (de commerce)
résidence	Résidence : 123-4567 (n° de téléphone)	Domicile
résigner	Il a résigné	Il a démissionné, résigné ses fonctions
résignation	Lettre de résignation	Lettre de démission
royautés	Les exploitants forestiers paient des royautés	Redevances, droits

	ANGLICISME	FORME CORRECTE
routine	Les affaires, le travail de routine	Affaires courantes, travail journalier, habituel
	L'entretien de routine	L'entretien ordinaire, normal
sauver	Sauver deux dollars	Épargner, économiser
	Sauver du temps	Gagner du temps, éviter une perte de temps
seconde main	Une voiture de seconde main	Une voiture d'occasion
seconder	Seconder une proposition	Appuyer
«secondeur»	Qui est le secondeur?	Second proposeur; qui appuie la proposition?
«séniorité»	Avancement d'après la séniorité	Avancement à l'ancienneté
service	Déduire les frais de service	Frais d'administration, de gestion
	Manuel de service	Manuel, notice d'entretien
«set»	Un set d'échantillons	Jeu, série, choix, ensemble
«shift»	Le shift de nuit	L'équipe, le poste de nuit, quart (de travail)
	Travailler par shifts	Travailler par équipes, par roulement
site	Le site de notre nouveau siège social	Emplacement
spécial	Convoquer une assemblée spéciale des actionnaires	Assemblée extraordinaire
	Grands spéciaux du jour	Soldes, rabais, occasions, articles-réclame
spécification	Les spécifications d'une machine	Caractéristiques, description
	Les spécifications d'une construction	Cahier des charges, devis
stage	À ce stage de notre étude	Stade
	Les différents stages du procédé	Phases, étapes
substitut	Nous vous proposons un substitut	Produit de remplacement

	ANGLICISME	FORME CORRECTE
support	Nous vous remercions de votre support	Appui, aide, collaboration
sur	Il siège sur le comité	Il siège au comité; il est membre, fait partie du comité
	Vous pouvez vous fier sur lui	Vous fier à lui
	Distribuer des prospectus sur la rue	Dans la rue
	Livraison gratuite sur semaine	En semaine, pendant la semaine
	On trouve cet article sur le marché	Dans le commerce
taux	Taux de stationnement	Tarif
température	La mauvaise température a nui au commerce.	Le mauvais temps
temps	Faire du temps supplémentaire	Heures supplémentaires
	Arriver en temps	Arriver à temps
terme	Terme d'office	Mandat, période d'exercice, durée des fonctions
	Termes faciles	Facilités de paiement
	Les termes d'une vente, d'un paiement	Conditions, modalités
total	Grand total	Total général, global
«trade-in»	Ce garagiste nous donne un bon trade-in, une bonne valeur d'échange	(Valeur de) reprise
transférer	Le comptable a été transféré à Québec	Muté
transiger	Transiger des affaires	Traiter, conclure, négocier
«turn-over»	Le turn-over a augmenté ce mois-ci	Chiffre d'affaires
	Nous avons un faible turn-over	Rotation, renouvellement des stocks
	Le turn-over du personnel	Rotation du personnel
union	Nos ouvriers sont affiliés à l'union	Syndicat

	ANGLICISME	**FORME CORRECTE**
utilités	Les cours des utilités ont remonté	(Entreprises de) services publics
vacances	Le personnel a droit à des vacances payées	Congés payés
valeur	Les meilleures valeurs en ville	Articles de qualité à prix avantageux
vendeur	Cet article est un bon vendeur	Article très en demande, de vente facile
vente	Grande vente au sous-sol	Soldes, vente au rabais, occasions
	Vente d'écoulement	Liquidation
versatile	Un employé versatile	Doué d'une grande faculté d'adaptation
	Un outil versatile	À tout faire, à usages multiples, universel
voir à	La secrétaire voit au courrier	S'occuper de, être chargé de
vote	Prendre le vote	Voter, procéder au vote, mettre aux voix
voûte	Les titres des clients sont gardés dans la voûte	Chambre forte

EXERCICES DE RÉVISION ET DE COMPRÉHENSION

L'art d'écrire

Commentez cette opinion : «Il écrit correctement, mais il n'a pas de style.»

Règles de bon style

1. Comment peut-on savoir qu'un mot appartient à la langue familière, populaire ou argotique?
2. On a dit qu'il n'y a pas, à proprement parler, de synonymes en français. Recherchez les synonymes du mot «rétribution» et montrez, par une brève définition, qu'ils ne sont pas interchangeables.
3. Les mots «quasi» et «presque» sont considérés comme synonymes. Quelle nuance les distingue?
4. Recherchez dans *le Bourgeois gentilhomme* de Molière le passage où il est question de l'ordre des mots. Quelles sont les variations qui vous paraissent possibles et celles qui ne le sont pas?
5. La place de l'adjectif (avant ou après le substantif) peut : 1° être imposée par la langue, 2° changer le sens, 3° créer un effet stylistique. Donnez un exemple de ces trois cas.

6. Le paragraphe 2.5.1 contient un exemple de phrase confuse. Rédigez correctement cette phrase en tenant compte des indications données.

7. Quel est le rôle des charnières?

Fautes de style

1. Qu'est-ce qu'un barbarisme, un solécisme? Donnez quelques exemples.

2. Quelle est la faute commise dans cette phrase : «Lorsque la secrétaire aura lu la note, jetez-la au panier »?

3. Quelle est la règle concernant le sujet des propositions participiales et infinitives?

4. Pourquoi l'expression «Il n'y avait pas personne» est-elle un contresens?

5. Dans quels cas écrit-on *aucun* au pluriel?

6. Qu'est-ce qu'un pléonasme? Donnez des exemples.

7. Comment peut-on éviter les répétitions de mots?

8. Quel est le rôle des néologismes dans la langue? Quels critères appliquer à leur emploi?

9. Notez quelques mots «prestigieux» que vous avez relevés récemment.

10. Quels sont les différents types d'anglicismes? Donnez un exemple de chacun.

BIBLIOGRAPHIE

Style et bon usage

BALLY, Charles, *Traité de stylistique française,* 2 vol., Paris, Klincksieck, 1951.

COLLINS, J.-P., *Nouveau dictionnaire des difficultés du français,* Paris, Hachette, 1970.

COURAULT, M., *Manuel pratique de l'art d'écrire,* Paris, Hachette, 1957.

CRESSOT, Marcel, *Le style et ses techniques,* Paris, Presses universitaires de France, 1963.

DIDIER, Marcel et Alexandre BORROT, *Bodico, Dictionnaire du français sans faute,* Paris, Bordas, 1970.

DUBUC, Robert, *Objectif : 200, 200 fautes de langage à corriger,* Montréal, Leméac et Ici Radio-Canada, 1971.

DUPRÉ, P., *Encyclopédie du bon français dans l'usage contemporain,* 3 vol., Paris, Trévise, 1976.

FEUGÈRE, Fernand, *Savez-vous ce que vous dites?,* Paris, Flammarion, 1963.

GEORGION, René, *Le code du bon langage,* Paris, Éditions sociales françaises, 1960. *Les secrets du style,* Paris, Éditions sociales françaises, 1961. *L'inflation du style,* Paris, Éditions sociales françaises, 1963.

GRACE, Gérard de, *Petit guide grammatical pour secrétaires et rédacteurs,* Montréal, Fides, 1973.

GREVISSE, Maurice, *Problèmes de langage,* Paris, Presses universitaires de France, 1963.

LASSERRE, E., *Est-ce à ou de?,* I : *Répertoire,* II : *Exercices,* Lausanne, Librairie Payot, 1959-1960.

LAURIN, Jacques, *Améliorez votre français,* Montréal, Éd. de l'Homme, 1973.

MAROUZEAU, J., *Précis de stylistique française,* Paris, Masson et Cⁱᵉ, 1963.

QUENEAU, Raymond, *Exercices de style,* nouv. éd., Paris, Gallimard, 1975.

RAT, Maurice, *Parlez français,* Paris, Garnier, 1965.

REBOUX, P., *Petits secrets de l'art d'écrire,* Avignon, Aubanel, 1961.

RICHAUDEAU, F., *Le langage efficace,* Paris, Denoël, 1973.

RICHAUDEAU, F., *La lisibilité : langage, typographie, signe . . . lecture,* Paris, Denoël, 1973.

SAINDERICHIN, S., *Écrire pour être lu,* (Col. CAP), Paris, Entreprise moderne d'édition, 1975.

THOMAS, Adolphe V., *Dictionnaire des difficultés de la langue française,* Paris, Larousse, 1956.

Anglicismes

BARBEAU, Victor, *Le français du Canada,* Montréal, Publications de l'Académie Canadienne-française, 1963.

COLPRON, Gilles, *Les anglicismes au Québec,* Montréal, Beauchemin, 1970.

COMITÉ DE LINGUISTIQUE DE RADIO-CANADA, *C'est-à-dire* et fiches, Montréal, 1960.

DAGENAIS, Gérard, *Dictionnaire des difficultés de la langue française au Canada,* Montréal, Pedagogia, 1967.

DARBELNET, J., *Regards sur le français actuel,* Montréal, Beauchemin, 1963.

DAVIAULT, Pierre, *Langage et traduction,* Ottawa, Imprimeur de la Reine, 1961.

DE CHANTAL, René, *Chronique de français,* Ottawa, Université d'Ottawa, 1961.

DULONG, Gaston, *Dictionnaire correctif du français au Canada,* Québec, Presses de l'Université Laval, 1968.

ÉTIEMBLE, René, *Parlez-vous franglais?,* Paris, Gallimard, 1964.

LAURIN, Jacques, *Corrigeons nos anglicismes,* Montréal, Sogides, 1975.

MORIN, A.-J., *La préposition en français et en anglais,* Rigaud, Collège Bourget, 1961.

SAVOIE, Ronald, *À joual sur les mots,* Montréal, Éd. du Jour, 1963.

TURENNE, Augustin, *Petit dictionnaire du «joual» au français,* Montréal, Éd. de l'Homme, 1962.

VINAY, J.-P. et J. DARBELNET, *Stylistique comparée du français et de l'anglais,* Montréal, Beauchemin, 1958.

Chapitre VII
La langue des affaires

Le secret du succès, c'est la faculté de se mettre à la place de l'autre et de considérer les choses de son point de vue autant que du nôtre.

Henry FORD

Si les hommes comprenaient mieux les dangers que comporte l'emploi de certains mots, les dictionnaires, aux devantures des librairies, seraient enveloppés d'une bande rouge : «Explosifs. À manier avec soin.»

André MAUROIS

SECTION 1

Le style commercial

1.1 LANGUE ET STYLE

Il n'y a pas, à proprement parler, de «langue commerciale». La langue de l'homme d'affaires étant essentiellement un moyen de communication et d'action, il importe qu'elle soit comprise de tout le monde, c'est-à-dire qu'elle s'écarte le moins possible de la langue commune. C'est pourquoi les règles de style indiquées dans les pages précédentes s'appliquent aussi bien au présent chapitre, consacré à la communication commerciale.

S'il n'y a pas de langue commerciale, il existe par contre un *style commercial* dont nous allons étudier les principales caractéristiques. Nous avons vu que le style était, entre autres choses, la spécialisation du langage. La diplomatie, l'administration et en général toutes les formes d'activité ont leur style propre qui les personnalise et en même temps correspond à leurs fonctions spécifiques. De la même façon, le style commercial reflète la psychologie et les objectifs de la communication commerciale, facteurs importants sur lesquels nous allons revenir.

Par «style commercial», nous entendons ici le style propre au commerce, à la finance et à l'économie. Il est nécessaire de considérer à part une autre branche connexe: la publicité. En effet, celle-ci s'est créé un mode d'expression qui constitue véritablement une langue distincte, caractérisée par de nombreuses licences et la grande variété des moyens stylistiques mis en oeuvre.

Une étude de cette langue déborderait le cadre de notre ouvrage. Nous aurons néanmoins l'occasion d'indiquer les grands principes de la rédaction publicitaire dans le cours du chapitre suivant et, à ceux et celles qui se destinent à une carrière dans la publicité, nous recommandons la lecture du traité exhaustif de Marcel Galliot, *Essai sur la langue de la réclame contemporaine* (voir Bibliographie).

1.2 CARACTÉRISTIQUES DU STYLE COMMERCIAL

Le style commercial se caractérise par une terminologie spécialisée, des constructions elliptiques, l'emploi fréquent d'abréviations, des phrases simples et dépouillées. Ce sont ces particularités que nous allons brièvement passer en revue.

1.2.1   Vocabulaire

Chaque corps de métier utilise des outils conçus spécialement en vue de travaux bien déterminés; la première tâche d'un ouvrier est d'apprendre le nom et l'utilisation de ces différents outils. Il en est de même pour la langue : chaque forme d'activité a son vocabulaire spécialisé, et la connaissance de celui-ci fait partie de la formation professionnelle. Le vocabulaire commercial, à la différence de la terminologie technique, a l'avantage d'être assez bien connu de tout le monde : la vie quotidienne et les moyens d'information nous ont familiarisés avec des mots tels que *débit, facturation, plus-value, rentabilité, échéance, conjoncture.* Encore faut-il en connaître le sens exact pour pouvoir les employer à bon escient.

Nous vous conseillons d'enrichir régulièrement votre vocabulaire par la lecture des journaux, revues professionnelles, et autres publications. N'oubliez pas que vos lectures ne seront utiles que si vous vérifiez dans le dictionnaire le sens des mots que vous ne connaissez pas.

Voici, à titre d'exemple, quelques termes propres au commerce, à la finance et à l'économie :

commerce : acquit, aval, bordereau, connaissement, écoulé, fret, justificatif, solder.

finance : agio, amortissement, baissier, capitalisation, courtage, liquidité, obligataire.

économie : déflation, économétrie, embargo, épargnant, libre-échange, régression, sous-emploi, surproduction.

1.2.2   Syntaxe

L'homme d'affaires est avant tout pratique; il se soucie du rendement. Cette préoccupation se retrouve dans son style, qui est direct, concis, dépouillé de tout ornement inutile. On ne doit donc pas être surpris de trouver dans la langue des affaires des ellipses, des raccourcis, des juxtapositions qui seraient difficilement acceptables dans la langue littéraire. En voici quelques exemples :

Dès réception de votre commande.
Selon bordereau ci-joint.
Catalogue sur demande.
Comme suite à votre lettre.
Les articles commandés, dont détail sur votre facture.
Prix choc, zone dollar, étalon or.
Compte clients, service Publicité, accessoires aluminium.

La phrase commerciale dénote le même souci de concision; elle est généralement courte et simple, par opposition à la phrase administrative, longue et complexe. Pas de phrases à tiroirs, de cascades de conjonctions ou de relatifs, de longues incidentes : on les évite en les remplaçant par un point. Les phrases elles-mêmes sont agencées en courts alinéas, correspondant chacun à une idée ou à un élément de l'argumentation.

1.2.3   Sigles et abréviations

On connaît le proverbe «Le temps, c'est de l'argent». L'homme d'affaires du XXe siècle est pressé, et son mode d'expression suit le rythme de son activité. D'autre part, les structures du commerce se sont compliquées, des organismes de tout genre ont fait leur apparition — offices internationaux, services gouvernementaux, syndicats, associations —, et il est devenu nécessaire de les désigner sous une forme abrégée : le sigle. Enfin, l'utilisation croissante du télégraphe, du télex, des ordinateurs, a favorisé l'usage du «style télégraphique» et des abréviations.

La langue des affaires, plus que toute autre peut-être, se sert abondamment de sigles et d'abréviations. Nous en avons fait l'étude au chapitre III et donné une liste en annexe; rappelons simplement qu'on ne doit pas abuser des abréviations ni utiliser celles qui risquent de ne pas être comprises du destinataire.

SECTION 2

Importance et but
de la communication commerciale

2.1 L'ART DE COMMUNIQUER

La communication joue de toute évidence un rôle essentiel dans les rapports humains, et de nombreux conflits entre individus ou collectivités ont pour origine un manque ou une erreur de communication. C'est pourquoi l'amélioration des communications entre les hommes est devenue l'un des grands problèmes de notre époque, en même temps que se développent les moyens de communiquer, du télex au satellite.

Une entreprise peut fonctionner sans usine, sans magasin, sans intermédiaires (c'est le cas, par exemple, des maisons de vente par correspondance); elle ne peut exister sans communication avec son personnel et ses clients. De fait, on estime que 85 pour cent des affaires sont traitées par correspondance. Mais communiquer ne suffit pas; également importante est la *qualité* de la communication. Un télégramme équivoque risque de causer un fâcheux contretemps, entraînant une perte de temps et d'argent; une note de service maladroite peut indisposer le personnel; un communiqué écrit en franglais provoque immanquablement une réaction défavorable chez la plupart des lecteurs. Par contre, un texte publicitaire original peut assurer à lui seul le lancement d'un nouveau produit; une lettre bien rédigée est un excellent agent de relations publiques, car très souvent le client ne connaît son fournisseur que par les lettres qu'il en reçoit. En résumé, de la qualité de la communication dépendent pour beaucoup le succès de l'entreprise et son «image» auprès du public.

Il est compréhensible qu'une entreprise ne tienne pas à engager une standardiste ou un correspondancier qui, par un mot mal choisi ou un ton désobligeant, risque de compromettre l'action conjuguée des services de publicité et de relations publiques. C'est pourquoi la rédaction de la demande d'emploi et l'impression faite à l'entrevue jouent un rôle important dans l'engagement d'un candidat à une carrière commerciale.

2.2 COMMUNICATION = ACTION

Pour être efficace, la communication doit avoir un but défini. Selon l'objectif visé — informer, persuader, critiquer, procurer un plaisir esthétique —, les moyens d'expression employés pour l'atteindre seront différents. Il est donc essentiel de préciser le but de la communication commerciale.

Si nous passons en revue les différents écrits commerciaux, nous constatons qu'on peut les ranger en trois grandes catégories : ceux qui informent, ceux qui transmettent des directives, ceux qui visent à provoquer une décision. En poursuivant notre analyse, nous arrivons à une autre constatation : la plupart des écrits qui informent (par exemple, une circulaire ou un communiqué annonçant un nouveau produit ou service) ne communiquent pas une information gratuite, ayant pour seule fin de renseigner le public, mais une information orientée vers un résultat (on fait connaître un produit dans l'espoir de le vendre); d'autre part, les écrits qui transmettent des directives ne sont efficaces que si ces directives sont appliquées, c'est-à-dire aboutissent aussi à un résultat; enfin, il va sans dire que les écrits qui visent à provoquer une décision n'atteignent leur objectif que si la décision est effectivement prise. On peut donc conclure que toutes les formes de communication commerciale ont un but commun : provoquer une réaction favorable chez le destinataire en vue de l'inciter à agir.

Nous connaissons maintenant le mécanisme de la communication commerciale; il ne reste plus qu'à lui trouver un «moteur». Qu'il s'agisse de vendre un produit, de faire accepter une décision, d'enlever l'adhésion d'un auditoire ou d'obtenir une réponse favorable à une demande d'emploi, il faut toujours *convaincre, persuader.* Nous étudierons plus loin les différents moyens de persuasion; précisons tout de suite qu'ils mettent en jeu le fond et la forme de la communication, en ajoutant que ce qu'on dit et la façon dont on le dit sont parfois deux choses également importantes.

Pour résumer, on peut schématiser le processus de la communication commerciale de la façon suivante :

INFORMATION
DÉCISION VISÉE } + PERSUASION = RÉACTION FAVORABLE → ACTE
DIRECTIVES

2.3 MESURE DU RENDEMENT

Le but de la communication commerciale étant d'obtenir un résultat, il est relativement facile d'en mesurer l'efficacité. Si une annonce publicitaire contribue à faire augmenter le chiffre des ventes, si une lettre de recouvrement provoque le règlement d'un compte en souffrance, si l'invitation au lancement d'un nouveau produit attire une nombreuse assistance, c'est que la communication était efficace.

À notre époque de sondages et de statistiques, on pourrait mesurer de façon très précise le «rendement» d'une communication. L'expérience a été tentée aux États-Unis pour les couleurs; les résultats obtenus laissent songeur, comme en témoignent ces exemples : en changeant la couleur de ses paquets de cigarettes, un fabricant augmente ses ventes de 1 000%; les articles illustrés en couleur dans un catalogue se vendent mieux que les articles en noir et blanc; les hommes préfèrent les couleurs tranchées tandis que les femmes ont une préférence marquée pour les teintes pastel. En remplaçant les couleurs par des mots, on arriverait sans doute à des constatations aussi étonnantes : on sait déjà que les fabricants de bière, de cigarettes, d'automobiles attachent une grande importance au nom de leurs produits et qu'ils font des sondages auprès du public avant d'arrêter leur choix. Ces faits mettent en relief un élément essentiel de la communication commerciale : *la psychologie.*

SECTION 3

Psychologie de la communication commerciale

3.1 COMMUNICATION ET RELATIONS HUMAINES

La communication est à la base de nos rapports avec nos semblables, et l'harmonie de ces rapports dépend en grande partie de notre aptitude à communiquer. La première condition est donc de connaître l'instrument qui nous permet de communiquer : la langue; c'est ce que nous avons fait dans les chapitres précédents. Mais nous venons de voir que le principal but de la communication commerciale était de convaincre; en effet, si le commerce consiste essentiellement à vendre des marchandises et des services, c'est-à-dire des choses, ce sont des personnes qui les vendent, les achètent, les utilisent. La deuxième condition d'une communication efficace est donc la connaissance de l'homme.

Il est reconnu qu'un bon vendeur est avant tout un fin psychologue, que la psychologie joue un rôle essentiel en publicité et qu'elle est également importante dans le maintien de bons rapports entre une entreprise, son personnel et sa clientèle. Il en résulte que toute communication commerciale, écrite ou orale, doit tenir compte du facteur humain et que l'art de communiquer suppose la connaissance de certains principes de psychologie appliquée. Cette connaissance peut s'acquérir par l'observation : c'est en observant le comportement de ceux qui nous entourent que nous apprenons à les connaître et à prévoir leurs réactions; elle peut s'acquérir aussi par la lecture et des études spécialisées, formation indispensable dans le cas des rédacteurs publicitaires. Mais dans la plupart des circonstances, le bon sens et l'application de quelques principes élémentaires de psychologie vous permettront de rédiger un texte commercial de qualité. Les conseils qui suivent ne visent qu'à faciliter votre tâche.

3.2   SAVOIR PERSUADER

Nous avons dit que le «moteur» de la communication commerciale était la persuasion. Il peut être utile d'apporter quelques précisions. Que vous écriviez une circulaire offrant un nouveau service ou que vous répondiez à une lettre de réclamation, votre but est de convaincre votre correspondant. Or, convaincre ce n'est pas imposer son point de vue, mais réussir à le faire partager. Comment y parvenir ? Tout d'abord, en apportant des arguments convaincants, fondés sur des faits plutôt que sur votre opinion personnelle; c'est là «le fond» de la communication : vous faites appel à l'intelligence et au jugement de votre correspondant en portant des faits à sa connaissance. Mais, en communication écrite, on juge souvent le fond d'après la forme, tout comme en communication orale la façon de se présenter, le timbre de voix, les gestes peuvent influer fortement sur un interlocuteur. Ce sont là des réactions d'ordre psychologique, et elles peuvent être suscitées par une quantité de facteurs : présentation matérielle de la lettre, ton adopté, qualité du style. Votre but étant de faire accepter votre point de vue, vous devez mettre tout en oeuvre pour que votre communication reçoive un accueil sympathique de la part du destinataire. Le succès de la communication dépend en dernière analyse de la réaction du destinataire; prévoir cette réaction, savoir la rendre favorable, c'est tout simplement faire preuve d'un peu de psychologie.

3.3   LES FACTEURS PSYCHOLOGIQUES

3.3.1   Attitude et style

Le style reflète notre personnalité, et en communication commerciale nous devons rechercher le style personnel, car il convient aux relations humaines. Mais le style peut aussi trahir notre état d'esprit, notre humeur au moment où nous écrivons : manque d'intérêt, impatience, colère, mépris. Consciemment ou non, nous risquons alors d'indisposer le correspondant, et donc de compromettre le succès de la communication.

Si votre travail ne vous intéresse pas, si vous vous souciez peu de l'opinion des autres, il est probable que vous n'aurez pas l'attitude voulue pour rédiger un bon texte commercial. Vos communications n'auront aucune efficacité, elles pourront même avoir un effet négatif: votre entreprise perdra des clients, et vous, vous perdrez votre emploi . . .

Avant d'écrire un texte commercial, vous devez toujours vous rappeler le but visé : favoriser les rapports avec tous ceux qui font vivre l'entreprise — personnel, clients, fournisseurs — et convaincre vos correspondants. Pour cela, il vous faut faire preuve de tact, de compréhension, de courtoisie. Ce n'est pas toujours facile . . . Vous aurez à répondre aux lettres de clients trop exigeants, à relancer de mauvais payeurs, à fournir des réponses à des questions saugrenues : montrez-vous patient, restez maître de vos sentiments; vous ne gagneriez rien en manifestant votre mauvaise humeur, même si elle est justifiée. Adoptez plutôt une attitude positive : gardez l'initiative, proposez des solutions, faites partager votre conviction.

Dans toutes les situations, le plus sûr moyen d'avoir la bonne attitude est de suivre la règle d'or de la communication commerciale : se mettre à la place du destinataire.

3.3.2   Importance du destinataire

Puisque c'est la réaction du destinataire qui détermine le succès de la communication, un bon principe est de se substituer à lui et de se poser la question : «Si j'étais à sa place, quelle serait ma réaction?». Voici quelques applications pratiques qui découlent de ce procédé de substitution.

1.   *«Nous» et «vous»*

Nous avons une tendance bien naturelle à penser que ce qui *nous* intéresse devrait aussi intéresser les autres, d'où le danger de ne considérer que *notre* point de vue et d'écrire «nous estimons, nous savons, nous vous enverrons», etc. Or, ce qui intéresse un client, ce n'est pas ce que vous pensez de l'article ou du service que vous lui offrez, mais les avantages qu'il pourrait en retirer. Appliquons le procédé de substitution : vous n'êtes plus le vendeur ou le patron, mais l'acheteur ou l'employé. Le point de vue change automatiquement, et tout naturellement vous êtes amené à écrire «vous conviendrez, vous savez certainement, vous recevrez», etc. Dans un bon texte commercial, on doit compter plus de «vous» et de «votre» que de «nous» et de «notre».

2.   *Savoir demander*

Lorsque vous devez demander à quelqu'un d'agir, ce qui arrive souvent en communication commerciale, mettez-vous à la place du correspondant ou de l'interlocuteur. Comment réagiriez-vous si on vous écrivait : «Vous êtes prié d'arriver à l'heure» ou si on vous disait : «Allez me chercher le dossier»? N'oubliez pas que, pour être efficace, la communication doit susciter une réaction favorable; or, on obtient rarement quelque chose en l'exigeant. Écrivez : «Nous comptons sur vous pour arriver à l'heure» (vous ne donnez plus un ordre, vous faites confiance à votre correspondant); dites : «Voulez-vous m'apporter le dossier?» (vous n'exigez plus, vous posez une question).

3.   *Pas d'accusations*

Il peut arriver à tout le monde de se tromper; une erreur n'est pas un crime. Évitez donc les accusations : elles nuisent aux bonnes relations et risquent de se retourner contre vous si par hasard elles n'étaient pas fondées. Ne dites pas : «Vous avez tort», «Votre calcul est faux», «Vous ne savez pas répondre aux clients». Au lieu d'indisposer votre interlocuteur, profitez de son erreur pour lui montrer que vous vous intéressez à ce qu'il fait, montrez-vous compréhensif. Vous obtiendrez de meilleurs résultats (votre communication sera efficace) en employant d'autres formules : «Voulez-vous m'expliquer votre point de vue?», «Nos chiffres ne concordent pas avec les vôtres», «Ce client n'était pas facile à satisfaire; peut-être auriez-vous dû lui proposer un autre article».

4. *Savoir dire non*

Il est toujours facile d'accepter une demande, il est plus difficile de la refuser tout en maintenant de bonnes relations. Ne vous contentez jamais d'un refus catégorique, sans explications; évitez aussi les arguments massue, à l'emporte-pièce. Au contraire, donnez les raisons qui justifient votre refus, en vous plaçant toujours du point de vue du destinataire. Au lieu de dire à un candidat «Nous ne pouvons vous engager parce que vous n'êtes pas compétent», montrez-lui que le poste offert ne lui permettrait pas de faire valoir ses aptitudes, qu'il est dans son intérêt de chercher un emploi qui lui conviendrait mieux. Chaque fois que vous devez exprimer un refus, demandez-vous : «Est-ce que ma réponse me permettra de rester en bons termes avec le destinataire?». Dans certains cas, ce ne sera pas possible, mais ces cas devraient être l'exception.

5. *Respect du destinataire*

N'oubliez pas que vous traitez avec des personnes; certaines n'ont peut-être pas votre niveau d'instruction, d'autres ont pu se révéler «peu commodes» ou même impolies. Qu'importe, toutes ont droit à votre respect, et on peut être courtois sans se montrer obséquieux. Évitez de manifester de la condescendance, de faire sentir à votre correspondant qu'il n'est pas très instruit : vous ne réussiriez qu'à le blesser et ce serait un client irrémédiablement perdu. Sous prétexte de se mettre à la portée des gens, il ne faut pas tomber dans l'excès contraire et écrire comme si l'on s'adressait à des enfants ou à des esprits primaires. Rappelons à cet égard que notre vocabulaire passif (mots que nous comprenons) est beaucoup plus étendu que notre vocabulaire actif (mots que nous utilisons). Il n'est heureusement pas nécessaire d'être écrivain pour lire et comprendre des oeuvres littéraires, et c'est avoir une piètre opinion de ses correspondants que de les croire incapables de comprendre un texte correctement rédigé.

6. *Attitude positive*

Vous connaissez sans doute l'histoire des deux ivrognes qui voyaient baisser le niveau de leur bouteille. L'un dit : «Elle est déjà à moitié vide»; l'autre réplique : «Non, elle est encore à moitié pleine». Le premier avait une attitude négative; le second, une attitude positive! Transposons en communication commerciale. Vous écrivez à un client : «Nous ne pouvons vous livrer cet article qu'en deux couleurs: vert et rouge». Quelle est sa réaction? «Deux couleurs seulement!». Si vous lui dites par contre «Vous avez le choix entre deux couleurs», votre attitude est positive et la réaction du client le sera également. Le message est le même, seule l'attitude psychologique a changé.

Voici quelques erreurs de formules négatives à éviter : *la livraison ne se fera que dans huit jours; le mauvais état de nos marchandises; vous n'êtes pas satisfait; nous ne pouvons faire mieux; votre erreur.*

7. *Application pratique*

Travaillant dans une maison de vente par correspondance, vous recevez une lettre d'une cliente insatisfaite : le train électrique qu'elle a acheté pour son fils de cinq ans «ne marche pas», «c'est de la camelote»; elle demande que vous repreniez le train et lui en remboursiez le prix ($19,95).

En dépit du dicton «Le client a toujours raison», vous estimez que la cliente a tort : son fils est trop jeune pour savoir monter et faire fonctionner le train. D'autre part, votre maison ne reprend pas les articles vendus, sauf en cas de malfaçon ou de bris. Si vous répondez en montrant votre impatience et en adoptant le même ton que la cliente, voici ce que vous écrirez sans doute :

Madame,

Vous vous plaignez dans votre lettre de la mauvaise qualité du train que nous vous avons vendu, prétendant que c'est de la «camelote». Vous semblez oublier que ce train ne vous a coûté que $19,95: à ce prix, vous n'espériez tout de même pas obtenir un jouet de luxe! Si en plus vous avez laissé votre enfant jouer avec son train comme si c'était un jeu de construction, vous devriez être assez intelligente pour savoir que . . .

Inutile d'aller plus loin, votre correspondante ne vous lit plus! Vous avez accumulé tous les «impairs» possibles : mots blessants, allusions désobligeantes, mauvais argument. La cliente sait maintenant que votre maison n'est pas sérieuse et elle évitera à l'avenir de commander chez vous. Est-ce la réaction que vous désiriez susciter?

Recommençons à zéro, cette fois en adoptant une attitude positive et en faisant preuve d'un peu plus de psychologie.

Madame,

Nous vous remercions de nous avoir écrit au sujet du train électrique que vous avez acheté à votre fils. Nous nous efforçons toujours de donner satisfaction à notre clientèle et nous aimerions vous compter parmi les nombreuses personnes qui nous renouvellent régulièrement leur confiance.

Les jouets que nous vendons ont tous été essayés et mis entre les mains d'enfants avant d'être inscrits à notre catalogue. Vous pouvez donc être assurée qu'ils sont d'une qualité éprouvée, quel que soit leur prix. Mais vous savez certainement qu'un train électrique n'est pas un jouet ordinaire : son montage et son fonctionnement nécessitent souvent l'aide des parents. Votre mari sera certainement très heureux de «donner un coup de main» à son fils (la notice d'instructions se trouve dans la pochette en plastique fixée au couvercle de la boîte).

Si toutefois vous estimiez qu'un train d'une qualité supérieure conviendrait mieux à votre enfant, nous vous recommandons le modèle «Flèche d'or» qui est illustré à la page 1234 de notre catalogue.

Veuillez agréer, Madame, etc.

SECTION 4

Qualités d'une communication efficace

L'éventail des textes commerciaux que vous serez appelé à rédiger est très large; il va de la lettre d'affaires au rapport en passant par la note de service, le télégramme, le procès-verbal et la demande d'emploi. Chacune de ces formes de communication a un rôle bien défini à jouer et doit se conformer à des normes d'efficacité qui lui sont propres. C'est pourquoi nous les étudierons séparément et plus en détail dans les chapitres qui suivent. Arrêtons-nous pour le moment à quelques principes généraux qui s'appliquent à toutes les communications commerciales.

4.1 PRÉSENTATION MATÉRIELLE

Avant même de commencer la lecture d'une lettre ou d'un rapport, son destinataire a déjà éprouvé une première impression, favorable ou défavorable, produite par la qualité et la couleur du papier, son format, l'en-tête, les caractères dactylographiques, la disposition du texte. Étant donné qu'une communication efficace doit susciter un accueil sympathique, il est important que cette première impression soit bonne.

Dans le cas d'une lettre d'affaires, il est probable que l'entreprise pour laquelle vous travaillerez aura déjà choisi le papier, son format et l'en-tête. Les maisons d'affaires attachent généralement une grande importance à ces questions, car la lettre est un bon moyen publicitaire. Votre effort devra donc porter sur la présentation dactylographique — cadrage du texte, marges, paragraphes — et sur la propreté : pas de papier froissé, de ratures, de traces de doigts. Pour la plupart des autres textes commerciaux, vous aurez plus de latitude et vous devrez rechercher une présentation qui plaise à l'oeil.

Sans attendre d'entreprendre votre carrière professionnelle, vous pouvez vérifier l'importance psychologique d'une bonne présentation : demandez à votre professeur comment il réagit devant une copie difficilement lisible, raturée, sans paragraphes. Il vous dira sans doute qu'à valeur égale il accorde — consciemment ou non — quelques points supplémentaires à une copie bien présentée. Le lecteur d'un texte commercial ne réagit pas autrement.

4.2 ORDRE ET LOGIQUE

Avant d'écrire ou de dicter une lettre, il est essentiel de savoir ce que l'on va dire. Cela semble évident; pourtant beaucoup de personnes rédigent ou dictent «au fil des idées». Inévitablement, elles se répètent, oublient des éléments importants, s'expriment sans suite logique. En voulant gagner quelques secondes, elles perdent des minutes à rédiger une lettre inutilement longue et font également perdre un temps précieux à la dactylo et au destinataire. Au bout de l'année, ces minutes perdues sont devenues des heures . . .

Un bon moyen de composer avec logique consiste à se poser deux questions. En premier lieu, «de quoi s'agit-il?» : quels sont les renseignements que demande mon correspondant, quel est le message que je veux communiquer? Les réponses à cette question vous fournissent le fond de la communication. Vous pouvez alors noter, par écrit ou mentalement, les points essentiels que vous aurez à développer. En second lieu, demandez-vous «dans quel ordre dois-je procéder?», c'est-à-dire quel doit être le déroulement logique de la communication pour qu'elle soit claire et efficace. Vous reprenez alors les points essentiels que vous avez notés, en les numérotant d'après l'ordre où ils figureront dans le développement. Si vous répondez à une demande de renseignements ou à une lettre de réclamation, vous pouvez très bien noter et numéroter les éléments de votre réponse sur la lettre reçue de votre correspondant (voir page 236).

Lorsqu'on n'a pas d'expérience dans la rédaction des lettres, il est préférable de mettre sur le papier un plan détaillé et même, dans certains cas, de rédiger un brouillon. Par la suite, on peut se contenter d'un schéma mental. Pour les textes plus élaborés, par exemple un rapport, on a toujours avantage à établir un plan de rédaction.

4.3 CONCISION ET EXACTITUDE

Les personnes qui déposent devant un tribunal jurent de dire «toute la vérité, rien que la vérité». On pourrait transposer cette maxime en l'appliquant à la communication commerciale : dire tout ce qui est nécessaire, rien que ce qui est nécessaire, c'est-à-dire être concis sans être obscur, viser à la brièveté sans omissions.

Une lettre verbeuse indispose le destinataire parce qu'elle lui fait perdre son temps; elle le porte aussi à douter de l'efficacité de l'entreprise avec laquelle il traite. Si vous avez noté le plan de votre développement, il vous sera facile d'exposer chacune de vos idées dans un bref alinéa. Employez des phrases courtes, où chaque mot porte : très souvent, l'emploi du mot propre permet d'éviter une circonlocution (**ex.:** la personne à qui le colis était destiné — le destinataire; l'appareil qui sert à pointer les heures des employés — l'horloge enregistreuse ou l'horodateur; la feuille sur laquelle sont énumérées les pièces du dossier — le bordereau). Les phrases longues, coupées d'incidentes, de mots entre parenthèses, de remarques «en passant» nuisent à la concision. Si vous voulez que le lecteur suive votre raisonnement, de l'entrée en matière à la conclusion, il faut le mener droit au but, sinon vous risquez de le perdre en chemin.

Une autre qualité de la communication efficace est d'être exacte et précise. Un renseignement inexact ou incomplet oblige votre correspondant à vous écrire de nouveau pour demander des précisions, ce qui entraîne une perte de temps pour lui et pour vous. Évitez donc les indications imprécises, telles que «nos prix sont les mêmes que pour votre précédente commande» ou «nous vous enverrons prochainement les articles commandés». Dans un cas, vous obligez votre correspondant à rechercher la facture; dans l'autre, vous le laissez dans le doute sur le délai de livraison. Il en résulte chaque fois des contretemps qui indisposent le client. Pour la même raison, il est essentiel de toujours préciser la date d'une lettre à laquelle vous répondez : n'écrivez pas «conformément à votre dernière lettre» mais «conformément à votre lettre du 20 juin».

Avant d'envoyer une lettre, relisez-la. Vous êtes-vous exprimé claire-ment? Les chiffres sont-ils exacts? Les abréviations sont-elles claires? Portez une attention spéciale à la ponctuation : on oublie souvent de l'indiquer lors-qu'on dicte une lettre.

4.4 STYLE SIMPLE ET DIRECT

La meilleure façon d'exprimer une idée est de le faire avec simplicité. Ce prin-cipe est encore plus vrai en communication commerciale où personne n'a plus le temps de lire les lettres fleuries qui étaient de mise au siècle dernier. Soyons donc de notre époque et oublions les formules désuètes et am-poulées. Vous voulez faire savoir à votre correspondant que vous avez bien reçu sa lettre? Pourquoi lui écrire «Nous avons l'honneur de vous accuser réception de votre honorée du . . .»? Commencez simplement, directement : «En réponse à votre lettre du . . .».

La recherche d'un style simple et direct ne doit pas conduire à tomber dans l'excès contraire. On peut être simple sans se montrer familier, direct sans paraître sec. C'est une question de mesure et de tact. Il faut évidemment respecter les règles élémentaires de la politesse et savoir à l'occasion atténuer par quelques formules de courtoisie l'impression de froideur que pourrait donner une lettre trop brève. N'oubliez pas que la communication commerciale doit favoriser les bons rapports, à l'intérieur et à l'extérieur de l'entreprise.

4.5 NOTE PERSONNELLE

Les maisons de commerce attachent une grande importance aux relations extérieures et n'hésitent pas à dépenser des sommes considérables pour offrir au public une «image» favorable. Les hommes d'affaires qui reçoivent des clients ou des fournisseurs font leur possible pour les accueillir avec cor-dialité et créer un climat de sympathie; les chefs de service recommandent à leur personnel de servir leur clientèle avec le sourire. Pourtant, lorsque ces mêmes personnes rédigent une lettre ou une note de service, elles le font par-fois dans un style impersonnel et froid qui ne favorise guère les relations hu-maines. Le destinataire peut alors se demander si la personne qui lui écrit est bien celle qui l'a reçu si aimablement quelque temps auparavant.

La langue écrite est certes plus rigoureuse que la langue parlée, et un texte écrit ne sourit pas. Mais l'on peut très bien se montrer affable et s'ex-primer de façon personnelle en langue écrite comme en langue parlée. C'est d'ailleurs souvent plus une question de ton que de style.

Au moment de rédiger une lettre ou une note de service, imaginez que le destinataire est devant vous ou que vous lui parlez au téléphone; il est probable que vous écarterez automatiquement les formules guindées, et que vous écrirez d'une façon plus efficace parce que plus personnelle.

---

mf le mobilier fonctionnel
VENTE ET INSTALLATION DE MOBILIER DE BUREAU

413, RUE TRACY, QUÉBEC G1V 1R8 / TÉLÉPHONE 123-5432

Le 12 avril 19--

Établissements Dumont
1835, boul. Décarie
Montréal
H2F 3Y4

Messieurs,

    Notre maison a été choisie pour fournir le mobilier de bureau d'un immeuble administratif actuellement en construction dans la banlieue de Québec. Nous avons lu l'annonce que vous avez fait paraître dans le dernier numéro de la revue "Bâtir", et vos meubles métalliques "Prestige" ont retenu notre attention. Toutefois, avant de vous passer une commande ferme, nous aimerions avoir quelques renseignements complémentaires.

    Si vos conditions nous conviennent, la commande porterait sur un minimum de 250 bureaux métalliques et autant de fauteuils pivotants. Voudriez-vous nous faire savoir quel serait le délai de livraison et quel est votre moyen de transport habituel. Vu l'importance de la commande, est-ce que vous consentiriez une remise sur le prix indiqué et quelles seraient vos conditions de paiement? Nous aimerions enfin recevoir de la documentation illustrée.

    Veuillez agréer, Messieurs, nos sincères salutations.

      Le Directeur commercial,

      Raymond Lavoie

      RAYMOND LAVOIE

RL/sd
P.j.

Handwritten annotations in left margin:

1) 1 mois
Transports
Interurbains
2) 10%
Net 30 jours
3) Joindre dépliants
BM et FP.
Représentant passera
le 19

EXERCICES DE RÉVISION ET DE COMPRÉHENSION

Le style commercial

1. Quelles sont les caractéristiques du style commercial?

2. À l'aide d'exemples relevés dans les journaux et revues, montrez qu'il existe une langue publicitaire.

3. Cherchez dans le dictionnaire le sens des mots donnés en exemples au paragraphe 1.2.1.

Importance et but de la communication commerciale

1. Citez un exemple de slogan ou annonce publicitaire qui a retenu votre attention. Essayez de déterminer les facteurs qui vous ont influencé favorablement.

2. Analysez une communication (lettre, ordre verbal, annonce) qui vous a déplu ou irrité. Pourquoi avez-vous eu une réaction négative?

3. Quel est le mécanisme de la communication commerciale?

Psychologie de la communication commerciale

1. Quel est le rôle de la psychologie en communication commerciale?

2. «L'affirmation, la répétition, le prestige et la contagion constituent les grands facteurs de la persuasion.» Que pensez-vous de cette opinion?

3. Quel est le grand principe de la communication commerciale?

4. Que faut-il dire et ne pas dire lorsqu'on demande quelque chose?

5. Quelle est la différence entre le vocabulaire actif et le vocabulaire passif?

Qualités d'une communication efficace

1. Pourquoi la présentation matérielle d'une lettre est-elle importante?

2. Quelles sont les deux questions que l'on doit se poser avant de rédiger une lettre avec ordre et logique?

3. Faites la critique de cette phrase : «Pour faire suite à votre lettre du mois dernier, nous vous enverrons prochainement les articles commandés.»

4. Quel moyen pratique peut-on employer pour éviter d'écrire des lettres impersonnelles?

BIBLIOGRAPHIE

CHAFFURIN, Louis, *Le parfait secrétaire,* Paris, Larousse, 1954.

CLAUDE, Gaston, *La composition française à l'usage des affaires,* Bruxelles, Éditions comptables, commerciales et financières, s.d.

CRESSON, Bernard, *Introduction au français économique,* Paris, Didier, 1971.

GODAERT, Paul, *Dictionnaire de rédaction,* Louvain, Librairie universitaire, 1965.

MAUGER, G. et J. CHARON, *Le français commercial,* Paris, Larousse, 1958.

SAENGER, E.B. de, *Le français des affaires, économique et commercial,* Paris, Dunod, 1971.

SURLEMONT, Jacques, *La lettre commerciale,* Bruxelles, Baude, s.d.

Chapitre VIII
La correspondance commerciale

Il ne suffit pas pour écrire d'attirer l'attention et de la retenir; il faut encore la satisfaire.

J. JOUBERT

Presque toujours les choses qu'on dit frappent moins que la manière dont on les dit.

VOLTAIRE

SECTION 1

Protocole épistolaire

La lettre est la forme de communication écrite la plus employée dans le monde des affaires. Elle sert à une multitude de fins : offres de services, demandes de renseignements, commandes de marchandises et accusés de réception, réclamations, ouverture de crédit et recouvrement de créances; bref, la lettre joue un rôle essentiel dans toutes les phases de l'activité commerciale. Au cours de votre carrière, vous serez donc appelé à rédiger des lettres, beaucoup de lettres, et de votre aptitude à vous acquitter convenablement de cette tâche dépendront en partie vos chances d'avancement.

Dans la deuxième section de ce chapitre, intitulée «Une lettre pour chaque occasion», nous vous indiquerons comment rédiger les différents genres de lettres commerciales; notre étude portera sur le *corps* de la lettre, c'est-à-dire les éléments essentiels qu'on doit y trouver, selon l'objectif de la communication. Quel que soit cependant le message transmis, la présentation matérielle de la lettre ne varie guère; elle comprend toujours l'adresse de l'expéditeur, la date, le nom et l'adresse du destinataire, une formule de salutation au début et à la fin du message, la signature de l'envoyeur et des mentions diverses. Ces différentes parties et leur disposition suivent un usage établi qu'on appelle le *protocole;* en facilitant le travail de rédaction, puis la lecture et le classement des lettres, le protocole contribue grandement à l'efficacité de la correspondance.

Vous trouverez à la page 244 un modèle de lettre qui vous aidera à mieux situer les différentes parties étudiées : chacune d'elles est identifiée par un numéro qui renvoie au paragraphe correspondant.

1.1   L'EN-TÊTE

L'en-tête est la partie de la lettre où figure la raison sociale de l'entreprise. Il est imprimé en haut du papier à lettre. Outre le nom de la firme, l'en-tête peut comprendre les éléments suivants :

1.   *Le symbole social* — C'est un dessin ou un graphisme qui identifie l'entreprise. Citons comme exemples le symbole CN du Canadien National et la flamme stylisée du Gaz métropolitain (voir modèles d'en-têtes ci-contre).

2. *L'adresse* — L'adresse postale (numéro, rue, ville, province et code postal) est généralement imprimée dans l'en-tête, de même que le numéro de téléphone et l'adresse télégraphique. Étant donné que le destinataire doit savoir où envoyer sa réponse, il est nécessaire de dactylographier l'adresse lorsqu'elle n'est pas imprimée.

3. *Les mentions publicitaires* — On ajoute parfois dans l'en-tête des mentions publicitaires telles que «Tout pour le bureau», «Au service des Canadiens depuis 1875», «La maison du bon goût», «Établissement fondé en 1913», etc., ou encore une énumération des principaux produits fabriqués ou vendus par l'entreprise. Certaines maisons impriment ces mentions au bas du papier à lettre, ce qui évite de surcharger l'en-tête.

4. *Les indications diverses* — Selon le genre d'entreprise, il peut être utile d'imprimer l'adresse des succursales ou bureaux régionaux, les heures d'ouverture, le nom des administrateurs ou associés et autres indications semblables.

En plus de son rôle utilitaire, qui est d'indiquer au correspondant le nom et l'adresse de l'expéditeur, l'en-tête a un rôle publicitaire qu'on ne doit pas négliger. Bien que le destinataire soit avant tout désireux de connaître le contenu de la lettre, il ne peut manquer de jeter un coup d'oeil sur l'en-tête et, consciemment ou non, d'éprouver une première impression pouvant influer sur sa perception de l'entreprise. C'est pourquoi la plupart des maisons d'affaires confient à des spécialistes la réalisation graphique de l'en-tête de leur papier à lettre.

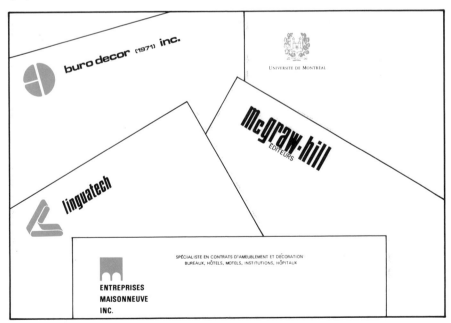

En-têtes de styles différents

①　**ardec inc.**
　　meubles de bureau
　　1616, av. christophe-colomb
　　montréal A1B C2D / 555-1234

④ { V/Référence...
　　V/Lettre du 77-11-10
　　N/Référence COM-28-D

⑩ RECOMMANDE   ② Le 15 septembre 19--

　　Lavallée & Fils Inc.
③ 25, rue de l'Ecole
　　Saint-Jérôme (Qué.)
　　J3Y 4F6

③ A l'attention de Monsieur C. Dupré

　　　　　⑤ Objet: Documentation - Bibliothèques

⑥ Monsieur,

　　　　Nous vous remercions de votre lettre et sommes heureux de vous
　　adresser la documentation demandée.

　　　　En parcourant les dépliants ci-joints, vous constaterez que
　　nous fabriquons une gamme complète de bibliothèques et rayonnages.
　　Il vous sera donc facile de choisir un modèle en fonction de vos
　　besoins.
⑦
　　　　Tous les modèles illustrés sont livrables dans un délai de huit
　　jours, et nous assurons nous-mêmes le transport et l'installation.
　　Nous sommes ainsi en mesure de vous garantir une entière satisfaction.

　　　　Dans l'espoir de vous servir prochainement, nous vous prions
⑧ d'agréer, Monsieur, l'expression de nos sentiments dévoués.

　　　　　　　　　　　　　　　　Le Directeur commercial

　　　　　　　　　　⑨ Jean Lavoie
　　　　　　　　　　　　　　　Jean Lavoie

　　JL/cm
⑩ P.J. 3 dépliants
　　c.c. - Monsieur A. Légaré

Disposition de la lettre : les différentes parties

1. **En-tête**
2. **Date**
3. **Vedette**
4. **Références**
5. **Objet**

6. **Appel**
7. **Corps**
8. **Salutation**
9. **Signature**
10. **Mentions diverses**

1.2   LA DATE

La date est une mention importante dans une lettre d'affaires. Elle facilite le classement du courrier et permet d'indiquer la référence dans la réponse. C'est donc un des éléments de la lettre qu'on ne doit jamais omettre.

La date s'indique dans l'angle supérieur droit de la lettre, à quelques interlignes de l'en-tête. Elle peut être précédée du nom de la ville, mais cette mention n'est nécessaire que s'il y a plusieurs adresses dans l'en-tête (p. ex. : adresse du siège social et de succursales).

Ex. : Le 15 janvier 19—
Montréal, le 15 janvier 19—

Remarques

1.   On doit écrire la date au complet de la façon indiquée ci-dessus, et ne pas employer d'abréviations. (L'abréviation n'est admise que pour les références.)

2.   *Ponctuation* — On place une virgule après le nom de la ville; le point final est facultatif. Lorsqu'on n'indique pas le nom de la ville, la date ne prend aucune ponctuation.

3.   *Majuscules* — Les mois ne prennent jamais de majuscule initiale. La plupart des auteurs recommandent d'écrire sans majuscule l'article qui précède la date, mais l'usage dénote une préférence pour la majuscule.

4.   La formule «Ce 15 janvier 19—» est archaïque et prétentieuse.

5.   Si l'on tient à préciser le jour, ce qui n'est pas l'usage en correspondance commerciale, il faut écrire «le lundi 15 janvier 19—» et non «lundi, le 15 janvier 19—».

1.3   LA VEDETTE

On appelle *vedette* le nom et l'adresse complète du destinataire. Cette mention se place contre la marge gauche, à quelques interlignes au-dessous de la date. C'est du moins l'usage nord-américain et il est recommandé de le suivre; selon l'usage français, la vedette se place à droite, au-dessous de la date. Voici quelques exemples de vedettes:

1) Établissements Dubois Inc.	2) La revue commerciale
193, rue Saint-Pierre	C.P. 1245, succursale F
Mont-Laurier (Québec)	Montréal (Qué.)
J9L 3P4	H3G 2Y9

3) Monsieur J.-P. Desroches   4) Madame R. Lavigueur
    Service des ventes   5633, av. du Parc, app. 2
    Ameublements Modernes Ltée   Montréal (Qué.)
    35, rue Cartier ouest   H2F 7Z8
    Ottawa (Ontario)
    K2P 2H3

5) Ferométal Enr.   6) Mademoiselle Y. Michaud
    Immeuble Laurentien   Secrétaire du Club des
    Bureau 250   consommateurs
    132, rue des Érables   29, boul. de l'Estrie
    Trois-Rivières (Qué.)   Sherbrooke (Qué.)
    G8Z 4M5   J9H 3S6

Remarques

1. On ne met aucune ponctuation à la fin des lignes, sauf le point abréviatif.

2. Les titres de civilité (Monsieur, Madame, Mademoiselle, etc.) ne s'abrègent jamais, mais on peut abréger le prénom du destinataire. Il est contraire à l'usage d'indiquer après le nom les titres honorifiques (distinctions civiles et décorations militaires) et les grades universitaires. Rappelons aussi qu'en français le titre de docteur ne s'indique que pour les médecins, et non pour les autres détenteurs d'un doctorat universitaire.

    Cas particuliers :

    On indique le nom de la personne sur la première ligne, et son titre sur la deuxième.

    Ex. : Monsieur X
        Gouverneur général du Canada
        Juge en chef du Canada
        Premier ministre du Québec
        Ministre des Finances
        Député de Labelle

    Tout en respectant le protocole, il est préférable de ne pas utiliser les titres calqués sur l'usage anglais : Le très honorable (Premiers ministres), L'honorable (ministres, sénateurs), Son Honneur (juges, maires).

Cardinal	Son Éminence le Cardinal X
Évêque	Son Excellence Monseigneur X
Prêtre et religieux	Monsieur le chanoine X; Monsieur l'abbé X; Révérend Père X; Révérende Mère X; Soeur X
Avocat, notaire	Me X.
Médecin	(Monsieur le) Docteur X

3. La désignation du service ou de la fonction officielle du destinataire s'indique à la deuxième ligne (voir exemples 3 et 6 ci-dessus).

4. Le numéro de la rue est suivi d'une virgule. On n'abrège généralement pas le mot *rue*, mais on peut abréger *avenue* (av.) et *boulevard* (boul. ou b^d). L'indication «est» ou «ouest» se place soit après le nom de la rue, sans majuscule et sans ponctuation, soit après le numéro (voir exemple 3).

5. On indique le numéro de l'appartement à la suite du nom de la rue, en faisant précéder d'une virgule l'abréviation *app.* (ou *appt*). S'il s'agit d'un immeuble administratif, on peut préciser *Bureau 250,* mais non «Chambre 250», calque de l'anglais (voir exemples 4 et 5).

6. Lorsque la lettre est adressée à une boîte postale, on fait précéder le numéro de l'abréviation B.P. ou C.P. (case postale) et on indique la succursale postale (voir exemple 2).

7. Le nom du village ou de la ville s'écrit habituellement en minuscules (en majuscules et souligné d'après l'usage français). Il est suivi du nom de la province entre parenthèses.

8. L'indicatif postal, destiné à faciliter l'acheminement du courrier, se place sur la dernière ligne, de préférence sans autre mention (voir exemples 1 à 6). Sur une lettre adressée aux États-Unis, le numéro du secteur postal (appelé *ZIP Code)* s'indique après le nom de l'État (**ex. :** Chicago, Illinois 60624).

9. Lorsque la lettre est adressée à une entreprise et qu'on désire qu'elle soit remise à une personne en particulier, on peut indiquer le nom de cette personne en tête de l'adresse ou bien inscrire, sous la vedette, la mention soulignée À l'attention de Monsieur Untel. (*Compétence de* . . . est une formule correcte mais peu usitée, et «Attention : Monsieur Untel» est un calque de l'anglais.)

   L'abréviation *a/s de* (aux soins de) ne s'emploie que si le destinataire demeure chez un particulier. Lorsqu'on ne connaît pas le destinataire (par exemple dans le cas d'une lettre de recommandation), on écrit sous la vedette la mention *À qui de droit.*

10. Pour les lettres envoyées à l'étranger, on doit respecter l'usage du pays de destination. Le nom du pays s'écrit dans la langue de l'envoyeur.

Monsieur R. Hébert	Smith & Sons,	Herrn K. Zimmer
20, rue Pierre-Curie	25 Drayton Gardens,	Frankfurt/Main
75005 Paris	London SW10 9SD	Heinrichstrasse 32
FRANCE	ANGLETERRE	ALLEMAGNE

1.4   LES RÉFÉRENCES

Les *références* sont les mentions qui facilitent le classement de la correspondance et sa consultation ultérieure. Ces mentions sont parfois imprimées sous l'en-tête, à gauche de la date, et il suffit alors d'ajouter la date de la lettre reçue et les numéros de référence. Dans le cas contraire, on les inscrit au complet à trois interlignes au-dessous de la vedette, de la façon suivante :

V/Référence	V/Lettre du	N/Référence
1237/SC	15 février 19—	A-127/8

Toutes les entreprises n'ont pas un système de classement de la correspondance. On doit donc se conformer à l'usage de la maison en ce qui concerne la mention *N/Référence*. Il faut toujours indiquer dans la réponse la référence du correspondant, que celle-ci soit précédée ou non de l'indication «Référence à rappeler» ou «À rappeler dans la réponse».

Remarques

1. Les chiffres et lettres qui accompagnent les mentions *V/Référence, N/Référence* indiquent habituellement le numéro de la lettre, inscrit au registre de correspondance, et le service d'où elle provient. Ces mentions peuvent s'abréger : V/Réf. ou V/R.

2. La mention *V/Lettre du* . . . évite de commencer la lettre par la formule habituelle «Nous accusons réception de votre lettre du . . .» ou «En réponse à votre lettre du . . .». On peut ainsi entrer dans le vif du sujet dès le premier paragraphe.

1.5   L'OBJET

Cette mention résume l'objet de la lettre et se place au centre, entre les références et la formule d'appel; elle est généralement soulignée.

<u>Objet : Majoration des prix</u>

La mention *Objet* est préférable à *Sujet* et *Concerne*. Quand à l'indication *Re,* employée en correspondance anglaise, on doit la proscrire dans une lettre rédigée en français.

1.6   L'APPEL

L'*appel* est la formule de salutation que l'on place avant le corps de la lettre. Cette formule varie selon la personne à qui l'on s'adresse; elle se met à gauche de la lettre, contre la marge.

Ex. : Messieurs,
        Madame la Directrice,

Remarques

1. L'appel est toujours suivi d'une virgule, jamais de deux points.

2. Lorsqu'on écrit à une entreprise ou association, et non à une personne en particulier, la formule d'appel à employer est *Messieurs* (ou *Mesdames*).

3. En correspondance commerciale, on utilise de plus en plus l'appel *Cher Monsieur,* naguère réservé aux personnes avec lesquelles l'expéditeur

entretenait des relations suivies. La formule *Cher Monsieur Lemay* marque une certaine familiarité, tandis que *Mon cher Monsieur* est incorrect.

4. Si le destinataire a un titre ou exerce une fonction officielle, on l'indique dans l'appel.

    Ex. : Monsieur le Ministre, Monsieur le Maire, Mademoiselle la Directrice, Mon Révérend Père, Éminence (cardinal), Monseigneur (évêque).

5. Lorsqu'on connaît personnellement le destinataire, on peut employer une formule d'appel plus familière.

    Ex. : Monsieur le Président et cher ami,
    Cher collègue et ami,

1.7   LE CORPS DE LA LETTRE

Le *corps de la lettre* contient le message que l'on désire transmettre; c'est donc l'élément essentiel, les autres parties n'étant, outre les formules de salutation, que des accessoires facilitant l'acheminement, la lecture et le classement de la lettre.

Vous avez étudié au chapitre précédent les qualités stylistiques d'une lettre. Dans les pages qui suivent, nous allons passer en revue les différents types de lettres. Il nous suffira donc de rappeler ici que le corps de la lettre comprend généralement trois parties.

1. *L'introduction*
Si vous ne l'avez pas fait dans les mentions de référence (§ 1.4), vous pouvez commencer en rappelant la précédente lettre de votre correspondant.
    En réponse à votre lettre du ...
    Pour faire suite à votre lettre du ...
    Nous vous remercions de votre lettre du ...
    Évitez les formules désuètes et les circonlocutions («Nous accusons réception de votre honorée ...», «Le but de la présente est de vous informer ...», «Nous vous écrivons pour vous dire ...», «Nous avons l'honneur de ...»). Dites simplement :
    Nous avons le plaisir de vous annoncer ...
    Nous sommes heureux de vous informer ...
Mieux encore, abordez directement le sujet de la lettre :
    Notre maison inaugure un nouveau service ...
    Vous trouverez ci-joint un dépliant ...
    La question que vous soulevez dans votre lettre du...

2. *Le développement*
N'oubliez pas d'exposer chaque idée nouvelle dans un paragraphe distinct.

3.   *La conclusion*

Dans une lettre courte et simple, la formule de salutation peut servir de conclusion. On peut également l'introduire par une expression telle que :

Dans l'attente de votre réponse, nous vous prions . . .
Avec nos remerciements, veuillez agréer . . .
Nous espérons que ces renseignements vous seront utiles et . . .

Dans une lettre plus complexe, la conclusion forme un paragraphe à part, avant la formule de salutation. On y résume les arguments invoqués et annonce la décision prise, ou bien on y incite le correspondant à passer à l'action.

Pour ces raisons, nous estimons que . . .
À la lumière de ces faits, nous avons décidé de . . .
Vous désirerez certainement faire l'essai de ce nouvel appareil . . .
Pour recevoir un échantillon, il vous suffit de . . .

1.8   LA SALUTATION

La *salutation* ou *courtoisie* est la formule de politesse qui termine la lettre. Comme l'appel, elle varie selon les rapports hiérarchiques et personnels entre les correspondants. Dans le monde de la diplomatie et de l'administration, ces formules sont fixées par un protocole très strict; les règles sont moins rigides en correspondance commerciale, mais il faut néanmoins se conformer à quelques principes de bon usage que nous allons rappeler.

1.   On doit toujours reprendre l'appel dans la formule de salutation.
     Ex. :
     Appel : Monsieur le Président,
     Salutation : Veuillez agréer, Monsieur le Président, l'expression . . .

2.   Il existe, en correspondance française, un large éventail de formules de salutation: on peut donc faire un choix en fonction du type de communication (lettre ou simple note) et du destinataire (niveau hiérarchique, genre de relations), en ayant la possibilité de personnaliser la salutation comme l'appel. Si les formules traditionnelles sont encore de mise, on observe néanmoins une tendance à la simplification, surtout dans le cas des communications brèves ou impersonnelles (notes, circulaires). Les formules abrégées «Sentiments distingués» ou «Sincères salutations» sont donc acceptables, de préférence à «Votre tout dévoué» (désuet) et «Bien à vous» (familier). Dans les cas particuliers (pape, souverains, personnel diplomatique), il est préférable de consulter un manuel de protocole épistolaire.

3.   On peut exprimer des sentiments, mais non des salutations. Il faut donc se garder d'écrire «Veuillez agréer l'expression de mes salutations distinguées»; il suffit de dire: *Veuillez agréer, Messieurs, mes salutations distinguées.* On doit dire: *Veuillez croire à mes sentiments* (et non en mes sentiments).

4. Attention aux fautes de construction (revoir chap. VI, § 3.2.3). La for-
    mule de salutation ne doit contenir qu'un seul sujet :
    ×   Dans l'attente de votre réponse, veuillez agréer . . .
    →   Dans l'attente de votre réponse, je vous prie d'agréer . . .

5. Selon le respect que l'on désire marquer à son correspondant, on com-
    mence la formule de salutation en observant la gradation suivante :
        Agréez (recevez, croyez)
        Veuillez agréer
        Je vous prie d'agréer

6. Dans le tableau ci-dessous, nous n'avons indiqué que la dernière partie
    de la salutation. Selon la qualité du destinataire, vous choisirez l'une des
    formules de l'alinéa 5, sans oublier de la faire suivre de l'appel, placé en-
    tre virgules.

    Ex. : Agréez, Monsieur, l'assurance de mes meilleurs sentiments. Je vous
            prie d'agréer, Monsieur le Directeur, l'expression de mon respec-
            tueux dévouement.

FORMULES DE SALUTATION

DESTINATAIRE	SALUTATION
Clients, relations d'affaires	. . . mes salutations distinguées. . . . mes meilleures, mes sincères salutations. . . . l'expression / . . . l'assurance — de mes / sentiments — les meilleurs. / dévoués. / distingués.
Supérieur	. . . l'expression — de mon respectueux dévouement. / de mes sentiments respectueux et dévoués. . . . l'assurance — de ma haute considération. / de ma considération la plus distinguée.
Ministre Député	. . . l'assurance de ma très haute considération. . . . l'assurance de mes sentiments les plus distingués.
Ecclésiastique	. . . l'expression / . . . l'hommage — de mes sentiments très respectueux.
Un homme à une femme	. . . mes respectueuses salutations. . . . mes plus respectueux hommages. . . . l'hommage de mon respect.

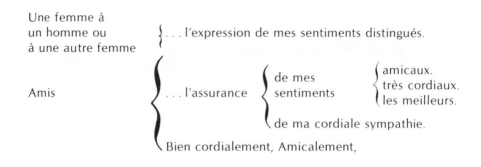

Une femme à
un homme ou   } . . . l'expression de mes sentiments distingués.
à une autre femme

Amis   . . . l'assurance   de mes   amicaux.
                                    sentiments   très cordiaux.
                                                    les meilleurs.

                                    de ma cordiale sympathie.

                Bien cordialement, Amicalement,

1.9   LA SIGNATURE

La *signature* se place à droite, au-dessous de la formule de salutation. Dans une lettre d'affaires, on indique aussi à la machine la fonction et le nom du signataire.

Ex. :

    Service de la Publicité   Le Chef de la Publicité,
       Le Directeur,   (Signature)
        (Signature)   Michel Desbiens
     Michel Desbiens

Remarques

1.   Il semble inutile de dactylographier la raison sociale de l'entreprise, comme cela se pratique en correspondance anglaise, étant donné qu'elle figure déjà dans l'en-tête.

2.   Le nom de la fonction et du service s'écrit avec une majuscule. On place une virgule après l'indication de la fonction.

3.   Si la lettre est signée par un intermédiaire, on inscrit la mention *Pour* devant le nom de la fonction. L'indication «par» devant la signature est un calque de l'anglais.

    Ex. :   Pour le Secrétaire général,
                      (Signature)
                 Claude Lejeune

4.   Dans le cas d'une note de service ou autre communication brève, on peut indiquer le nom du signataire suivi de sa fonction.

    Ex. :   Michel Laplante
                 Chef du personnel

5.   Lorsque le signataire est une femme, il peut être utile de faire précéder son nom de l'abréviation Mme ou Mlle, avec ou sans parenthèses, notamment si le prénom prête à confusion (Claude, Camille...). Les personnes qui préfèrent ne pas préciser leur état matrimonial peuvent ne rien indiquer ou employer le néologisme Madelle (abrév. Mad. ou Md.)

1.10   MENTIONS DIVERSES

Par *mentions diverses* on entend les différentes indications qui peuvent être portées au-dessus de la vedette ou au-dessous de la signature.

En voici la description :

1. *Mentions de caractère ou d'acheminement* — Ces mentions se placent habituellement au-dessus de la vedette, à la même hauteur que la date. Elles sont écrites en majuscules et soulignées.

PERSONNEL   CONFIDENTIEL

PAR AVION   RECOMMANDÉ   PAR EXPRÈS

> *Nota* — On écrit «Personnel», «Confidentiel» et «Recommandé» au masculin parce qu'on sous-entend «courrier» ou «pli». «Exprès» ne doit pas s'écrire ni se prononcer «Express».

2. *Initiales d'identification* — On indique normalement les initiales du signataire, suivies de celles de la dactylo, contre la marge gauche, vis-à-vis de la signature. Il y a plusieurs façons correctes de dactylographier cette mention; la plus courante est la suivante : PV/hm.

3. *Pièces jointes* — Il est recommandé d'inscrire cette mention lorsqu'on annexe des pièces à la lettre; c'est un moyen de s'assurer que les annexes ne seront pas oubliées. La mention se place sous les initiales d'identification; en voici quelques exemples :

2 P.J.   Annexe : Copie du procès-verbal

Pièce jointe   P.j. — 2 relevés de comptes

4. *Copie conforme* — Lorsqu'on adresse des doubles de la lettre à une ou plusieurs personnes, on indique le nom de ces personnes sous les mentions 2 et 3.

c.c. — Monsieur J.-P. Leduc   CC : MM. Y. Larose

Copie : Monsieur J.-P. Leduc   A. Leblanc

Si on ne désire pas que le destinataire de l'original sache à qui les doubles sont envoyés, on indique sur ceux-ci l'abréviation T.C. ou t.c. (transmission confidentielle).

5. *Post-scriptum* — Le post-scriptum est une note brève que l'on ajoute au bas d'une lettre. On doit éviter les post-scriptum qui dénotent un oubli de la part du signataire : mieux vaut recommencer la lettre. Par contre, cette mention est un bon moyen d'attirer l'attention du lecteur sur un point important, en particulier lorsqu'on désire qu'il passe à l'action.

Ex. : Vous désirez que le lecteur vous renvoie une carte-réponse, jointe à la lettre. Pour être sûr qu'il n'oubliera pas, vous pouvez le lui rappeler en post-scriptum :
P.-S. — N'oubliez pas d'envoyer la carte-réponse!

1.11   LA DISPOSITION DACTYLOGRAPHIQUE

Nous avons dit que la présentation matérielle de la lettre était très importante, car d'elle dépendait la première réaction du lecteur. Lorsqu'une entreprise a choisi la qualité et le format du papier, qu'elle a fait composer l'entête imprimé, il ne reste qu'un seul élément de la présentation, mais il n'est pas négligeable : la disposition dactylographique.

Il n'y a pas un seul type de disposition, pas plus qu'il n'existe de règles strictes concernant le nombre d'interlignes à laisser entre chaque partie de la lettre. Les entreprises adoptent généralement un protocole qui leur est propre et qui correspond à leur personnalité. Néanmoins, quelle que soit l'entreprise, le but visé est toujours le même : présenter la lettre d'une façon nette, harmonieuse, qui plaise à l'oeil. Pour atteindre cet équilibre, il faut nécessairement respecter certains principes que nous allons maintenant exposer.

1.11.1   Cadrage

Les différentes parties de la lettre doivent s'inscrire dans un cadre délimité par des espaces blancs, appelés *marges,* sur les quatre côtés. Les marges supérieures et inférieures varient avec la longueur de la lettre, mais on recommande de laisser une marge inférieure d'au moins 3 cm et, de préférence, égale aux marges latérales.

Les marges de droite et de gauche doivent être égales et avoir environ 4 cm de largeur. On doit éviter les fins de lignes en dentelure et aussi les coupures de mots en trop grand nombre. Il suffit pour cela d'arrêter la ligne à quelques espaces avant ou après le début de la marge, en réglant la sonnerie de fin de ligne.

1.11.2   Interlignes

Les différentes parties de la lettre sont généralement dactylographiées à interlignes simples, sauf dans le cas d'une lettre très courte ou d'un alinéa qu'on désire mettre en relief.

La date et, le cas échéant, la mention de caractère ou d'acheminement, se placent sur la ligne supérieure du cadrage (voir modèle p. 255). Vient ensuite la vedette, à quatre (parfois cinq ou six) interlignes de la date, suivie, selon le cas, de la mention À l'attention de à deux interlignes ou des références, à trois interlignes. La mention de l'objet se place à égale distance (deux ou trois interlignes) de la mention précédente et de l'appel. S'il n'y a pas de mention, l'appel s'écrit à trois interlignes au-dessous de la vedette.

Chaque alinéa de la lettre est séparé par un interligne double, de même que la formule de salutation. Le nom de la fonction est dactylographié à deux interlignes au-dessous de la salutation, et on laisse généralement quatre interlignes pour la signature manuscrite avant de taper le nom du signataire.

V/Référence.....

V/Lettre du 77-11-10

N/Référence COM-28-D

ardec inc.
meubles de bureau
1616, av. christophe-colomb
montréal A1B C2D / 555-1234

RECOMMANDE   Le 15 septembre 19--

4

Lavallée & Fils Inc.
25, rue de l'Ecole
Saint-Jérôme (Qué.)
J3Y 4F6
2
A l'attention de Monsieur C. Dupré

2-3
            Objet: Documentation - Bibliothèques
2-3
Monsieur,
2
        Nous vous remercions de votre lettre et sommes heureux de vous
adresser la documentation demandée.
2
        En parcourant les dépliants ci-joints, vous constaterez que
nous fabriquons une gamme complète de bibliothèques et rayonnages.
Il vous sera donc facile de choisir un modèle en fonction de vos
besoins.
2
        Tous les modèles illustrés sont livrables dans un délai de huit
jours, et nous assurons nous-mêmes le transport et l'installation.
Nous sommes ainsi en mesure de vous garantir une entière satisfaction.
2
        Dans l'espoir de vous servir prochainement, nous vous prions
d'agréer, Monsieur, l'expression de nos sentiments dévoués.
                                        2
                            Le Directeur commercial,

                            6
                            Jean Lavoie
                            Jean Lavoie

JL/cm
P.J. 3 dépliants
c.c. - Monsieur A. Légaré

Les mentions diverses (initiales d'identification, pièces jointes et copie conforme) se placent vis-à-vis de la signature, la première mention s'alignant normalement sur le nom dactylographié.

Aucune règle absolue ne fixe le nombre des interlignes, et les précisions qui précèdent ne sont données qu'à titre d'indication. La seule règle à suivre est d'assurer l'équilibre harmonieux des différentes parties de la lettre.

1.11.3   Alignement

Il y a plusieurs manières d'aligner les débuts d'alinéas d'une lettre. Nous étudierons les deux principales, en signalant quelques variantes. Tout comme l'en-tête et la disposition des différentes parties de la lettre, l'alignement des alinéas est une affaire de goût et varie d'une entreprise à l'autre. Toutefois, lorsqu'on a adopté une disposition, il est préférable de s'y tenir pour faciliter la tâche des dactylographes et assurer l'uniformisation de la correspondance.

MODÈLE A

Cette disposition à deux alignements (voir illustration p. 257) est parfois appelée «présentation américaine». À l'exception de la date et de la signature, tous les alinéas de la lettre sont alignés contre la marge gauche.

Une variante plus rare de cette disposition est la lettre à un seul alignement. Elle se caractérise par l'alignement de toutes les parties de la lettre contre la marge gauche.

MODÈLE B

Cette disposition à trois alignements est plus traditionnelle. La vedette et l'appel sont alignés contre la marge, tous les alinéas commencent en retrait (généralement à la sixième frappe), la date et la signature sont placées à droite.

Il existe plusieurs variantes :

a)   L'appel est aligné sur les débuts d'alinéa.

b)   Le retrait est de dix espaces au lieu de cinq. L'appel est contre la marge ou aligné sur les débuts d'alinéa.

c)   La vedette est écrite en dégradé, chaque ligne commençant à cinq espaces de la précédente. Cette disposition, fréquente en Europe, est rarement employée au Canada.

Madame Y. Tremblay
836, avenue des Érables
Valleyfield (Québec)
J6S 3K6

MODÈLE B

ardec inc.
meubles de bureau
1616, av. christophe-colomb
montréal A1B C2D / 555-1234

Le 15 septembre 19--

Lavallée et Fils Inc.
25, rue de l'École
Saint-Jérôme (Qué.)
J3Y 4P6

Messieurs,

Nous vous remercions de votre lettre et sommes heureux de vous adresser la documentation demandée.

En parcourant les dépliants ci-joints, vous constaterez que nous fabriquons une gamme complète de bibliothèques et rayonnages. Il vous sera donc facile de choisir un modèle en fonction de vos besoins.

Tous les modèles illustrés sont livrables dans un délai de huit jours, et nous assurons nous-mêmes le transport et l'installation. Nous sommes ainsi en mesure de vous garantir une entière satisfaction.

Dans l'espoir de vous servir prochainement, nous vous prions d'agréer, Messieurs, l'expression de nos sentiments dévoués.

Le Directeur commercial,

Jean Lavoie

JL/cm
P.j. 3 dépliants

MODÈLE A

ardec inc.
meubles de bureau
1616, av. christophe-colomb
montréal A1B C2D / 555-1234

Le 15 septembre 19--

Lavallée et Fils Inc.
25, rue de l'École
Saint-Jérôme (Qué.)
J3Y 4P6

Messieurs,

Nous vous remercions de votre lettre et sommes heureux de vous adresser la documentation demandée.

En parcourant les dépliants ci-joints, vous constaterez que nous fabriquons une gamme complète de bibliothèques et rayonnages. Il vous sera donc facile de choisir un modèle en fonction de vos besoins.

Tous les modèles illustrés sont livrables dans un délai de huit jours et nous assurons nous-mêmes le transport et l'installation. Nous sommes ainsi en mesure de vous garantir une entière satisfaction.

Dans l'espoir de vous servir prochainement, nous vous prions d'agréer, Messieurs, l'expression de nos sentiments dévoués.

Le Directeur commercial,

Jean Lavoie

JL/cm
P.j. 3 dépliants

1.11.4   Deuxième page

Lorsqu'on ne peut terminer une lettre à au moins 3 cm du bas de la marge, on doit reporter la suite sur une feuille supplémentaire. Voici quelques règles à suivre :

a)   Le dernier alinéa de la première page doit compter au moins deux lignes et ne pas se terminer par un mot coupé.

b)   On écrit parfois l'indication . . ./2 dans l'angle inférieur droit de la première page. Cette indication n'est pas absolument nécessaire.

c)   Pour la deuxième feuille, on utilise du papier de même qualité que la première mais sans en-tête. Les marges doivent être les mêmes dans les deux pages.

d)   On doit numéroter la deuxième feuille, au haut de la page, au centre ou à droite.

                    —2—   ou   2.

On ajoute parfois le nom du destinataire et la date :
Monsieur A. Durand   —2—   15 mars 19—

La date peut aussi s'écrire selon le système international.

e)   La marge supérieure de la deuxième page doit avoir au moins 4 cm; le texte commence à trois interlignes au-dessous du numéro de page.

f)   La deuxième page ne doit pas contenir que la formule de salutation et la signature : il faut dactylographier au moins deux lignes du dernier paragraphe.

1.11.5   Qualité de la dactylographie

Certains petits détails peuvent déparer une lettre par ailleurs irréprochable. Il suffit d'un peu d'attention et de soin pour réaliser une présentation parfaite.

Une bonne dactylo a une frappe uniforme; elle surveille l'encrage du ruban et la propreté des caractères, ce qui assure la netteté de la page dactylographiée. S'il est nécessaire d'effacer, on doit le faire sans gratter le papier et sans laisser de traces de doigts : la correction doit être presque invisible. Il faut éviter de retaper une lettre sur une autre, à plus forte raison un chiffre, car ces surcharges sont généralement difficiles à lire et peuvent entraîner de graves erreurs d'interprétation. Enfin, la lettre doit être pliée soigneusement avant d'être placée dans l'enveloppe.

1.12   L'ENVELOPPE

Les indications données pour la vedette (§ 1.3) s'appliquent également à la *suscription,* c'est-à-dire au nom et à l'adresse du destinataire inscrits sur l'enveloppe. Nous n'y ajouterons que quelques précisions particulières.

1.   *Suscription* — La suscription se met au-dessous et à droite du centre de l'enveloppe.

2. *Mention de caractère* — La mention «Personnel» ou «Confidentiel» se place dans l'angle inférieur gauche, de même que la mention «À l'attention de . . .». Dans le cas de cette dernière, on peut se contenter d'indiquer le nom de la personne, en le soulignant.

3. *Mention d'acheminement* — Les mentions «Par avion», «Recommandé» et «Par exprès» s'écrivent en majuscules, généralement à gauche du timbre.

4. *Adresse de l'envoyeur* — Si l'adresse de l'envoyeur n'est pas imprimée, on peut la dactylographier dans l'angle supérieur gauche. En correspondance privée, l'adresse s'indique au verso de l'enveloppe.

```
┌─────────────────────────────────────────────────────────────┐
│  MOBILEC Ltée           │                              ┌───┐  │
│  350, rue Lemoyne       │        RECOMMANDÉ            │   │  │
│  Longueuil (Québec)     │                              └───┘  │
│  J4H 1W5                │                                     │
│ ─ ─ ─ ─ ─ ─ ─ ─ ─ ─ ─ ─ ┼ ─ ─ ─ ─ ─ ─ ─ ─ ─ ─ ─ ─ ─ ─ ─ ─ ─ │
│                         │  Lavallée & Fils Inc.               │
│                         │  25, rue de l'École                 │
│                         │  Saint-Jérôme                       │
│                         │  J2Z 4K3                            │
│  Monsieur C. Dupré      │                                     │
└─────────────────────────────────────────────────────────────┘
```

Disposition de l'enveloppe

SECTION 2

Une lettre pour chaque occasion

Si le protocole épistolaire que nous venons d'étudier s'applique, avec quelques variantes, à toute la correspondance commerciale, le corps de la lettre diffère évidemment selon le message. Dans les pages qui suivent, nous allons passer en revue les principales catégories de communications commerciales; pour chacune, nous indiquerons un schéma de rédaction et proposerons quelques modèles de lettre.

Certaines communications peuvent être assimilées à des imprimés commerciaux, c'est-à-dire qu'elles ne varient guère d'un destinataire à l'autre, qu'elles n'ont pas un caractère personnel. C'est le cas notamment de certains accusés de réception et de la plupart des lettres de rappel. On peut très bien utiliser alors un répertoire de lettres préfabriquées qui permettent de réaliser une économie de temps sans nuire à l'efficacité. Mais, dans la majorité des cas, chaque lettre commerciale traite d'un sujet particulier et est destinée à une entreprise ou à une personne bien précise; il y a donc avantage à ce qu'elle soit personnalisée. C'est pourquoi il est plus important de connaître les principes généraux s'appliquant à chaque type de lettre et d'avoir à l'esprit un schéma de rédaction, que de s'en remettre à un recueil de lettres stéréotypées. Pour la même raison, les modèles de lettres figurant dans les paragraphes qui suivent ne sont donnés qu'à titre d'exemple.

2.1   DEMANDE ET COMMUNICATION DE RENSEIGNEMENTS

Les lettres qui demandent et communiquent des renseignements font partie de la correspondance courante d'une entreprise et présentent rarement des difficultés de rédaction. Néanmoins, en plus de leur rôle strictement utilitaire — l'échange de renseignements —, ces lettres sont un excellent moyen de promouvoir les relations d'affaires. On ne doit donc pas en sous-estimer l'importance.

2.1.1   Les demandes de renseignements

Quels que soient les renseignements demandés, la lettre doit avoir certaines qualités et suivre un schéma de rédaction qui en assure l'efficacité. À l'intérieur de ce cadre, le rédacteur peut apporter les modifications nécessaires pour répondre à chaque cas particulier.

a)   Qualités de la demande de renseignements

Les critères de qualité que nous avons indiqués au chapitre précédent pour les communications commerciales s'appliquent naturellement à la lettre de demande de renseignements et à la réponse. Mais, passant du général au particulier, nous retiendrons trois caractéristiques de la demande de renseignements sans lesquelles la lettre risque de ne pas atteindre son but qui est de susciter une réponse précise et complète.

Brièveté — Ne dites que ce qui est nécessaire, en évitant les formules vides de sens et les détails inutiles. Votre temps est précieux; celui du destinataire aussi. Mettez-vous à sa place (n'oubliez pas que cette substitution est le grand principe de la communication commerciale); comment réagiriez-vous en recevant une lettre rédigée en ces termes :

> Messieurs,
>
> En parcourant l'autre jour le Journal du commerce, dont je suis un fidèle lecteur depuis de nombreuses années, mon regard a été attiré par l'annonce que vous y avez fait paraître à la page 4 (je vous félicite en passant de sa conception originale) au sujet de la nouvelle machine à photocopier que vous venez de lancer sur le marché, etc.

Après cette longue introduction, vous ne savez toujours pas ce que veut votre correspondant et peut-être ne le saurez-vous qu'au troisième paragraphe! N'aurait-il pas été plus simple d'écrire :

> Ayant lu l'annonce que vous avez fait paraître dans un récent numéro du Journal du commerce, je désirerais avoir de plus amples renseignements sur votre nouvelle machine à polycopier, notamment . . .

Précision — Demandez avec précision tous les renseignements dont vous avez besoin; vous faciliterez ainsi la tâche de votre correspondant, tout en vous évitant d'avoir à écrire une autre lettre pour compléter la première. Indiquez clairement l'objet de votre lettre et précisez le service auquel elle est destinée, ce qui en accélérera l'acheminement. Ne demandez que les renseignements qui vous seront utiles et que vous ne pouvez vous procurer directement, par exemple en consultant la documentation dont vous disposez déjà. Enfin, comme pour toute lettre, sachez clairement ce que vous voulez dire avant de commencer à écrire.

Courtoisie — Une demande faite sans tact peut justifier un refus, alors qu'il est difficile de ne pas donner suite à une demande présentée poliment. La différence tient souvent à peu de chose : un impératif au lieu d'un conditionnel, une formule maladroite, un remerciement oublié.

La courtoisie est toujours de mise, à plus forte raison si les renseignements que vous demandez doivent vous être fournis à titre de service par votre correspondant. C'est le cas notamment des demandes de renseignements relatives à la situation financière d'un nouveau client, des demandes de faveurs (commandes urgentes, délais de paiement), etc.

Si votre demande est raisonnable, elle sera accueillie favorablement; il est donc inutile de vous excuser d'importuner votre correspondant ou de lui dire que vous ne voulez pas abuser de sa bienveillance.

b)   **Schéma de rédaction**

La longueur du corps de la lettre et le nombre de paragraphes varient selon la nature des renseignements demandés. Néanmoins, on distingue généralement les trois éléments suivants :

Introduction — Elle peut être courte et servir de simple entrée en matière.
Ex. : Ayant appris que vous fabriquiez des extincteurs, j'aimerais savoir si . . .

Ou bien, l'introduction peut faire l'objet d'un premier paragraphe dans lequel on expose les raisons de la demande ou précise à quel titre elle est adressée. C'est le cas notamment lorsqu'on demande un service d'un caractère spécial ou des renseignements sur la situation financière d'une entreprise.

Renseignements demandés — Si la demande ne porte que sur un seul renseignement, on l'expose dans le corps d'un paragraphe.

Ex. : En réponse à votre lettre du 15 mars, je vous serais reconnaissant de me faire savoir s'il vous est possible de nous expédier six générateurs au lieu de trois.

S'il y a plusieurs renseignements demandés, et en particulier s'ils sont de nature différente, il est préférable de les présenter dans des alinéas distincts précédés d'un numéro.

Ex. : Voudriez-vous avoir l'amabilité de nous communiquer les renseignements suivants :
1)   Puissance du moteur et ampérage. Nombre de tours à la minute.
2)   Délai de livraison et mode de transport.
3)   Conditions de paiement.

Voici quelques formules de demande :

      Nous vous serions reconnaissants (obligés) de . . .
      Voudriez-vous avoir l'amabilité de . . .
      Veuillez avoir l'obligeance de . . .
      Je vous prie de . . .
      Vous me rendriez service (m'obligeriez) en . . .

Remerciements et salutation — Les remerciements anticipés, dans le cas d'une demande de service, peuvent être incorporés à la formule de salutation ou figurer dans un paragraphe distinct.

Ex. : En vous remerciant d'avance de votre amabilité, nous vous prions . . .
       Avec nos remerciements anticipés, nous vous présentons . . .
       Nous vous serions reconnaissants de nous faire part de tous les renseignements que vous pourrez nous communiquer sur cette entreprise, étant entendu que nous les considérerons comme strictement confidentiels.

Autre formule finale : Dans l'attente de votre réponse, nous vous prions . . .

c)   Modèles de lettres

Renseignements relatifs à un nouveau client — Avant de traiter avec un nouveau client, surtout lorsqu'il s'agit d'une commande importante, les maisons de commerce s'assurent de sa solvabilité en s'adressant aux banques ou à d'autres fournisseurs. La demande de renseignements étant confidentielle, certaines maisons indiquent le nom du client sur une fiche qui est jointe à la lettre et peut être détruite après communication des renseignements.

CONFIDENTIEL   Montréal, le 17 août 19—

Légaré & Frères Inc.
25, rue du Port
Trois-Rivières (Qué.)
G9A 5F8

Messieurs,

La Maison dont le nom figure sur la fiche ci-jointe vient de nous passer une importante commande et, comme nous n'avons jamais traité avec elle, nous aimerions avoir des renseignements sur sa solvabilité avant de lui accorder des facilités de paiement.

Étant donné que vous entretenez des relations d'affaires avec cette Maison, nous avons pensé que vous accepteriez de nous fournir ces renseignements.

Nous vous assurons que votre réponse restera strictement confidentielle et nous serons très heureux de vous rendre à l'occasion le même service.

Veuillez agréer, Messieurs, avec nos remerciements anticipés, l'expression de nos sentiments distingués.

Renseignements relatifs à des marchandises ou services — Il est courant d'envoyer des demandes de renseignements à plusieurs fournisseurs avant de passer une commande, et de demander des précisions à une entreprise avant de retenir ses services. Lorsqu'on rédige ce genre de lettre, il faut prendre soin d'indiquer clairement qu'il ne s'agit pas d'une commande ferme ni d'un engagement : les formules «si vos conditions nous conviennent», «si vos propositions nous paraissent avantageuses» ou «avant de vous passer une commande ferme» éviteront toute erreur d'interprétation.

Messieurs,

Nous avons l'intention d'ouvrir prochainement une succursale spécialisée dans la vente d'articles de sport et nous aimerions avoir en magasin un choix de vêtements en tissu imperméable. Toutefois, avant de vous passer une commande ferme, nous vous serions reconnaissants de nous fournir les renseignements suivants :

1) Est-ce que vous confectionnez des vêtements spéciaux pour la chasse?

2) Pourriez-vous nous soumettre des échantillons de tissus et nous fournir un catalogue avec prix courant?

3) Quelles seraient vos conditions de paiement si nous vous passions une première commande d'environ $5 000?

Étant donné que nous désirons nous approvisionner le plus tôt possible, nous apprécierions vivement une prompte réponse.

Veuillez agréer, Messieurs, nos sincères salutations.

Renseignements divers

IMPORTATION

Monsieur l'Attaché commercial
Ambassade de Suisse
Ottawa
K2P 6F8

Monsieur,

Notre société désire importer au Canada des chronomètres de haute précision et nous avons pensé que vous seriez en mesure de nous renseigner à ce sujet.

N'ayant jamais eu l'occasion de traiter des affaires avec votre pays, nous vous serions obligés de nous mettre en relation avec des fabricants suisses. Nous vous prions également de nous fournir des renseignements sur les droits d'importation et formalités de douane.

En vous remerciant d'avance de votre aimable collaboration, nous vous prions d'agréer, Monsieur, l'expression de nos sentiments distingués.

ADRESSE D'UN CONCESSIONNAIRE

Messieurs,

Nous avons acheté, il y a quelques années, une rectifieuse fabriquée par vos usines et nous désirons la changer pour un modèle plus récent. Auriez-vous l'amabilité de nous communiquer le nom et l'adresse de votre concessionnaire à Montréal?

Dans l'attente de votre réponse, nous vous présentons, Messieurs, nos sincères salutations.

HÔTEL

Auberge des Laurentides
Val-David (Québec)
J0T 9Y6

Messieurs,

Le congrès annuel de nos agents et concessionnaires aura lieu du 15 au 18 septembre, et nous aimerions qu'il se tienne dans les Laurentides. Nous avons pensé que votre auberge serait un endroit tout indiqué, mais avant de prendre une décision nous aimerions avoir les renseignements suivants:

    1) Disposez-vous d'une salle de réunion pouvant accueillir 75 personnes et munie d'une installation de sonorisation?

2) Pourriez-vous loger et nourrir ces personnes du 15 septembre au matin jusqu'au 18 en fin d'après-midi, et à quel tarif?

3) Quels sont les centres d'intérêt et les lieux de distraction dans votre localité et sa région?

Nous vous serions reconnaissants de nous fournir ces renseignements le plus tôt possible.

Agréez, Messieurs, l'assurance de nos sentiments les meilleurs.

2.1.2 Réponses aux demandes de renseignements

Les maisons de commerce dépensent des sommes importantes pour faire connaître leurs produits et accroître leur clientèle. Sans parler de la publicité faite à la radio, à la télévision et dans les journaux, le courrier apporte presque chaque jour aux consommateurs une quantité d'offres de marchandises et de services. Sur le nombre de ces offres, combien sont efficaces, c'est-à-dire déclenchent une action? Très peu. La plupart vont directement au panier. La demande de renseignements est la preuve que l'annonceur a atteint le premier résultat positif qu'il cherchait: intéresser le client éventuel. L'étape suivante est de le convaincre pour l'inciter à agir, et c'est le rôle de la réponse. De la qualité de celle-ci dépend donc en partie le succès de toute publicité.

a) Qualités de la réponse

Comme la demande de renseignements, la réponse doit être brève, complète (voir chap. VII, §4.2 et modèle de lettre annotée, p. 236) et courtoise. Mais se contenter d'une simple communication de renseignements serait manquer une excellente occasion de gagner un nouveau client. Il faut donc faire un peu plus, et ce complément ajouté à la réponse se résume en deux mots : promptitude et serviabilité.

Promptitude — Plus que de belles paroles, une réponse prompte est le meilleur moyen de montrer à un client éventuel qu'il traite avec une maison sérieuse, désireuse de le satisfaire. En outre, si la réponse se faisait trop attendre, le client aurait le temps de s'adresser ailleurs. Si on ne peut fournir immédiatement les renseignements demandés, il faut néanmoins accuser réception de la demande et indiquer au correspondant le moment auquel il recevra la réponse.

Ex. :

Madame,

Nous vous remercions de votre lettre concernant notre brochure «La cuisine moderne» dont il a été question à l'émission «Pour vous, mesdames».

Depuis cette émission, nous avons été submergés de demandes et nos réserves sont malheureusement épuisées. Néanmoins, nous faisons réimprimer une nouvelle série qui nous sera livrée dans une semaine. Dès la livraison, nous nous ferons un plaisir de vous envoyer un exemplaire de

cette brochure et nous sommes persuadés que vous y trouverez d'intéressantes suggestions.

Agréez, Madame, l'expression de nos sentiments dévoués.

Serviabilité — Nous avons dit que la réponse à une demande de renseignements pouvait facilement être transformée en une lettre de vente. On peut se
contenter à cette fin de vanter la qualité du produit auquel s'intéresse le
client; c'est le moyen le plus simple, mais pas nécessairement le meilleur.
Vous savez déjà pourquoi : cette façon de procéder est contraire au principe
de substitution. Au lieu de vanter *votre* produit, mettez-vous à la place du
client et demandez-vous quel est *son* intérêt. Vous penserez alors à lui fournir
des renseignements qu'il n'avait peut-être pas demandés mais qui lui seront
utiles : adresse du dépositaire de son voisinage, offre d'un autre modèle qui
conviendrait mieux à ses besoins, complément d'information sous forme de
dépliants, prix courants ou échantillons.

Il peut arriver que vous ne soyez pas en mesure de satisfaire la demande
du client : par exemple, vous ne vendez pas le produit sur lequel il désire
avoir des renseignements. Dans ce cas, deux principes à retenir :

1° Toute demande appelle une réponse, même si celle-ci est négative.
2° Une réponse négative est une bonne occasion de se montrer servia-
ble et de se faire connaître.

Ex. :

Monsieur,

Nous vous remercions de votre demande de renseignements au sujet
de nos appareils de chauffage «Grand confort».

Vous mentionnez dans votre lettre que vous envisagez pour votre
maison de campagne un chauffage au gaz; or, tous nos appareils fonction-
nent à l'électricité. Si votre installation est déjà faite, nous vous conseillons de vous adresser à une maison spécialisée dans le chauffage au gaz (le
seul dépositaire de votre localité est la Quincaillerie Benoît, rue Lafontaine).

Nous avons pensé toutefois que vous seriez intéressé à comparer le
prix de revient des chauffages au gaz et à l'électricité, et nous vous
adressons à cette fin un tableau établi par nos services. Nous joignons
également à notre lettre des dépliants illustrant les appareils que nous
fabriquons.

Dans l'espoir que ces renseignements vous seront utiles, nous vous
prions d'agréer, Monsieur, l'assurance de nos sentiments dévoués.

b) Schéma de rédaction

L'organisation des éléments de la réponse n'obéit pas à des règles strictes, et on peut la faire varier selon le sujet et le destinataire. La lettre se compose généralement des paragraphes suivants :

Introduction — On peut commencer en remerciant le correspondant de sa demande, ou bien entrer directement en matière et renvoyer les remerciements à la fin de la lettre. Voici quelques formules d'introduction :

Nous vous remercions de votre demande de renseignements . . .
En réponse à la demande de renseignements que vous m'avez adressée au sujet de . . .
Nous sommes heureux de vous communiquer les renseignements . . .
Nous regrettons de ne pouvoir vous fournir les renseignements . . .

Réponse proprement dite — Communication des renseignements demandés ou raisons pour lesquelles on ne peut les fournir. Si les questions de la demande étaient numérotées, il est bon d'y répondre dans le même ordre. S'assurer qu'on a répondu à toutes les questions.

Complément d'information — En se mettant à la place du correspondant, on ajoute les renseignements qui pourront lui être utiles et auxquels il n'a peut-être pas pensé. Dans le cas d'une réponse négative, profiter de l'occasion pour faire une offre de service.

Salutation — La salutation peut être précédée d'une formule de remerciement, si on n'a pas remercié dans l'introduction :

Nous vous remercions de l'intérêt que vous portez à . . .

ou introduite par l'une des formules finales suivantes :

Nous espérons que ces renseignements vous donneront satisfaction . . .
Dans l'espoir que ces renseignements vous seront utiles . . .
Nous restons à votre service et . . .

Certaines formules-clichés ne sont plus de mise :

Toujours dévoués à vos ordres, . . .
En attendant la faveur de vos ordres, . . .
Dans l'espoir que vous voudrez bien nous favoriser d'une commande,...

c) Modèles de lettres

Renseignements relatifs à un nouveau client

RÉPONSE FAVORABLE

Messieurs,

En réponse à la demande de renseignements que vous nous avez adressée le 6 avril, nous vous informons que nous entretenons depuis dix ans des relations suivies avec la maison mentionnée dans votre lettre et que nos rapports ont toujours été très satisfaisants.

Établie depuis trente ans dans notre ville, cette entreprise familiale jouit d'une excellente réputation dans les milieux commerciaux et, à notre connaissance, sa situation financière est très saine. Nous connaissons personnellement le directeur actuel et avons une haute opinion de son honorabilité.

Dans l'espoir que ces renseignements . . .

RÉPONSE DÉFAVORABLE

Messieurs,

Nous regrettons de ne pouvoir vous donner de bons renseignements sur la maison dont il est question dans votre lettre du 6 avril.

Depuis quelques années, cette maison a des difficultés de trésorerie, et les récentes mesures de restriction du crédit n'ont pas amélioré sa situation financière. Son commerce est saisonnier et elle n'a pas de clientèle fixe. Nous ne pouvons donc que vous recommander une extrême prudence, surtout s'il s'agit d'une commande importante.

Il reste entendu que ces renseignements sont confidentiels et n'engagent pas notre responsabilité.

Nous vous prions d'agréer, Messieurs, nos sincères salutations.

Renseignements relatifs à des marchandises ou services

Monsieur,

Nous vous remercions de votre lettre et sommes heureux de vous adresser la documentation demandée.

En parcourant les dépliants ci-joints, vous constaterez que nous fabriquons une gamme complète de bibliothèques et rayonnages. Il vous sera donc facile de choisir un modèle en fonction de vos besoins.

Tous les modèles illustrés sont livrables dans un délai de huit jours, et nous assurons nous-mêmes le transport et l'installation. Nous sommes ainsi en mesure de vous garantir une entière satisfaction.

Dans l'espoir de vous servir prochainement, nous vous prions d'agréer, Monsieur, l'expression de nos sentiments dévoués.

Renseignements divers

ADRESSE D'UN CONCESSIONNAIRE

Messieurs,

En réponse à votre lettre du 18 juin, nous sommes heureux de vous faire savoir que notre concessionnaire à Montréal est la société USINEX dont le siège est au 2159, boulevard Décarie (tél.: 237 2930). Les machines qui vous intéressent sont exposées à cette adresse.

Notre agent technique sera de passage à Montréal mercredi prochain et il vous rendra visite dans le courant de la matinée. Vous pourrez obtenir auprès de lui tous les renseignements dont vous avez besoin pour choisir une rectifieuse vous donnant pleine satisfaction.

Agréez, Messieurs, l'expression de nos sentiments dévoués.

UTILISATION D'UN APPAREIL

Monsieur,

Nous nous empressons de vous fournir les renseignements demandés au sujet du magnétophone que vous désirez emporter en Europe.

Il est exact que certains pays européens utilisent le courant de 220V, et vous devrez naturellement vérifier la tension avant d'utiliser votre appareil. Pour passer du 110 au 220, et vice versa, il vous suffit de changer la position de la fiche qui se trouve à l'arrière du magnétophone, sous l'indication «VOLTAGE».

Vous trouverez ci-jointe la liste de nos concessionnaires européens. Nous avons pensé qu'elle pourrait vous être utile.

Nous restons à votre service et vous prions d'agréer, Monsieur, nos sincères salutations.

d)   Circulaires

Lorsqu'une entreprise désire communiquer le même renseignement à un grand nombre de personnes, elle le fait au moyen d'une circulaire. La circulaire est une lettre imprimée (ou reproduite par un autre procédé); pour la rendre plus personnelle, on y ajoute parfois à la machine le nom et l'adresse du destinataire. On envoie une circulaire dans les circonstances suivantes :

Annonce de soldes ou offre de service
Changement d'adresse ou de raison sociale
Ouverture d'une succursale ou de nouveaux rayons

Ex. :

Madame,

Nous avons le plaisir de vous informer qu'en raison de l'expansion prise par nos affaires depuis quelques années, nous avons décidé d'établir notre magasin dans des locaux plus vastes, situés à l'angle des rues Saint-Hubert et Beaubien.

Par la même occasion, nous inaugurerons un nouveau rayon de vêtements pour enfants où vous trouverez des articles de qualité aux prix avantageux qui ont fait le succès de notre Maison.

En vous remerciant de la confiance que vous nous avez accordée dans le passé, nous vous prions d'agréer, Madame, nos respectueuses salutations.

2.2 COMMANDES ET ACCUSÉS DE RÉCEPTION

En plus de communiquer une information et de favoriser les relations avec le personnel et la clientèle, les écrits commerciaux sont la pièce témoin de toutes les opérations d'une maison de commerce. «Les paroles s'envolent, les écrits restent», dit un proverbe latin : dans le commerce, le document écrit joue le rôle de mémoire. Un chef des achats ne peut se rappeler le détail des dizaines de commandes qu'il passe par jour; il faut donc qu'il puisse se reporter, au moment voulu, à un document écrit : le double de la lettre ou du bon de commande. Cette nécessité est encore plus évidente lorsque les commandes sont passées par téléphone. Le client qui a passé une commande désire savoir si celle-ci a bien été reçue et quand elle lui sera livrée; c'est l'accusé de réception qui le lui dira. Chaque opération, ou presque, est ainsi consignée sur un document écrit que l'on pourra facilement consulter en cas de contestation ou pour simple vérification.

2.2.1 Commandes par lettre

La plupart des entreprises ont des bulletins de commande imprimés qu'il suffit de remplir. Les particuliers et certaines maisons de commerce passent leurs commandes par lettre; on utilise aussi la lettre pour les commandes d'un caractère particulier.

a) **Éléments de la lettre**

Une lettre de commande comprend généralement les indications suivantes :
— Nom et adresse du fournisseur et du client
— Numéro et date de la commande
— Quantité
— Désignation précise des articles commandés (modèle, qualité, coloris, dimensions, etc.)
— Prix ou numéro de référence d'un catalogue
— Conditions de paiement (délai, remise et escompte)
— Mode de transport et lieu de livraison
— Date de livraison

b) **Modèle de lettre**

Le 12 août 19—

Objet : Commande N^o B-215

Messieurs,

Nous vous remercions des renseignements que vous nous avez communiqués et nous vous prions de nous expédier les articles suivants :

60 — Stylos à bille, encre noire, pointe fine, modèle 88 (N° 11-2722)
24 — Stylos feutre, encre rouge (N° 11-2750)
48 — Boîtes de 100 attaches métalliques (N° 11-1828)

12 — Dateurs en caoutchouc (Nº 11-2140)
24 — Agrafeuses de bureau, modèle «Robuste» (Nº 11-2005)
48 — Boîtes de 1000 agrafes (Nº 11-2006)

Veuillez nous expédier cette commande par messagerie, franco de port et d'emballage, à l'adresse indiquée ci-dessus. Nous aimerions en recevoir livraison avant la fin du mois.

Dès réception des articles, nous vous réglerons par chèque au pair, déduction faite de l'escompte de 3% que vous nous accordez.

Agréez, Messieurs, nos sincères salutations.

c) Annulation de commande

Il peut arriver que l'acheteur annule sa commande parce qu'il a changé d'avis ou parce que le vendeur n'a pas respecté ses engagements. Nous n'indiquerons que le schéma de rédaction pour ces deux cas d'annulation.

1ᵉʳ cas — L'acheteur désire annuler la commande pour une raison quelconque (difficultés de trésorerie, offre plus avantageuse, circonstance imprévue). Il doit alors faire preuve de tact, car le vendeur n'est pas tenu d'accepter l'annulation.
  — Rappel de la commande
  — Exposé des motifs qui justifient la demande d'annulation
  — Promesse de commandes futures et remerciements anticipés

2ᵉ cas — La commande n'a pas été livrée à la date promise ou bien la qualité des articles ne correspond pas à la description ou aux échantillons fournis par le vendeur. L'acheteur annule la commande de plein droit.
  — Regret de devoir annuler
  — Rappel des engagements du vendeur; préjudice causé
  — Avis poli d'annulation

2.2.2 Accusés de réception et confirmations

On accuse réception d'une commande, de marchandises, d'un chèque, de documents importants. On confirme les commandes verbales, les rendez-vous, les réservations dans un hôtel, les télégrammes. Dans chaque cas, l'accusé de réception ou la confirmation écrite donne l'occasion au fournisseur de montrer son appréciation et d'amorcer de nouvelles affaires.

a) Réception d'une commande

Certaines maisons de commerce ont pour principe d'accuser réception de toutes les commandes reçues; d'autres ne le font que dans certains cas particuliers. L'accusé de réception doit être envoyé le plus tôt possible et, au lieu d'une lettre, on peut utiliser une carte postale imprimée où il suffira d'ajouter les détails propres à la commande (nom et adresse du client, numéro de

référence, date de livraison). Voici le schéma de rédaction de quelques accusés de réception :

Commande acceptée — On peut envoyer une simple carte de confirmation
ou rédiger une lettre.
  — Remerciements pour la commande
  — Acceptation des conditions et confirmation de la date de livraison
  — Précision complémentaire (le cas échéant)
  — Appréciation ou assurance d'un prompt service

Impossibilité d'exécution — Le vendeur ne peut exécuter la commande parce
qu'il a cessé la fabrication de l'article demandé.
  — Regret de ne pouvoir donner suite
  — Proposition d'un article de remplacement ou adresse d'un autre
    fournisseur
  — Offre de services pour d'autres articles

Délai de livraison — Si le vendeur ne peut livrer immédiatement ou à la date
fixée par l'acheteur, il doit en aviser ce dernier.
  — Accusé de réception et remerciements
  — Nouvelle date de livraison et raison du délai
  — Appel à la compréhension de l'acheteur et assurance que l'on s'oc-
    cupe de sa commande

Nouveau client — On écrit généralement une lettre d'appréciation pour ac-
cueillir un nouveau client ou accuser réception d'une commande importante.
  — Accusé de réception et remerciements
  — Renseignements sur l'entreprise et ses produits (envoi de documenta-
    tion)
  — Souhait que cette première commande marque le début de relations
    d'affaires suivies

b) **Réception de marchandises**

L'accusé de réception de marchandises confirme que celles-ci sont arrivées
en bon état (dans le cas contraire, voir § 2.5 — Lettres de réclamation). Selon
le mode de règlement convenu, on joint un chèque ou une traite à la lettre ou
bien on indique que le montant de la facture a été porté au crédit du fournisseur.

Objet: Commande Nᵒ S-1023
Votre référence MT-729

Messieurs,

   Nous accusons réception de la commande susmentionnée et sommes
heureux de vous informer que nous en sommes pleinement satisfaits.

Vous trouverez ci-joint un chèque de $645.23 en règlement de votre facture.

Agréez, Messieurs, nos sincères salutations.

c)   Confirmations

Commande téléphonique

Monsieur,

Nous vous remercions de la commande que vous nous avez passée par téléphone ce matin, soit:

100 feuilles de papier quadrillé 21 x 28 cm
10 rouleaux de papier transparent 60 x 90 cm

Ces fournitures vous sont expédiées aujourd'hui même par les Messageries provinciales et vous recevrez notre facture dans quelques jours.

Agréez, Monsieur, l'expression de nos sentiments dévoués.

Rendez-vous

Cher ami,

Comme suite à notre conversation téléphonique de ce matin, je vous confirme que j'accepte avec plaisir de déjeuner avec vous lundi prochain au restaurant «La bonne chère». Il est convenu que nous nous retrouverons au bar à 12 h 30.

Je suis persuadé que la proposition dont vous désirez m'entretenir intéresse notre société et qu'elle pourrait marquer le début d'une collaboration fructueuse.

En attendant le plaisir de vous revoir, je vous assure de mes sentiments très cordiaux.

d)   Formules de commandes et d'accusés de réception

Formules d'introduction

Nous vous prions de nous envoyer . . .
Veuillez avoir l'obligeance de nous expédier . . .
Je vous serais obligé de . . .
Nous accusons réception de votre commande . . .
J'ai le plaisir d'accuser réception de la commande . . .
Je m'empresse de vous remercier . . .
Nous regrettons vivement de ne pouvoir exécuter . . .
Comme suite à notre conversation téléphonique de ce jour, . . .

Formules finales

En vous remerciant d'avance . . .
Veuillez nous accuser réception de cette commande et agréer . . .
Dans l'attente de votre confirmation, . . .

Veuillez agréer, avec nos remerciements, l'expression . . .
Persuadé que cette livraison vous donnera entière satisfaction, . . .
Nous vous souhaitons bonne réception de la marchandise et . . .

Nota — On dit habituellement «Nous accusons réception de votre lettre»,
mais la formule «Nous vous accusons réception» n'est pas incorrecte.

2.3 VENTE ET PUBLICITÉ

Toute vente suppose que l'acheteur connaît l'existence du produit, qu'il sait
où se le procurer et qu'il désire en faire l'acquisition. Le rôle de la publicité
est de faire en sorte que ces conditions soient remplies. Vente et publicité
vont donc de pair, et la rédaction d'une lettre de vente, qui est le sujet de ce
paragraphe, fait appel à des notions de technique publicitaire. C'est pourquoi
la lettre de vente est une des plus difficiles à rédiger; c'est aussi une des plus
importantes parmi celles que nous étudierons, parce que presque toutes les
lettres d'affaires sont des lettres de vente : nous avons déjà vu qu'il y avait un
élément de vente dans les réponses à des demandes de renseignements et
dans les accusés de réception.

Il existe évidemment une grande variété de moyens utilisés aux mêmes fins que la lettre de vente : la gamme des imprimés commerciaux (catalogue, brochure, dépliant, prospectus, circulaire et prix courant), les organes d'information (journaux, radio et télévision), les panneaux publicitaires, les étalages, la représentation à domicile ou par téléphone. L'exploitation de ces moyens est habituellement confiée à des spécialistes — publicitaires, étalagistes et démarcheurs. Néanmoins, vous aurez certainement l'occasion, au cours de votre carrière, de rédiger des lettres de vente ou de vous prononcer sur leur valeur. Les indications qui suivent vous aideront à vous acquitter honorablement de votre tâche.

2.3.1   Questions préliminaires

Avant de commencer la rédaction d'une lettre, quelle qu'elle soit, il est nécessaire de réfléchir à ce qu'on va dire et d'établir un plan. Dans le cas d'une lettre de vente, on doit se poser les questions suivantes :

— Quel est le but de la lettre?
— À qui s'adresse-t-elle?
— Quelle est la nature du produit offert?
— Quelle motivation faut-il invoquer?

Nous allons reprendre ces quatre points en détail.

But de la lettre — Le but d'une lettre de vente, dira-t-on, est évidemment de vendre. C'est vrai, mais pour que la lettre soit efficace, nous devons nous montrer plus précis. S'agit-il d'une vente immédiate par correspondance, d'une vente au magasin, de l'annonce d'une vente, d'une vente à l'essai? De la réponse à ces questions dépendra le choix du moyen que vous utiliserez pour amener le client à agir : bon de commande avec remise, annonce de soldes, carte-réponse, etc.

Ex. :

Monsieur,

«Comment écrit-on *atterrissage?*», «Y a-t-il un *p* ou deux à *attraper?*» Voilà des questions que vous vous êtes sans doute souvent posées, comme bien des personnes. Vous avez pensé alors: «Il faut absolument que je m'achète un dictionnaire» . . . et vous ne l'avez pas fait.

Voici l'occasion de réparer cet oubli. Le *Dictionnaire orthographique* Labrune, que nous vous offrons à des conditions avantageuses, comblera un vide dans votre bibliothèque et mettra fin à tous vos soucis d'épellation. Vous y trouverez en outre un mémento grammatical, un résumé des principales difficultés orthographiques présentées sous forme de tableaux et quantité d'autres renseignements utiles.

Remplissez tout simplement le bon de commande ci-joint, qui vous donne droit à une remise de 20%, et adressez-le-nous sans tarder. Nous vous enverrons le dictionnaire et la facture par retour du courrier.

Ne remettez pas à demain!

Destinataire — Les lettres de vente sont adressées parfois au grand public, le plus souvent à un groupe déterminé — agriculteurs, maîtresses de maison, étudiants, médecins —, rarement à une personne en particulier. Il est important de connaître la clientèle à qui l'on s'adresse, car ce facteur influe sur le fond de la lettre (motivation et argumentation) et sa forme (présentation matérielle, niveau et ton). Un éditeur utilisera un papier parchemin pour offrir à des bibliophiles un ouvrage de luxe, mais une société de bienfaisance ne pourrait employer le même papier pour lancer une campagne de souscription. C'est évidemment là un exemple extrême dont le seul but est de faire ressortir l'importance de détails que l'on risque de négliger. Nous avons déjà parlé du niveau et du ton (chap. VI) : à titre d'expérience, vous pourrez comparer les annonces publicitaires publiées dans votre journal d'étudiant et dans une revue spécialisée destinée, par exemple, à un public d'ingénieurs; vous constaterez que le style en est différent.

L'argumentation qu'on utilise pour vendre et la motivation qui pousse le client à acheter obéissent aux mêmes règles. Les vendeurs professionnels vous diront qu'ils se servent d'arguments différents selon les personnes auxquelles ils s'adressent : âge, sexe, profession, milieu social sont autant de facteurs qui entrent en ligne de compte. Selon le client qu'il tente de convaincre, le vendeur insistera davantage sur les qualités esthétiques d'un appareil, sur la simplicité de son fonctionnement, sur son prix avantageux ou sur ses caractéristiques techniques. Les mêmes principes s'appliquent à la lettre de vente.

Nature du produit — On ne vend bien que ce que l'on connaît bien. Avant de rédiger une lettre de vente, vous devez donc vous renseigner sur le produit que vous désirez offrir. N'hésitez pas à demander des explications au service commercial ou technique de votre entreprise; grâce à leur collaboration, votre lettre sera plus précise et donc plus efficace.

La nature du produit conditionne aussi le choix du moment propice pour envoyer votre lettre de vente : on ne vend pas de skis en été ni d'articles de camping en hiver.

Motivation — La dernière question à se poser concerne la motivation de l'acheteur. Connaissant le public auquel vous vous adressez et le produit que vous lui offrez, il vous reste à établir une équation entre les deux: quel intérêt présente le produit pour le client éventuel? Quel motif pourrait le pousser à l'acheter? Vous ne le saurez qu'en appliquant une fois de plus le principe de substitution, en vous mettant à la place du destinataire de la lettre de vente.

Les motivations sont nombreuses et varient naturellement selon les personnes et les produits. Ce peut être le sens de l'économie, l'appât du gain, le prestige, le désir d'être à la mode, la sécurité, le goût du luxe ou du confort, la santé, la gourmandise . . . Un même produit peut évidemment susciter des motivations différentes; par exemple : valeurs mobilières (sécurité et appât du gain), dentifrice (santé et esthétique), livre relié (curiosité intellectuelle et prestige), etc.

La motivation est un élément important de la lettre de vente; c'est elle qui conditionne l'argumentation, noyau autour duquel s'agence l'ensemble de la lettre.

2.3.2 Rédaction de la lettre

Le plan de rédaction et les qualités stylistiques d'une lettre de vente sont grosso modo les mêmes que pour toute communication commerciale (voir chap. VII). La lettre se divise en trois grandes parties — introduction, développement, conclusion; elle doit être claire, concise et précise. Ce qui caractérise la lettre de vente, c'est le cheminement suivi pour convaincre le lecteur et les moyens employés pour y parvenir. Il est classique de résumer ce cheminement par quatre mots : Attention, Intérêt, Désir, Action. Le plan logique de la lettre, que nous allons maintenant étudier plus en détail, suit l'ordre de ces quatre étapes.

Introduction — Le rôle de l'introduction est d'attirer l'attention du lecteur de sorte que son premier geste ne soit pas de jeter la lettre au panier. C'est pourquoi l'introduction, au sens large du mot, ne commence pas nécessairement avec les premières lignes de la lettre. Certains publicitaires cherchent à «accrocher» le lecteur dès qu'il a l'enveloppe en main, au moyen de ce qu'ils appellent «l'amorce». Celle-ci ne faisant pas partie, à proprement parler, de la lettre de vente, nous n'en dirons que quelques mots.

Amorce — Le courrier nous apporte presque quotidiennement des lettres de vente. Toutes sont généralement accueillies avec un préjugé défavorable («Encore de la réclame!»); pourtant, certaines sont lues. Les moyens employés pour susciter une première réaction favorable et positive sont très variés : format, couleurs, illustration, caractères d'imprimerie, slogan ou autre procédé imaginatif.

Donnons un exemple : il y a plusieurs années, une maison de commerce adressa une lettre de vente dont l'enveloppe laissait voir, sous un papier transparent, trois pièces de un cent (prix du timbre pour la réponse). Parmi tous les destinataires, combien ont jeté l'enveloppe sans l'ouvrir? Probablement aucun. La première étape était franchie, il ne restait plus qu'à enchaîner avec la lettre proprement dite.

Entrée en matière — C'est avec l'entrée en matière que commence la rédaction, c'est-à-dire la mise en oeuvre des moyens linguistiques. Le processus se répète : comment inciter le client éventuel à entamer et à poursuivre la lecture de la lettre? En maintenant son attention éveillée. Le procédé que vous emploierez pour y parvenir dépendra des questions préliminaires que vous vous serez posées (destinataire, nature du produit, motivation). Voici quelques exemples d'entrée en matière :

Question frappante	— Pourquoi vous tuer à la tâche? Où irez-vous en vacances l'été prochain? Que ferez-vous après la retraite?
Évocation	— Posséder un chalet dans les Laurentides ... Finie la corvée de la vaisselle ... Et s'il vous l'offrait ... le manteau de vison dont vous rêvez!
Offre avantageuse	— Réduisez de 20% vos factures de chauffage. Augmentez de 10% la rentabilité de votre entreprise. Gratuit : un magnifique livre relié à tous nos souscripteurs!
Formule inattendue	— (Un fabricant d'automobiles :) LA SIMOUN 21 NE MARCHE PAS ... Elle roule! Économiquement, confortablement, longtemps.
Coupures de journaux, faits divers	— MAISON RASÉE PAR L'INCENDIE Le propriétaire n'avait pas d'assurance ...

Les procédés sont aussi variés que l'imagination est riche. On doit toutefois éviter ceux qui dénotent l'artifice ou sont usés, en particulier les jeux de mots faciles.

Développement — Dans le développement, vous devez intéresser puis convaincre le lecteur. Ici encore les questions préliminaires, et notamment celle qui concerne la motivation, vous seront très utiles. N'oubliez pas non plus d'appliquer le principe de substitution : ce n'est pas ce que *vous* pensez de votre produit qui intéresse l'acheteur éventuel, mais l'usage qu'il en fera ou la satisfaction qu'il en tirera.

Le développement peut se diviser en trois parties : intéresser (description du produit), susciter le désir (motivation), convaincre (avantage prouvé ou modicité du prix). À chaque étape, vous devez faire un choix des arguments et des mots. Éliminez les arguments peu convaincants (en pensant toujours au destinataire) pour ne garder que l'essentiel : une accumulation ne convainc pas, elle dénote simplement que le rédacteur a oublié qu'il vendait un produit déterminé à un public déterminé. Sur le plan de la forme, recherchez les mots précis, imagés, évocateurs; le lecteur doit «voir» l'article que vous lui offrez. Évitez les adjectifs vagues, sans force : beau, utile, nouveau, bon marché. Soyez original, inédit!

Si vous vous mettez à la place du destinataire, vous pourrez aussi prévoir ses objections et y répondre d'avance. La lettre prend alors la forme d'un dialogue mental entre vous et l'acheteur.

— La tondeuse à gazon «Magique» fonctionne sur coussin d'air.
— Qu'est-ce que cela veut dire?
— C'est le même principe que les aéroglisseurs utilisés pendant l'Expo 67.
— Quels avantages?
— Son maniement est facile. Vous tondez partout (au pied des arbres, contre les clôtures).
— Mais encore?
— Économique. Pas de roues à entraîner, donc consommation réduite.
— J'ai déjà une tondeuse.
— Nous vous la reprendrons à un prix avantageux.
— C'est quand même trop cher.
— Mais non! Nous vous offrons des facilités de paiement et, en prime, une trousse d'entretien.
— Je vais y réfléchir.
— Les prix vont monter. Profitez de l'occasion.

Conclusion — L'acheteur est convaincu. Vous devez maintenant lui faire franchir la dernière étape : passer à l'action. Évitez les invitations vagues : «Nous espérons que vous passerez à notre magasin» ou «En attendant le plaisir de vous servir . . .» Reportez-vous à la première question préliminaire «But de la lettre» et, en fonction de la réponse, décidez quel est le meilleur moyen de déclencher l'action. Par exemple :

— Bon de commande ou carte postale affranchie
— Remise ou prime
— Offre d'une durée limitée
— Article envoyé à l'essai

Rappelez-vous que nous obéissons tous à la loi du moindre effort. Ne demandez donc pas à votre lecteur de remplir des formules compliquées, de faire des démarches qui prennent du temps. En un mot, facilitez-lui la tâche : «Il vous suffit de remplir et de poster la carte ci-jointe», «Un simple coup de téléphone et nous vous enverrons l'article à l'essai, sans engagement de votre part».

2.3.3   Modèle de lettre

Un grand magasin de vêtements pour dames désire offrir à sa clientèle des manteaux de fourrure confectionnés au Canada d'après les modèles d'un couturier parisien. Ces manteaux sont d'un prix assez élevé et leur nombre est limité; ils seront présentés au cours d'un défilé de mannequins. On vous demande de rédiger une lettre de vente.

Vous devez commencer par répondre aux quatre questions préliminaires :

1. Quel est le but de la lettre?
    Inciter les clientes à assister à la présentation de la collection en vue d'une vente au magasin.
2. À qui s'adresse-t-elle?
    À la clientèle féminine du magasin.
3. Quelle est la nature du produit offert?
    Vous vous êtes renseigné au Service des achats et au rayon des fourrures. Il s'agit de manteaux de vison, de différents tons (noir, brun, pastel), confectionnés d'après les modèles d'un grand couturier.
4. Quelle motivation invoquer?
    Il peut y en avoir plusieurs : utilitaire (protection contre le froid), mode, élégance, prestige . . .

En deuxième lieu, quelle amorce utiliser?
    Vous décidez de faire dactylographier sur l'enveloppe la mention «Personnel».

Il reste maintenant à rédiger la lettre proprement dite; nous vous proposons le texte de la page ci-contre.

2.3.4   Lettres de relance

Dans certains cas, une lettre de vente ne suffirait pas pour convaincre les clients éventuels. S'il est relativement facile de vendre un gadget de quelques dollars, il faut faire preuve de beaucoup plus de persuasion lorsqu'il s'agit d'un tracteur, d'un piano ou d'un appareil de climatisation. On peut alors envoyer une série de lettres, dans le cadre d'une campagne de vente.

La rédaction de ces lettres suit les mêmes principes que la lettre de vente. On doit donc se poser les quatre questions préliminaires (but, destinataire, nature du produit, motivation) avant de commencer à rédiger. Ensuite, il faut établir le plan de l'argumentation et en répartir les éléments entre les différentes lettres, en ayant soin d'éviter les répétitions et en prévoyant un enchaînement logique. On arrive ainsi au déroulement suivant :

1re lettre   —   Description du produit. Le but de cette première lettre est de présenter le produit à l'acheteur éventuel. Comme il se peut que cette description soit suffisante pour déclencher l'action, on ajoutera — sans insister — quelques précisions sur le prix et le moyen de se procurer le produit en question.

DISTINCTION

LE MAGASIN DE LA FEMME ÉLÉGANTE

7245, RUE ST-HUBERT, MONTRÉAL H2R 2N2/453-6258

le 15 octobre 19—

Chère cliente,

Un manteau de vison . . . créé par un grand couturier . . . à un prix raisonnable . . . c'est impossible, direz-vous. Et pourtant, c'est ce que vous offre le magasin Distinction — en exclusivité au Canada!

Grâce à une entente que nous avons passée avec le grand couturier parisien Christian Dior, nous sommes en mesure de présenter à notre clientèle un nombre limité de manteaux de vison d'une coupe et d'une qualité qui vous surprendront. Notre secret? Les peaux sont soigneusement sélectionnées par nos acheteurs spécialisés, travaillées par des mains expertes, puis montées d'après des patrons dont nous nous sommes réservé l'exclusivité. Le résultat : des manteaux en riche fourrure d'un lustre naturel, confectionnés avec un soin artisanal et dont vous ne trouverez la copie dans aucun autre magasin.

Malgré tous ces avantages rarement réunis, nos manteaux de fourrure se vendent à un prix très abordable. Jugez-en par vous-même : l'un de nos plus beaux modèles, en vison pastel, ne coûte que $1 595. Qu'achèterez-vous dans dix ans pour ce prix? peut-être une cape! Un manteau de vison est un bon placement: inusable, confortablement chaud, c'est une acquisition qu'on ne regrette jamais. Vous souhaiterez presque le retour des grands froids pour pouvoir le porter . . . et faire l'envie de vos amies!

Mercredi prochain, à 3 heures de l'après-midi, nous présentons nos nouvelles collections dans les salons de l'Hôtel Clarence. Vous pourrez y admirer notre vaste choix de manteaux de fourrure, et chaque modèle sera commenté par Mademoiselle Y. Laverdure, rédactrice au journal *La Mode*. Ne manquez pas ce rendez-vous de l'élégance.

À bientôt, chère cliente!

Lise Dumoulin

| 2ᵉ lettre | — Intérêt et désir. Reprenant le déroulement de la lettre de vente, on s'efforcera dans la deuxième lettre de susciter l'intérêt et le désir en faisant appel aux motivations que l'on aura retenues en établissant le plan. |

2ᵉ lettre — Intérêt et désir. Reprenant le déroulement de la lettre de vente, on s'efforcera dans la deuxième lettre de susciter l'intérêt et le désir en faisant appel aux motivations que l'on aura retenues en établissant le plan.

Lettres suivantes — Exposé des arguments. C'est le stade où il faut convaincre. Chaque lettre apporte un nouvel argument, de force croissante, selon un ordre établi d'avance.

Dernière lettre — Déclenchement de l'action. On peut résumer les arguments précédents ou apporter un dernier argument plus convaincant, mais le point essentiel est d'inciter le lecteur à agir; les moyens employés sont les mêmes que pour la lettre de vente.

La répartition des arguments dépend évidemment du nombre de lettres qu'on a décidé d'envoyer au cours de la campagne de vente. Signalons enfin qu'on peut aussi commencer par l'envoi d'un imprimé (catalogue, circulaire, prix courant) et amorcer la relance avec la première lettre.

2.4 CRÉDIT ET RECOUVREMENT

Le règlement des factures se fait parfois au comptant, notamment lorsqu'il s'agit d'une première commande ou lorsque le client désire bénéficier de l'escompte de caisse. Mais dans la majorité des cas (75% au Canada), les règlements se font à terme, le commerçant ou le fournisseur acceptant que l'acheteur paie sa commande dans un délai allant de 30 à 90 jours.

Il peut arriver que l'acheteur ayant bénéficié de facilités de paiement ne règle pas sa dette à l'échéance. Dans ce cas, le vendeur doit lui rappeler ses obligations. Les lettres de recouvrement vont du simple rappel à la menace de poursuites en justice.

2.4.1 Lettres relatives au crédit

Lorsqu'un acheteur désire obtenir des facilités de paiement, il en fait la demande au fournisseur ou au commerçant. Celui-ci procède alors à une enquête sur le crédit de son client et, selon les résultats de cette enquête, accepte ou refuse la demande de crédit. À ces trois étapes correspondent donc trois catégories de lettres :

— Demande de crédit
— Demande de renseignements
— Lettre d'acceptation ou de refus

a) Demandes de crédit

Les maisons de commerce ont généralement une politique de crédit applicable à tous leurs clients : par exemple, règlement dans un délai de 30 jours ou à la fin du mois sur présentation d'un relevé. Ces conditions sont très souvent indiquées sur les factures. L'acheteur ne fera donc une demande de crédit que dans des cas particuliers (commande d'un montant élevé, difficultés temporaires de trésorerie, etc.).

Schéma de rédaction

1. Rappel de la commande (date, numéro, montant) et des conditions normales de règlement.
2. Demande de crédit et justification (exposé des raisons). Allusion aux bonnes relations commerciales entretenues jusque-là.
3. Salutation, que l'on fait précéder de la formule «Dans l'espoir que vous accueillerez favorablement notre demande, . . .».

b)   **Demandes de renseignements**

Le fournisseur qui reçoit une demande de crédit fait enquête sur la solvabilité de son client. Il peut s'adresser au client lui-même (en lui demandant des références ou, si le montant en jeu est important, une copie de son dernier bilan), à la banque du client, à une agence de renseignements ou à d'autres fournisseurs chez qui le client a déjà un compte. Très souvent le fournisseur adresse sa demande sur une formule imprimée. On trouvera un modèle de lettre au paragraphe 2.1.1 (c), page 263.

c)   **Acceptation ou refus de la demande**

Les lettres d'acceptation ne posent pas de difficultés : le fournisseur remercie le client de sa commande et lui annonce qu'il est heureux de lui accorder le crédit demandé.

La rédaction d'une lettre de refus est plus délicate. Le fournisseur, s'il désire garder son client, doit faire preuve de tact en lui annonçant qu'il ne peut lui accorder les facilités de paiement demandées. Voici quelques exemples de motifs de refus que l'on peut invoquer .

—   Situation économique : resserrement du crédit ou incertitude du marché.
—   Avantage d'un règlement comptant : le client bénéficie d'un escompte de 2%.
—   Meilleur prix : en traitant au comptant, le fournisseur peut pratiquer des prix inférieurs à ceux de la concurrence.
—   Réduction de la commande : le fournisseur suggère au client de réduire sa commande et de se réapprovisionner à intervalles plus rapprochés.
—   Politique de crédit : en toute justice, le fournisseur ne peut consentir des facilités qu'il n'accorde pas à ses autres clients.

Modèle de lettre

Monsieur,

Nous vous remercions de votre commande du 12 juin et nous apporterons tous nos soins à son exécution.

En ce qui concerne le règlement de votre facture, nous sommes au regret de vous informer qu'il nous est impossible de vous accorder les facilités de paiement demandées. La période de resserrement du crédit que nous traversons a forcé nos fournisseurs de matières premières à réduire leurs délais de paiement et nous devons, par la force des choses, nous en tenir à nos conditions habituelles de règlement.

Permettez-nous néanmoins de vous rappeler qu'un règlement au comptant vous donne droit à un escompte de 2 pour cent; appliqué au montant total de vos commandes, cet escompte se traduira en fin d'exercice par une augmentation non négligeable de votre marge de profit.

Dans l'espoir que les circonstances qui nous empêchent d'accéder à votre demande seront de courte durée, nous vous renouvelons, Monsieur, l'assurance de nos sentiments dévoués.

2.4.2   Lettres de recouvrement

Le crédit repose sur la confiance mutuelle. Tant que le fournisseur n'a pas la preuve que sa confiance a été mal placée, il doit attribuer à l'oubli, à la négligence ou à des difficultés passagères le non-paiement d'une facture à son échéance, sans jamais mettre en cause l'honnêteté du client. Ce n'est qu'en dernier recours, lorsqu'il a employé tous les moyens de persuasion, qu'il peut faire intervenir les hommes de loi.

La teneur des lettres de recouvrement varie selon les destinataires (consommateurs, détaillants, grossistes, etc.), mais leur gradation est sensiblement la même.

a)   Note de rappel

Le premier rappel pour réclamer le paiement d'une facture peut prendre différentes formes. Certaines maisons envoient simplement un relevé de compte sur lequel sont rappelées les conditions de paiement, d'autres adressent une copie de la facture en y collant un papillon du Service de la comptabilité («Pour vérification de compte») ou en y ajoutant une formule de rappel. On peut également joindre à la facture ou envoyer séparément une note de rappel sur carte imprimée.

La note de rappel est impersonnelle et amicale («Vous avez sans doute oublié, mais cela arrive à tout le monde»). En voici un exemple :

PENSEZ-Y . . .

Notre Service de la comptabilité nous signale que vous n'avez pas acquitté le solde indiqué sur le relevé de compte ci-joint. Pouvons-nous vous demander de réparer ce petit oubli?

Nous vous en remercions d'avance.

AU JOLI BOUQUET
FLEURISTE

b) Chaîne de lettres

Dans la majorité des cas, la première note de rappel suffit pour obtenir le règlement. Il peut arriver cependant qu'il soit nécessaire d'envoyer des lettres plus pressantes. Celles-ci suivent alors la gradation suivante :

1. *Nouveau rappel* — Après vous être adressé à un client oublieux, vous écrivez maintenant à une personne négligente. Voici deux schémas de rédaction possibles :

   — Allusion à la première note de rappel
   — Invitation à venir régler au magasin
   — Occasion de voir les nouveautés à tel rayon

   — Allusion à la première note de rappel et demande de règlement
   — Possibilité d'une erreur dans la facture ou le relevé
   — Demande de prompte réponse

2. *Lettres pressantes* — Le temps passe et le client n'a toujours pas réglé son compte. On lui adresse alors une ou deux lettres lui demandant de faire preuve de compréhension; en d'autres termes, on fait appel à ses bons sentiments. Tout en étant pressante, la lettre doit rester polie et cordiale. Le rédacteur peut employer les arguments suivants :

   — Donnez-nous la preuve que nous n'avons pas eu tort de vous faire confiance.
   — Ne compromettez pas votre crédit et votre réputation.
   — Venez nous voir et nous chercherons ensemble une solution.
   — Ne nous obligez pas à prendre des mesures désagréables.

3. *Mise en demeure* — C'est la dernière lettre adressée au client récalcitrant. On l'avise que s'il ne paie pas dans un délai donné, son compte sera remis entre les mains d'une agence de recouvrement. À se stade, il est probable que le fournisseur ou le commerçant ne désire plus garder le débiteur dans sa clientèle; la lettre peut donc être ferme.

Monsieur,

En dépit des nombreuses notes de rappel que nous vous avons envoyées, vous n'avez pas encore acquitté le solde de $254,50 inscrit à votre compte depuis le 15 mai. Vous n'avez pas non plus jugé bon de nous donner les raisons de ce retard.

Nous croyons avoir tout fait pour éviter le recours à des mesures désagréables, mais vous ne nous laissez pas d'autre choix. À notre grand regret, nous devons donc vous informer que votre compte sera remis à une agence de recouvrement s'il n'est pas réglé avant le 31 août.

Espérant néanmoins que nous n'aurons pas à recourir à ce moyen extrême, nous vous présentons, Monsieur, nos sincères salutations.

2.5 RÉCLAMATIONS ET RÉPONSES

Le cycle de la vente, depuis la commande jusqu'à son règlement, comporte de nombreuses opérations effectuées par un grand nombre de personnes. Il est donc normal qu'il se glisse parfois des erreurs dans l'expédition d'une commande, sa livraison ou sa facturation. La lettre de réclamation fait partie de la correspondance courante que reçoit ou envoie une maison de commerce.

Même si «le client a toujours raison», le fournisseur a aussi ses intérêts à protéger. Dans la réponse à une lettre de réclamation, on cherche à concilier ces deux points de vue en se souvenant qu'un client insatisfait est souvent un client perdu et, chose plus grave, un propagateur de mauvaise publicité.

2.5.1 La lettre de réclamation

Sans présenter de très grandes difficultés, la lettre de réclamation demande une certaine attention sans laquelle on ne peut atteindre le but visé : obtenir une réponse et un règlement satisfaisants. Nous avons déjà vu au chapitre VII qu'il était important de *savoir demander,* la formulation de la demande influant sur l'orientation de la réponse. Nous allons maintenant voir comment cette règle générale s'applique à la lettre de réclamation.

a) Principes de rédaction

La rédaction d'une lettre de réclamation suit généralement le schéma suivant :

1. Rappel de la commande faisant l'objet de la réclamation
2. Exposé de la cause d'insatisfaction
3. Demande de rectification
4. Formule de salutation

Reprenons en détail ces différents éléments. Pour faciliter la tâche du destinataire, on doit indiquer clairement tous les détails qui lui permettront d'étudier le cas : date et numéro de la commande ou de la facture et, selon l'objet de la réclamation, quantités et qualités commandées, prix convenu, mode et délai d'expédition, etc.

Dans un deuxième alinéa, on expose les motifs de la réclamation et le tort subi. On doit s'en tenir aux faits et éviter les accusations, les manifestations de mauvaise humeur, les menaces. Si la réclamation est justifiée, elle sera presque toujours réglée de façon satisfaisante : inutile alors de faire un drame et de se montrer désagréable.

Il est toujours préférable d'indiquer au destinataire le mode de règlement que l'on souhaite : reprise ou échange des marchandises, remboursement ou dédommagement, nouveau délai de livraison, etc. Le règlement proposé doit naturellement être raisonnable.

On peut terminer la lettre par l'une des formules suivantes :

En vous remerciant d'avance de . . .
Nous sommes convaincus que vous donnerez une suite favorable à notre demande . . .
Dans l'attente d'une prompte réponse . . .
Dans cette attente, nous vous prions . . .

b) **Modèles de lettres**

L'objet d'une réclamation se range habituellement dans l'une des trois catégories suivantes :

1. Marchandises commandées : la quantité ou la qualité des marchandises expédiées ou facturées n'est pas conforme à la commande.
2. Livraison et service : retard de livraison, défaut d'emballage, casse, installation défectueuse, plainte contre le personnel.
3. Facturation : erreur de calcul, différence avec le prix convenu, omission d'un escompte ou d'une remise, suppléments non justifiés (emballage, transport, taxe).

Nous proposons ci-dessous un modèle de lettre pour chacune de ces catégories.

Qualité non conforme à la commande

Messieurs,

Nous avons bien reçu les deux classeurs de modèle «Super» que vous nous avez envoyés conformément à notre commande n° B-1628 du 3 août. La livraison a été effectuée à la date fixée et nous vous en remercions.

Toutefois, au moment du déballage, nous avons constaté que les classeurs livrés n'avaient pas de serrure, alors que nous avions commandé le modèle avec serrure. Nous supposons qu'il s'agit d'une erreur de votre service des livraisons, étant donné que vous nous avez facturé le prix de classeurs à serrure.

Comme nous avons un besoin urgent de ces classeurs, voudriez-vous avoir l'obligeance de nous expédier le plus rapidement possible deux modèles à serrure et de reprendre les autres.

Avec nos remerciements, nous vous prions d'agréer, Messieurs, l'expression de nos meilleurs sentiments.

Retard de livraison

Messieurs,

Nous vous avons commandé le 28 novembre 24 paires de skis «Alpin» et, par votre accusé de réception du 2 décembre, vous nous en avez confirmé la livraison pour le 10 décembre au plus tard. Or, nous sommes le 16 et la commande n'est pas encore arrivée.

Vous comprendrez aisément que ce retard nous cause un grave préjudice, car le gros de nos affaires se fait à la veille de Noël et nous avons déjà manqué plusieurs ventes.

Nous regretterions d'être contraints d'annuler notre commande, c'est pourquoi nous vous prions instamment de nous en faire l'expédition dans le plus bref délai.

Veuillez agréer, Messieurs, nos sincères salutations.

Erreur de facturation

Messieurs,

Nous accusons réception de votre facture n° SA-20367 datée du 12 mars, pour notre commande du 20 février.

Après vérification, nous constatons que vous ne nous avez pas accordé la remise de 5% promise par votre représentant et confirmée par votre accusé de réception du 25 février. Nous vous signalons d'autre part que nous ne sommes pas assujettis à la taxe fédérale de 11% (Permis n° 1357900).

Voudriez-vous avoir l'obligeance de nous envoyer une facture recti-fiée; nous vous en réglerons le montant par retour du courrier.

Dans cette attente, nous vous prions d'agréer, Messieurs, l'expression de nos meilleurs sentiments.

2.5.2 Réponses aux lettres de réclamation

Toujours soucieuses de satisfaire leur clientèle et de préserver leur bonne réputation, les maisons de commerce accueillent généralement bien les lettres de réclamation parce qu'elles leur fournissent l'occasion de prouver, d'une façon concrète, leur sérieux et leur bonne volonté. Mais, en dépit du dicton, le client a parfois tort et, dans ce cas, la réponse est plus difficile à rédiger. Il faut alors appliquer les règles que nous avons déjà énoncées (chap. VII) pour *savoir convaincre* et *savoir dire non.*

a) Principes de rédaction

Comme la lettre de réclamation, la réponse est rédigée selon un schéma qui ne varie guère :

RÉCLAMATION JUSTIFIÉE	RÉCLAMATION INJUSTIFIÉE
— Accusé de réception et regrets	— Accusé de réception et rappel de la réclamation
— Raison de l'erreur et rectification	— Refus et justification
— Offre de service et salutation	— Regrets et salutation

La première qualité d'une réponse est sa promptitude. Une prompte réponse, en plus d'être une marque de politesse, impressionne favorablement le client : c'est la preuve que l'on s'occupe de lui, que sa réclamation est prise au sérieux. Un retard ne pourrait qu'aggraver le préjudice déjà causé.

Si la réclamation est justifiée, on doit présenter des excuses et annoncer la rectification immédiate de l'erreur. Si la faute incombe en partie au client, on le mentionne sans insister; si elle est le fait du fournisseur, il est parfois utile de donner une brève explication. On terminera sur une note positive; par exemple, remerciements pour la commande et espoir d'en recevoir d'autres.

Si la réclamation n'est pas justifiée, on doit en informer le client avec ménagement et lui exposer de façon convaincante les raisons qui motivent le refus. Néanmoins il est préférable de donner satisfaction au client, même s'il est dans son tort : conserver un bon client de cette façon est plus important que de rectifier une erreur de quelques dollars et plus efficace qu'un slogan publicitaire.

b)   Modèles de lettres

Réclamation justifiée

Monsieur,

Nous vous remercions de votre lettre du 15 mars et regrettons vivement l'erreur qui s'est glissée dans notre facture n° SA-20367.

Notre Service de la comptabilité, qui n'avait pas été informé des conditions spéciales dont vous bénéficiez, a immédiatement rectifié l'erreur; nous vous adressons donc une facture annulant la précédente.

Nous espérons que cette première commande vous a donné entière satisfaction et nous serons heureux d'avoir à nouveau l'occasion de vous servir.

Agréez, Monsieur, l'expression de nos sentiments très dévoués.

Réclamation partiellement justifiée

Messieurs,

Nous nous empressons de répondre à votre lettre du 12 août concernant la livraison de deux classeurs, modèle «Super».

En vérifiant votre bon de commande, nous constatons que vous aviez indiqué deux classeurs «Super», alors que dans notre catalogue les modèles avec serrure sont désignés sous le nom de «Super S». Par contre, vous aviez inscrit le prix exact, et nous aurions dû rectifier nous-mêmes ou vous demander des précisions. Veuillez donc nous excuser de ce malentendu.

Vous recevrez dans deux jours les classeurs «Super S» et nous ferons reprendre, à nos frais, ceux qui vous ont été livrés.

Nous vous remercions de votre commande et vous prions d'agréer, Messieurs, l'expression de nos sentiments dévoués.

Réclamation non justifiée

Monsieur,

Nous accusons réception de votre lettre du 6 juin dans laquelle vous vous étonnez que nous vous ayons facturé la main-d'oeuvre pour la réparation de votre appareil de télévision.

La garantie que nous accordons ne couvre que les pièces défectueuses changées dans un délai d'un an après la date de la vente, la main-d'oeuvre étant à la charge de l'acheteur. Ces conditions sont clairement stipulées dans le certificat de garantie que vous avez reçu au moment de l'achat, et vous pourrez facilement vérifier que nous avons respecté nos engagements.

Nous demeurons à votre service et vous prions d'agréer, Monsieur, nos sincères salutations.

Madame,

Nous sommes surpris d'apprendre que notre dernier envoi ne vous est pas parvenu en bon état. Nous expédions chaque jour des dizaines de colis semblables, tous préparés avec le même soin, et nous n'avions reçu jusqu'ici aucune réclamation au sujet de nos emballages.

Nous pensons donc que le colis a reçu un choc en cours de transport, et vous auriez dû faire constater les dommages avant d'accepter la livraison. Néanmoins, tout en déclinant notre responsabilité, nous acceptons de remplacer à nos frais les trois tasses cassées et nous vous les envoyons aujourd'hui même par la poste.

Veuillez agréer, Madame, l'expression de nos sentiments très dévoués.

2.6 OFFRES ET DEMANDES D'EMPLOI

Chaque jour, les journaux publient des pages entières d'offres et de demandes d'emploi; chaque jour, des personnes quittent leur emploi et d'autres sont engagées. Ces mouvements de la main-d'oeuvre sont facilités par des organismes gouvernementaux, des agences privées de placement et les services du personnel des différents employeurs. La communication orale joue un rôle important dans le processus d'engagement, la décision étant généralement prise à la suite d'une entrevue, mais à chaque étape du processus on trouve aussi des écrits : fiches, formules, annonces, lettres et rapports. Dans les pages qui suivent, nous allons étudier les communications écrites que vous pourrez avoir l'occasion de rédiger, à différents titres, au cours de votre carrière. Ce sont, en suivant l'ordre chrolonogique, l'offre d'emploi, la demande d'emploi, les lettres relatives à la vérification des références et enfin la lettre de démission.

2.6.1 L'offre d'emploi

Lorsqu'un employeur désire engager du personnel, il doit en premier lieu faire connaître ses besoins au public. Qu'il confie cette tâche à son service du personnel ou à un organisme spécialisé, l'offre d'emploi prendra presque toujours la forme d'une annonce. Celle-ci peut être publiée dans les journaux ou affichée dans un endroit que fréquentent les candidats éventuels (édifices publics, universités, tableaux d'affichage de l'entreprise). Tandis que l'annonce publiée dans un journal ou une revue est généralement brève et parfois rédigée en style télégraphique, l'offre d'emploi (ou annonce d'un concours) affichée contient une description détaillée du poste offert et des qualités qu'il exige.

RÉDACTION D'UNE ANNONCE

Le texte des annonces varie selon le poste offert et sa présentation n'est pas uniforme, mais on y trouve généralement les éléments suivants :

Nom de l'employeur — Il figure en majuscules en tête de l'annonce. On peut aussi l'indiquer dans l'adresse, à la fin de l'annonce, et certains employeurs préfèrent l'omettre : dans ces deux cas, l'annonce commence par l'indication du type d'entreprise.

Ex. : Maison d'édition cherche . . .
     Importante société pétrolière demande . . .
     Entreprise de construction recrute . . .

Formule d'offre — Pour annoncer le poste offert, on a le choix entre : *demande, cherche, recrute, offre un poste de.* On doit éviter «requiert» et la tournure passive «est demandé».

Poste offert — C'est l'élément essentiel de l'annonce. Les candidats qui parcourent des colonnes d'annonces doivent pouvoir repérer immédiatement les emplois qui les intéressent. C'est pourquoi il est toujours préférable d'indiquer le poste en majuscules ou en caractères gras.

Conditions d'emploi — On peut les résumer sous les rubriques suivantes :
— Précisions sur les fonctions à remplir
— Compétence et expérience requises
— Conditions de travail : lieu, heures, déplacements
— Rémunération et avantages sociaux. On ne précise pas toujours le montant du salaire offert («Salaire selon l'expérience», «Salaire à discuter»); si l'employeur désire que les candidats fixent le salaire qu'ils demandent, on ajoute la mention «Indiquer prétentions». Les avantages sociaux comprennent les congés payés, la participation à une caisse de retraite ou à un régime d'assurance collective et autres prestations qui s'ajoutent au salaire. Rappelons que l'expression «bénéfices marginaux», employée dans ce sens, est un anglicisme.

Adresse — L'annonce se termine par l'adresse à laquelle le candidat devra se présenter ou envoyer sa demande. C'est l'adresse de l'employeur, de l'agence de recrutement ou du journal (avec mention d'une case postale).

On fait précéder l'adresse de l'une des formules suivantes :
Se présenter
Envoyer demande et curriculum vitae   }   à l'adresse suivante :
Écrire ou se présenter

Dans le cas d'une entrevue, on indique :

Téléphoner au Directeur du personnel : 665-3194 (poste 312). On veillera à éviter les anglicismes «formule d'application» et «faire application».

L'annonce se termine parfois par la mention «Discrétion assurée».

MODÈLE D'ANNONCE

IMPORTANTE MAISON D'ÉDITION

cherche un(e)

SECRÉTAIRE DE DIRECTION

pour son bureau de Montréal. Le candidat doit avoir une bonne expérience dans ce domaine et être disponible immédiatement. Le poste offert comporte des responsabilités et demande de l'initiative. Une excellente connaissance du français est nécessaire.

Salaire intéressant et avantages sociaux.

Envoyer curriculum vitae à l'adresse suivante :

ÉDITIONS LAURENTIENNES
20, place Ville-Marie
Montréal
H2G 2Y8

2.6.2 La demande d'emploi

À la fin de vos études, votre première préoccupation sera sans doute de vous trouver un emploi. Par la suite, ayant acquis de l'expérience, vous souhaiterez comme tout le monde améliorer votre situation. S'il peut arriver que l'on obtienne une place par relations, en passant une entrevue ou en remplissant une formule, dans de nombreux cas il faut présenter par écrit une demande d'emploi. En effet, un directeur du personnel ne peut passer des heures et des jours à interviewer des candidats; il doit faire une première sélection et ne garder que les candidatures intéressantes. À ce premier stade, vous serez donc jugé d'après votre lettre d'offre de services; c'est dire son importance pour votre carrière.

La demande d'emploi ressemble à la lettre de vente, à la différence qu'on offre des services et non des marchandises. Le but visé est le même dans les deux cas : convaincre pour obtenir une réaction favorable, et le meilleur moyen d'atteindre ce but est d'appliquer une fois de plus le principe de substitution («Si j'étais chargé d'engager quelqu'un pour occuper le poste que je sollicite, quelles sont les qualités que j'exigerais des candidats?»). En répondant à cette question on doit se garder de deux excès : une trop grande modestie et une opinion exagérée de ses talents. On évitera ces écueils en n'apportant que des preuves concrètes de sa compétence, c'est-à-dire des faits et des chiffres, et en laissant au destinataire le soin de porter un jugement.

La demande d'emploi comprend généralement deux parties : une lettre et un curriculum vitae. Nous allons les étudier séparément.

a)   Lettre de demande d'emploi

La lettre sert essentiellement à présenter le curriculum, qui est une simple énumération de faits. Elle doit être brève, polie et irréprochable dans sa présentation (rappelez-vous l'importance de la première impression). Il est préférable de la dactylographier, sauf dans les cas où l'offre d'emploi précise que la demande doit être manuscrite.

SCHÉMA DE RÉDACTION

1.   *Rappel de l'annonce*
J'ai relevé dans La Presse du 20 avril l'annonce par laquelle vous demandez . . .
Je lis dans Le Devoir du 10 janvier que votre société offre un poste de . . .
J'ai appris par les journaux que vous cherchiez . . .

2.   *Candidature*
Je crois remplir les conditions exigées et me permets
{ de solliciter cette place
  de postuler cet emploi
  de poser ma candidature à ce poste

3.   *Renvoi au curriculum*
Je joins à ma lettre mon curriculum vitae avec les renseignements qui vous permettront de juger de ma compétence.

4.   *Demande d'entrevue et salutation*
Je me tiens à votre disposition pour une entrevue et, dans l'espoir d'une réponse favorable, je vous prie d'agréer, Monsieur, mes sincères salutations.

On peut ajouter à la lettre des renseignements de caractère personnel qui ne figurent pas dans le curriculum (qualités morales, raison pour laquelle on quitte son emploi) et développer le principal argument en faveur de la candidature.

MODÈLE DE LETTRE

Monsieur,

Ayant lu dans *L'Antenne* que votre entreprise désire engager une secrétaire-traductrice, je me permets de poser ma candidature à ce poste.

Comme vous le constaterez en parcourant le curriculum vitae ci-joint, j'ai suivi des cours de traduction et de secrétariat qui m'ont permis d'acquérir une formation correspondant à celle que vous exigez. En outre, plusieurs stages effectués pendant les vacances m'ont donné une expérience très utile, et je pense que vous obtiendrez de bonnes références à mon sujet auprès de mes anciens employeurs. Je serais très heureuse de travailler dans votre entreprise, car l'édition est un domaine qui m'a toujours attirée.

Si vous décidez de retenir ma candidature, j'accepterai volontiers de me présenter pour une entrevue à la date que vous voudrez bien me fixer.

Veuillez agréer, Monsieur, mes sincères salutations.

b)   Curriculum vitae

La personne qui étudie une demande d'emploi s'attend à trouver dans le curriculum une série de renseignements précis lui permettant de choisir entre dix ou cent candidatures celles qui méritent d'être retenues. Il est donc inutile d'indiquer dans un curriculum des détails d'intérêt secondaire (numéro d'assurance sociale, taille, poids, etc.) et il est toujours préférable, pour faciliter la lecture, de présenter les renseignements sous forme de fiche signalétique. Voici les indications que contient généralement un curriculum vitae :

NOM:

ADRESSE: TÉLÉPHONE:

DATE ET LIEU DE NAISSANCE:

SITUATION DE FAMILLE:

(Célibataire, marié, chargé de famille)

CITOYENNETÉ:

LANGUES PARLÉES:

SALAIRE DEMANDÉ:

(Mention facultative : le plus souvent, le salaire ou traitement est fixé par l'employeur ou discuté au moment de l'entrevue.)

DISPONIBILITÉ:

(Date à laquelle on pourra commencer à travailler)

ÉTUDES ET DIPLÔMES:

(Études secondaires et universitaires, cours spécialisés, diplômes obtenus)

EXPÉRIENCE:

(Liste des emplois antérieurs, nom et adresse de l'employeur, durée de l'emploi. Dans le cas d'étudiants : stages, emplois de vacances, travaux de recherche, etc.)

RÉFÉRENCES:

Les personnes suivantes m'ont autorisé à donner leur nom en référence: (Nom, adresse, numéro de téléphone, profession ou fonction de deux ou trois personnes connaissant bien le candidat : ancien employeur, professeur, directeur de banque, etc. La politesse exige que l'on demande à ces personnes l'autorisation de fournir leur nom.)

2.6.3   Vérification des références

La vérification des références fournies dans la demande d'emploi se fait généralement par téléphone, mais elle peut aussi donner lieu à un échange de lettres. Ces lettres entrent dans la catégorie des demandes et communications de renseignements (§ 2.1) et nous nous contenterons ici d'en présenter un modèle.

Demande de renseignements

Messieurs,

Votre ancien employé, M. Jacques Langlois, a posé sa candidature au poste de directeur de notre agence de Québec. Il nous a donné votre nom comme référence et nous a dit avoir occupé le même poste chez vous pendant cinq ans.

Nous estimons que sa formation et son expérience le recommandent pour le poste en question, mais nous aimerions avoir votre appréciation personnelle, notamment en ce qui concerne son caractère, ses qualités morales et son aptitude à diriger le personnel.

Nous vous remercions d'avance des renseignements que vous voudrez bien nous communiquer en toute discrétion, espérant avoir l'occasion de vous rendre le même service.

Veuillez agréer, Messieurs, nos sincères salutations.

Lettre de recommandation — On doit rédiger avec une attention particulière la lettre de recommandation adressée en réponse à une demande de renseignements; il faut en effet éviter de desservir le candidat ou l'employeur éventuel en donnant une appréciation sans peser ses mots.

Lorsqu'un employé demande une lettre de recommandation sans préciser à qui elle est destinée, il est d'usage de l'adresser «À qui de droit».

Réponse favorable

Monsieur,

Nous nous empressons de vous fournir les renseignements que vous nous demandez dans votre lettre du 4 septembre.

Mlle Demers a effectivement été à notre service de 1965 à 1968, d'abord comme sténodactylo, puis comme secrétaire du chef de la Publicité. Elle nous a quittés pour occuper une place de secrétaire-traductrice.

Employée consciencieuse et dévouée, Mlle Demers nous a donné entière satisfaction par son travail, et son agréable personnalité a été regrettée de tout le personnel. Nous n'hésitons donc pas à la recommander pour le poste qu'elle sollicite dans votre entreprise et nous croyons que vous pouvez l'engager en toute confiance.

Veuillez agréer, Monsieur, l'expression de nos sentiments distingués.

Réponse évasive

Monsieur,

En réponse à votre lettre du 2 février, nous regrettons de ne pouvoir vous fournir de renseignements précis sur M. Jean Lebel. Il n'a été à notre service que pendant six mois, en 1965, et a quitté son emploi pour accepter l'offre d'un de nos concurrents. Nous pensons donc que ses autres employeurs pourraient vous renseigner mieux que nous.

Agréez, Monsieur, nos bien sincères salutations.

2.6.4 Acceptation ou refus de la demande d'emploi

Après l'examen des demandes d'emploi reçues, une première élimination se fait : certains candidats sont invités à passer une entrevue, d'autres sont informés que leur candidature n'a pas été retenue.

Convocation à une entrevue

Mademoiselle,

Pour faire suite à votre demande d'emploi du 5 mai, nous vous prions de prendre rendez-vous pour une entrevue en téléphonant à M. Pierre Francoeur, Directeur du personnel, au numéro 254-2832, poste 112.

Veuillez agréer, Mademoiselle, l'expression de nos meilleurs sentiments.

ɪ٬ous vous remercions de l'offre de service que vous nous avez adressée le 29 juin.

Après étude de votre curriculum, nous regrettons de ne pouvoir vous offrir le traitement justifié par votre expérience. Nous gardons néanmoins votre demande en dossier pour le cas où une autre vacance se présenterait.

Veuillez agréer, Monsieur, nos sincères salutations.

2.6.5   Lettre de démission

Il est d'usage dans certaines entreprises de demander aux cadres supérieurs la remise d'une lettre de démission avant leur départ. Cette lettre, qui sera versée à leur dossier, doit être concise et polie — quel que soit le motif de la démission. En voici un exemple :

Monsieur le Directeur,

Ayant accepté une offre intéressante qui me permettra d'accroître mon expérience et d'assumer de plus grandes responsabilités, je désire vous informer que je quitterai le 30 avril le poste que j'occupe dans votre société.

Je tiens à vous remercier de la confiance que vous m'avez accordée et à vous dire la vive satisfaction que j'ai éprouvée à travailler sous votre direction. C'est donc avec regret que je quitte la société SOMICA après huit ans de service.

Je vous renouvelle, Monsieur le Directeur, l'assurance de ma haute considération.

2.7   CORRESPONDANCE À CARACTÈRE PERSONNEL

La correspondance d'une entreprise commerciale ne se limite pas aux lettres d'affaires que nous venons d'étudier. Les rapports humains, nous l'avons vu, jouent un rôle important en communication commerciale, et une partie de l'activité d'un homme d'affaires consiste à établir des contacts personnels et à maintenir des relations cordiales avec tous ceux qui participent à la vie de l'entreprise : cadres et personnel, clients et fournisseurs, agents et public en général.

L'activité strictement commerciale va ainsi de pair avec des rapports plus personnels donnant lieu à une correspondance à caractère privé : invitations, remerciements, félicitations, etc. Ces lettres qui s'adressent à une personne connue et expriment en règle générale des sentiments personnels, n'ont pas la rigueur des lettres d'affaires, ni dans leur présentation ni dans leur style. Le ton en est généralement amical et, quelles que soient les circonstances, on doit toujours chercher à s'y exprimer avec simplicité, la sincérité des sentiments ne se mesurant pas à la longueur des mots qu'on emploie.

La forme et le style des lettres à caractère personnel varient naturellement selon l'occasion qui les motivent, la personnalité du rédacteur et les relations qu'il entretient avec le destinataire. Les lettres stéréotypées, qui peuvent se justifier dans le cas des rappels, relances et autres communications purement commerciales, n'ont pas leur place ici; c'est pourquoi les modèles qui suivent ne sont donnés qu'à titre d'exemples.

2.7.1   Lettres de félicitations

On envoie des lettres de félicitations à l'occasion d'une nomination à un poste supérieur, d'une distinction, d'un succès, d'un anniversaire, d'une naissance, etc. La lettre permet de montrer son appréciation à une personne ou de lui rappeler des liens d'amitié.

À un directeur d'agence

Monsieur et cher ami,

En parcourant notre rapport annuel avant son envoi chez l'imprimeur, je constate que notre agence de Québec comptera le mois prochain cinq années d'existence, et je suis heureux de pouvoir ajouter que, grâce à vous, cet anniversaire marquera aussi cinq années de succès.

Je ne voulais pas laisser passer l'occasion sans vous dire personnellement combien j'apprécie votre collaboration. Je sais que le Conseil d'administration partage mes sentiments et je ne crois pas révéler un secret en vous annonçant que vous recevrez prochainement une marque «tangible» de son appréciation.

Nous allons nous voir à l'assemblée des actionnaires : réservez-moi la soirée de mardi, j'ai l'intention de vous prouver que la cuisine montréalaise se compare favorablement à celle de Québec!

Bien cordialement,

À une relation d'affaires

Mon cher Michel,

Je viens d'apprendre par les journaux ta nomination au poste de directeur des relations extérieures de la Banque Nationale. Bravo et félicitations! «La valeur n'attend pas le nombre des années» : tu dois être légitimement fier de cette promotion et je m'en réjouis pour toi.

En souhaitant que ce nouveau poste t'apporte beaucoup de satisfaction, je te prie de croire, mon cher Michel, à ma très sincère amitié.

À l'occasion d'une naissance

Cher ami,

J'ai été heureux d'apprendre la naissance de votre fils Pierre et je vous remercie de m'en avoir fait part.

Voilà donc la relève assurée et je ne doute pas que le nouveau-né suive les traces de son père.

Veuillez partager avec Madame Leblanc mes très sincères félicitations.

Cartes de visite — Lorsqu'on n'est pas attaché à la personne par des liens d'amitié, on se contente le plus souvent d'adresser ses félicitations sur une carte de visite. La lettre de félicitations peut être dactylographiée ou manuscrite; la carte est évidemment toujours manuscrite.

2.7.2   Invitations et réponses

Les invitations écrites peuvent se faire par lettre, carte de visite ou carte imprimée, selon l'occasion : invitation à prononcer une causerie, à déjeuner ou à dîner, à assister au lancement d'un nouveau produit ou à l'inauguration d'une nouvelle succursale. On trouvera ci-dessous quelques exemples de ces différentes invitations.

Conférences ou causeries

Monsieur,

L'Amicale des anciens de l'École de commerce organise chaque mois un dîner-causerie au cours duquel un représentant du monde des affaires est invité à prendre la parole.

Nous avons choisi comme thème de notre dîner-causerie du mois prochain «Les problèmes de communication dans une grande entreprise» et nous pensons que vous êtes éminemment qualifié pour traiter de ce sujet. La causerie dure habituellement une heure et est suivie d'une discussion libre.

Le prochain dîner-causerie aura lieu le 8 septembre à 7 h 30 au restaurant du Nouveau-Monde, salle Champlain. Si, comme nous l'espérons, vous acceptez notre invitation, nous vous serions reconnaissants de confirmer votre accord.

Nous vous prions de croire, Monsieur, à notre haute considération.

ANDRÉ DESROCHES

est heureux d'apprendre votre récente nomination et vous adresse, avec l'expression de son fidèle souvenir, ses cordiales félicitations.

JACQUES LAVOIE

se réjouit de la naissance du petit Philippe et vous adresse ses très vives félicitations.

Réponse affirmative

Monsieur le Secrétaire,

Je vous remercie de l'honneur que vous me faites en m'invitant à prendre la parole, le 8 septembre prochain, devant les membres de votre Amicale.

«La communication dans une grande entreprise» est un sujet qui m'intéresse, ayant eu à m'occuper de cette question dans notre société, et je suis heureux d'accepter votre invitation.

Veuillez agréer, Monsieur le Secrétaire, l'expression de mes sentiments distingués.

Réponse négative

Monsieur,

C'est avec un vif plaisir que j'aurais accepté de prendre la parole au prochain dîner-causerie de votre Amicale, car le thème proposé présente à mes yeux un grand intérêt. Malheureusement, je dois m'absenter pendant les deux premières semaines du mois de septembre pour un voyage d'affaires qu'il m'est impossible de remettre à plus tard.

Je me vois donc dans l'obligation de décliner votre aimable invitation, mais soyez assuré que je serai heureux de participer à un autre dîner-causerie si vous m'en offrez l'occasion.

Agréez, Monsieur, l'expression de mes sentiments les meilleurs.

2.7.3   Lettres de remerciement

La politesse la plus élémentaire exige que l'on remercie la personne qui vous a rendu un service, offert un cadeau ou témoigné sa sympathie au moment d'une épreuve. Un simple mot suffit à marquer sa gratitude.

Service rendu

Monsieur,

Vous avez aimablement accepté d'appuyer ma candidature au poste de secrétaire-trésorier de la Compagnie Sigma, et je suis heureux de vous annoncer que j'entre en fonctions lundi prochain. Je sais que votre recommandation m'a beaucoup aidé à obtenir ce poste et je tenais à vous exprimer ma sincère reconnaissance avant de vous remercier de vive voix.

Je vous prie d'agréer, Monsieur, l'expression de mes sentiments dévoués.

Réceptions, invitations à déjeuner ou à dîner

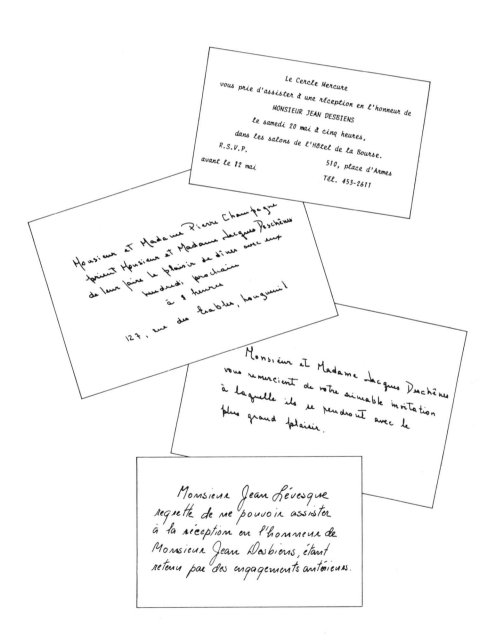

Le Cercle Mercure
vous prie d'assister à une réception en l'honneur de
MONSIEUR JEAN DESBIENS
le samedi 20 mai à cinq heures,
dans les salons de l'Hôtel de la Bourse.

R.S.V.P.

avant le 12 mai   510, place d'Armes
                                   TÉL. 453-2611

Monsieur et Madame Pierre Champagne
prient Monsieur et Madame Jacques Deschênes
de leur faire le plaisir de dîner avec eux
vendredi prochain
à 8 heures

127, rue des Érables, Longueuil

Monsieur et Madame Jacques Deschênes
vous remercient de votre aimable invitation
à laquelle ils se rendront avec le
plus grand plaisir.

Monsieur Jean Lévesque
regrette de ne pouvoir assister
à la réception en l'honneur de
Monsieur Jean Desbiens, étant
retenu par des engagements antérieurs.

Inaugurations et lancements

La direction et le personnel

des Établissements Longpré & Fils

prient

M ....

d'assister à l'inauguration de leur

nouvelle succursale

le lundi 18 avril à 5 heures.

Un vin d'honneur sera servi.

R. S. V. P.   *8650, rue Saint-Hubert*

Tél. 281-6942

Cadeau

Cher Monsieur,

Votre gentillesse me comble. Je viens de recevoir la gravure que vous avez eu la délicate pensée de m'envoyer, connaissant mon attachement à ce quartier du Vieux Montréal. Je vais sans tarder la faire encadrer et, à votre prochaine visite, vous pourrez constater qu'elle occupe une place d'honneur dans mon bureau.

Vous n'auriez pu me faire un plus grand plaisir et je vous prie d'accepter mes sincères remerciements.

Croyez, cher Monsieur, à mes sentiments très cordiaux.

Marque de sympathie

Cher ami,

Je vous remercie des voeux de prompt rétablissement que vous m'avez adressés pendant mon séjour à l'hôpital. Ces voeux ont été exaucés, puisque me voilà de nouveau solide sur mes deux jambes.

Les messages que j'ai reçus pendant ces longues journées d'inactivité m'ont été d'un grand réconfort, car on se sent un peu coupé du monde extérieur.

Merci encore et croyez à ma fidèle amitié.

2.7.4   Lettres de condoléances

On écrit des lettres de condoléances à l'occasion du décès d'un employé ou d'un membre de sa famille, d'un président ou directeur d'une société avec laquelle on a des relations d'affaires, d'un collègue ou d'un client important. Ces lettres sont parmi les plus difficiles à rédiger, car il n'est pas toujours aisé d'éviter les formules banales.

On peut adresser ses condoléances sur une simple carte lorsqu'on ne connaissait pas intimement la personne; dans les autres cas, il est toujours préférable d'envoyer une lettre brève.

SCHÉMA DE LA LETTRE

1.   *Nouvelle de la mort.*
     Nous apprenons avec une douloureuse surprise l'épreuve qui vient de vous frapper.
     J'apprends avec émotion la nouvelle du grand chagrin qui vous frappe.
     La nouvelle dont vous me faites part me cause une grande peine.

> **BENOÎT LEGENDRE**
> Directeur général
>
> *vous prie d'agréer l'expression de ses bien sincères condoléances à l'occasion du deuil cruel qui vous frappe.*

2.   *Éloge de la personne décédée,* si on la connaissait.

3.   *Expression de ses condoléances.*
     Veuillez croire à ma profonde sympathie dans votre épreuve.
     Je vous prie d'agréer l'expression de ma douloureuse sympathie.
     Nous vous adressons, ma femme et moi, nos bien sincères condoléances.

EXEMPLE DE LETTRE

Madame,

Je viens d'apprendre avec tristesse la douloureuse issue de vos jours d'angoisse et je m'associe à la peine que vous éprouvez.

Comme vous le savez, j'avais pour votre mari une profonde estime et une grande amitié. Je garderai toujours le souvenir des années de fructueuse collaboration que nous avons vécues ensemble. Son départ est vivement ressenti par ses collègues qui avaient tous eu l'occasion d'apprécier ses qualités de coeur et de caractère.

Avec mes respectueux hommages, je vous prie d'agréer, Madame, mes bien sincères condoléances.

2.7.5   Souhaits et voeux

Les occasions d'envoyer des lettres ou cartes de souhaits ne sont pas très fréquentes; on souhaite un prompt rétablissement à un collègue ou ami hospitalisé, on adresse des souhaits de succès à une connaissance qui se lance dans un nouveau domaine, mais les souhaits de fête ou d'anniversaire appartiennent plutôt à la correspondance privée.

L'échange de voeux à Noël et au jour de l'An est par contre une pratique bien ancrée dans le monde des affaires, même si beaucoup considèrent que cet usage est une servitude. La plupart des entreprises commerciales envoient des cartes de voeux imprimées sur lesquelles il suffit d'ajouter une signature. D'autres terminent leurs lettres par une formule de voeux :

Nous profitons de l'occasion pour vous adresser nos meilleurs voeux . . .
Veuillez agréer, avec nos meilleurs voeux, l'expression . . .

Certaines enfin envoient une lettre circulaire dans laquelle elles remercient la clientèle pour la confiance qu'elle leur a accordée au cours de l'année et lui font de nouvelles offres de service.

Voici quelques exemples de formules de voeux :

Nos meilleurs voeux
Souhaits de bonne année
Joyeux Noël et bonne année
Nous vous présentons nos voeux les plus sincères pour la nouvelle année.
Avec nos meilleurs voeux pour une autre année de succès et de prospérité.

Rappelons pour terminer que la formule «Compliments de la saison» est un calque de l'anglais et n'a aucun sens en français.

EXERCICES DE RÉVISION ET DE COMPRÉHENSION

Protocole épistolaire

1. Qu'est-ce que le protocole épistolaire? Quelle est son utilité?
2. Qu'appelle-t-on «symbole social»? Donnez quelques exemples.
3. Où se place la vedette dans une lettre?
4. Quel signe de ponctuation doit-on toujours mettre après le numéro de la rue?
5. Corrigez cette formule de salutation : «En espérant que ces conditions vous conviendront, veuillez agréer, Messieurs, l'expression de mes sincères salutations.»
6. Qu'est-ce que la suscription? Où doit-elle figurer?

Une lettre pour chaque occasion

1. Quelles sont les qualités d'une lettre de demande de renseignements?
2. Comment transformer en lettre de vente la réponse à une demande de renseignements?
3. Qu'est-ce qu'une circulaire? Quand utilise-t-on cette forme de communication?
4. Qu'est-ce qu'un accusé de réception?
5. Quelles sont les questions qu'on doit se poser avant de rédiger une lettre de vente?
6. Donnez un exemple d'une «amorce» qui vous a paru originale.
7. Dans quels cas envoie-t-on des lettres de relance?
8. Quelles formes peut prendre la note de rappel?
9. Comment donner une réponse positive à une lettre de réclamation?
10. Qu'est-ce qu'un curriculum vitae?

BIBLIOGRAPHIE

BERNATÉNÉ, Henri, *Le secrétariat de direction,* Louvain, Éd. d'organisation, 1963.

BERSET, Francis, *Correspondance commerciale en 4 langues,* Paris, Dunod, 1967.

BLOCH, H., M. BORDENAVE-GUILLOU et J. ABOURACHID, *Correspondance commerciale,* Paris, Sirey, 1970.

BUREAU DES TRADUCTIONS, «La lettre», in *L'actualité terminologique,* Ottawa, Secrétariat d'État, vol. I, nos 4, 5, 6 et 7 (avril-sept. 1968).

CATHERINE, Robert, *Le style administratif,* Paris, Albin Michel, 1961.

CLAUDE, James et P. DUCOMMUN, *Correspondance commerciale française* (Commerce, banque, assurance), Lausanne et Paris, Payot, 1970.

DARBELNET, Jean, «Dates, heures, et génériques de la toponymie urbaine», *L'actualité terminolo-gique,* Ottawa, Bureau des traductions, Secrétariat d'État, vol. 9, n° 5, mai 1976.

FONTENAY, Henri, *La bonne correspondance familiale, administrative et d'affaires,* Paris, Fernand Nathan, 1953.

GANDOUIN, Jacques, *Correspondance et rédaction administratives,* Paris, Armand Colin, 1966.

GENEST, Françoise, *Le travail de bureau,* Montréal, McGraw-Hill, 1971.

GRÉGOIRE DE BLOIS, Claudette, *Dictionnaire de la correspondance,* Longueuil, Éd. Graphe, 1976.

PELTZER, *La lettre modèle — Précis international de correspondance commerciale et privée,* Paris, Dunod, 1970.

RIDEAU, Marcel, *Précis de correspondance commerciale — Courrier, classement, fiches,* 7e éd., Paris, Dunod, 1969.

ROUMAGNAC, J., *Correspondance commerciale,* Paris, Éd. Foucher, 1959.

SECRÉTARIAT D'ÉTAT, *Manuel de référence à l'usage des sténographes,* Ottawa, Imprimeur de la Reine, 1960.

THIERRIN, Paul, *Toute la correspondance,* Bienne (Suisse), Éd. du panorama, s.d.

Chapitre IX
Rapports, notes et communications diverses

Posséder un vocabulaire précis et savoir s'en servir, savoir dans une question ce qui est essentiel et ce qui est secondaire, distinguer dans l'exposition ce qu'il faut mettre au commencement, au milieu ou à la fin, retenir ce qui fait partie du sujet en éliminant le reste, c'est là une discipline aussi indispensable à l'industriel ou au savant qu'à l'avocat ou au médecin.

André SIEGFRIED

SECTION 1

Le rapport

Par suite de l'expansion et de la complexité croissante des entreprises, un seul homme ne peut plus contrôler la marche de l'affaire qu'il dirige et en surveiller lui-même toutes les activités. C'est pourquoi les propriétaires et administrateurs d'entreprises délèguent leurs pouvoirs à des directeurs de succursale et chefs de service qui, eux-mêmes, s'adjoignent des collaborateurs. L'organisation fonctionnelle ainsi établie ne peut être efficace que s'il existe une communication à double sens entre les différents échelons hiérarchiques : la direction, appelée à prendre les décisions, doit recevoir l'information nécessaire et communiquer en retour ses directives. On peut schématiser ce circuit de la façon suivante:

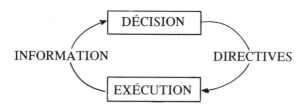

Le rapport est un écrit qui transmet des renseignements à une autorité supérieure pour la tenir au courant de la marche de l'entreprise ou l'aider à prendre une décision. Il occupe donc une place importante dans l'ensemble des communications écrites qui circulent dans une entreprise. On juge un rapport au double point de vue du fond et de la forme. Le fond est une question de formation et de compétence professionnelle; aussi, c'est à la forme que nous nous intéresserons plus particulièrement ici.

1.1 DÉFINITION ET RÔLE DU RAPPORT

Le *rapport* est essentiellement un exposé de faits ou d'idées, portant sur une question particulière et destiné à fournir des éléments de jugement ou de décision à une autorité supérieure. Il se distingue de la *lettre,* à caractère personnel, de la *note,* plus sommaire et qui transmet généralement une *simple* information à un autre service ou au personnel, du *compte rendu* et du *procès-verbal,* qui se limitent à rapporter des faits ou des paroles sans les commenter.

Il y a de nombreux types de rapports à caractère commercial; on peut néanmoins les diviser en deux grandes catégories : ceux qui communiquent des renseignements en laissant au destinataire le soin de porter lui-même un jugement et, le cas échéant, de prendre une décision (rapports de production, d'expériences, de recherches, d'absentéisme, d'avancement des travaux, etc.), et ceux dont l'auteur, après un exposé raisonné des faits, tire des conclusions et propose une décision (rapports relatifs à une étude de marché, à l'implantation d'une usine, à l'achat d'une machine, à l'engagement d'une personne, etc.). Certains rapports sont périodiques : rapports annuels aux actionnaires, rapports trimestriels ou mensuels d'un directeur de succursale à la direction centrale, rapports hebdomadaires du personnel des ventes.

Le rapport a pour fonction d'informer et, généralement, de provoquer une décision. Il entre donc dans le schéma général de la communication commerciale que nous avons indiqué au chapitre VII : l'information conduit à l'action. On peut en déduire que l'auteur d'un rapport assume une lourde responsabilité. En effet, si l'information communiquée est inexacte ou incomplète, si les conclusions sont mal fondées, si le message n'est pas clair, le destinataire du rapport risque fort de prendre la mauvaise décision, ce qui dans certains cas peut avoir de graves conséquences. Par contre, un rapport bien conçu et bien rédigé, en plus de contribuer à la bonne marche de l'entreprise, met en valeur la compétence professionnelle et les qualités de jugement de son auteur, augmentant de ce fait ses chances d'avancement.

1.2   LA RÉDACTION DU RAPPORT

On ne rédige pas un rapport, pas plus que toute autre communication écrite, en alignant des mots au fil des idées. Il faut procéder avec méthode en n'oubliant pas que le but premier du rapport est d'informer avec clarté et objectivité.

L'élaboration du rapport comporte trois étapes indispensables que nous allons étudier :

1. Délimitation du sujet et choix des matériaux
2. Établissement du plan
3. Rédaction proprement dite

1.2.1   Délimitation du sujet et choix des matériaux

Avant de rédiger, il faut d'abord savoir ce que l'on va dire. Le premier point est de bien comprendre le sujet à traiter et de le circonscrire. On évite ainsi de répondre à côté de la question et de se perdre en digressions. Il faut ensuite rassembler les matériaux, faire la liste de ceux dont on dispose et de ceux qu'il faudra se procurer (étude sur place et documentation). À la fin de cette première étape, l'auteur du rapport doit avoir réuni tous les faits et idées nécessaires à son exposé.

Dans la recherche des matériaux, on doit procéder avec logique pour éviter les pertes de temps. Il faut éliminer tous les éléments inutiles qui n'apportent rien à la compréhension du sujet. Le procédé de substitution est ici aussi d'une grande utilité. Posez-vous la question : «Si j'étais à la place du destinataire, quels sont les renseignements que j'aimerais trouver dans ce rapport?»

1.2.2 Plan

La deuxième étape consiste à mettre en ordre les matériaux rassemblés et à les incorporer dans un plan logique. Les faits et les idées doivent être présentés de façon raisonnée pour que le destinataire du rapport puisse juger, en toute connaissance de cause, de la conclusion proposée.

L'établissement d'un plan est une discipline qui demande un effort; c'est pourquoi beaucoup croient pouvoir s'en dispenser, considérant qu'il s'agit là d'une exigence superflue. Or, le plan est nécessaire pour ordonner les idées, pour rendre le rapport intéressant et concluant. Faute de plan, on s'expose à rédiger un rapport terne, confus, rempli de répétitions, de lacunes et de contradictions.

En règle générale, un rapport se compose de trois parties :

1. *Exposé ou introduction* — On y expose l'objet du rapport, avec précision et brièveté. Il est parfois utile de rappeler les circonstances motivant sa rédaction («À la demande du Directeur régional . . .», «À la suite de la recommandation du comité . . .»).

2. *Développement* — C'est le corps du rapport, et son ordonnance varie selon le sujet traité. Il comprend généralement :
    — un exposé des faits
    — une analyse raisonnée de ces faits
    — des conclusions partielles et, le cas échéant, des propositions.

    Le but du développement est d'éclairer et de persuader en vue de faciliter la prise de décision.

3. *Conclusion* — C'est la récapitulation des éléments du développement; elle fait donc appel à l'esprit de synthèse. La conclusion doit aboutir à un diagnostic objectif de la situation, permettant au lecteur de porter un jugement et, éventuellement, de passer à l'action. Voici quelques formules de conclusion :

En conséquence,		
En conclusion,	nous sommes d'avis	qu'il convient de . . .
Dans ces conditions,	nous estimons	qu'il y a lieu de . . .
Pour ces raisons,		

1.2.3   Rédaction

Après avoir rassemblé et ordonné la matière du rapport, il reste à la présenter de façon correcte. La correction de la langue est la qualité primordiale d'un rapport; on doit en particulier veiller à ne pas faire de fautes d'orthographe, car elles dénotent chez l'auteur un manque d'attention ou une insuffisance d'instruction, deux défauts qui enlèvent de la valeur à son rapport.

Le style des rapports obéit aux règles que nous avons exposées dans les chapitres VI et VII. Les principales qualités stylistiques du rapport sont :

— La précision et la concision: il faut éviter les expressions vagues ou mal choisies, les détours inutiles.

— Le naturel et la simplicité : se garder de l'affectation, de l'emphase; ne pas adopter un ton péremptoire (on doit chercher à convaincre par son raisonnement et non par son autorité).

— Le juste niveau de langue : le rapport doit être rédigé au niveau de la langue écrite tenue, ce qui exclut les tournures littéraires, les termes familiers ou populaires. La langue des rapports est neutre et donc dépourvue d'affectivité.

Il est souvent préférable de rédiger d'abord un brouillon que l'on peut corriger avant de faire dactylographier le texte définitif. La révision doit porter sur le fond et la forme :

— Fond : vérifier la logique du développement, s'assurer qu'on a dit tout ce qui était essentiel à la démonstration et retrancher ce qui est superflu.

— Forme: corriger les fautes d'orthographe et de syntaxe. Relire le rapport à haute voix, en essayant de se mettre à la place du destinataire, pour s'assurer que le texte «se lit bien». Il ne faut pas oublier que la forme doit servir le fond.

Remarques

En règle générale, la personnalité du rédacteur doit être effacée. S'il parle au nom d'un organisme, d'un service, il emploiera la première personne du pluriel «nous» ou bien la forme impersonnelle «le Comité recommande, les membres de la Commission estiment . . .». S'il parle en sa qualité d'expert, il emploiera aussi de préférence la première personne du pluriel, n'utilisant le pronom «je» que lorsqu'il parle en son nom personnel.

Nota — 1.   On doit employer la même personne tout au long du rapport.

2. Le participe qui se rapporte à *nous,* désignant une seule personne, se met au singulier : *nous sommes convaincu, nous nous sommes aperçu que* . . .

1.3 LA PRÉSENTATION DU RAPPORT

La présentation varie selon la nature du rapport et sa longueur. Nous laisserons de côté les rapports présentés sous forme de lettres, mémorandums et états financiers pour n'étudier que la présentation d'un rapport élaboré.

1.3.1 La couverture

Le rapport est présenté sous une couverture cartonnée qui permet de relier les pages par un système d'agrafes. On indique généralement le titre du rapport sur une étiquette collée au recto de la couverture.

1.3.2 La page de titre

La première page du rapport porte les indications suivantes :
— Nom de l'entreprise et du service d'où émane le rapport
— Objet du rapport
— Nom et qualité de l'auteur du rapport
— Nom du destinataire du rapport
— Date du rapport

Ex. :

LES MAGASINS MODERNES
Service de la publicité

RAPPORT
SUR LA CAMPAGNE PUBLICITAIRE
présenté par
Paul Desrosiers
Chef de la promotion
à
Monsieur R. Benoît
Directeur commercial
le 12 mars (19—)

1.3.3   La lettre de présentation

La lettre de présentation peut être incorporée au rapport ou bien jointe séparément sous forme de lettre d'envoi. L'auteur rappelle les raisons qui ont motivé la rédaction du rapport, en expose les grandes lignes, mentionne le nom des personnes qui ont participé, le cas échéant, à sa préparation. Voici un exemple d'introduction :

> Monsieur le Directeur,
>
> Conformément à la demande que vous m'aviez adressée le 25 février dernier, j'ai l'honneur de vous présenter un rapport sur . . .

1.3.4   La table des matières

On y présente le contenu du rapport en indiquant les titres et sous-titres précédés de leur numéro ou lettre d'ordre. Le numéro des pages est inscrit à la marge droite; l'emploi de points conducteurs est facultatif.

Ex. :

<table>
<tr><td colspan="2">TABLE DES MATIÈRES</td></tr>
<tr><td></td><td>Page</td></tr>
<tr><td>I. PROJET D'IMPLANTATION À SOREL</td><td>5</td></tr>
<tr><td>A. Facteurs favorables</td><td>7</td></tr>
<tr><td> 1º Facilités de transport</td><td>7</td></tr>
<tr><td>   a) Routes</td><td>8</td></tr>
<tr><td>   b) Chemin de fer</td><td>10</td></tr>
<tr><td>   c) Voie fluviale</td><td>12</td></tr>
<tr><td> 2º Main-d'oeuvre spécialisée</td><td>13</td></tr>
<tr><td>   a) Recrutement</td><td>14</td></tr>
<tr><td>   b) Taux de rémunération</td><td>18</td></tr>
<tr><td>B. Facteurs défavorables</td><td>22</td></tr>
<tr><td> 1º Coût d'implantation</td><td>23</td></tr>
<tr><td>   a) Achat du terrain</td><td>24</td></tr>
<tr><td>   b) Aménagements</td><td>26</td></tr>
<tr><td>   c) Services publics</td><td>29</td></tr>
<tr><td> 2º Éloignement des centres de consommation</td><td>31</td></tr>
<tr><td> 3º Logement des cadres</td><td>35</td></tr>
<tr><td>II. ÉTUDE DE RENTABILITÉ</td><td>38</td></tr>
<tr><td> A. . . .</td><td></td></tr>
</table>

Selon l'importance du rapport, la table des matières peut être suivie d'une introduction et d'un sommaire. On expose dans l'introduction le but du rapport, la façon dont il a été préparé, sa portée et ses limites. Le sommaire est un résumé des constatations et conclusions du rapport; il permet au destinataire de connaître rapidement l'avis du rédacteur, s'il n'a pas le temps de lire immédiatement tout le rapport.

1.3.5   Le texte du rapport

Le rapport proprement dit comprend normalement les trois parties que nous avons indiquées au paragraphe 1.2.2, c'est-à-dire l'introduction, le développement et la conclusion. Voici quelques indications concernant la présentation dactylographique :

Marges et interlignes — On recommande de laisser une marge d'au moins 4 cm à gauche lorsque le rapport est relié. Les trois autres marges doivent avoir 3 cm de largeur. Le rapport est généralement dactylographié à interligne double, sauf les citations, les énumérations en retrait, les renvois en bas de page et les titres ayant plus d'une ligne.

Pagination — Toutes les pages à partir de la deuxième sont numérotées en chiffres arabes dans l'angle supérieur droit de la feuille.

Intitulés — Si le rapport compte plusieurs pages, il est recommandé d'indiquer les divisions du texte, ce qui en facilite l'intelligibilité. Les intitulés (titres de parties, sections, paragraphes) sont généralement disposés comme suit :

I. Titre de partie

A. Sous-titre
   1. Paragraphe
   a) alinéa

Numérotation — On indique les divisions du rapport de la façon suivante :

Une énumération :	Adverbes numériques	1°, 2°
Deux énumérations :	Adverbes numériques	1°, 2°
	Lettres minuscules	a), b)
Trois énumérations :	Lettres capitales	A, B
	Adverbes numériques ou chiffres arabes	1° ou 1, 2° ou 2
	Lettres minuscules	a), b)
Plus de trois énumérations :	Chiffres romains	I, II
	Lettres capitales	A, B
	Adverbes numériques ou chiffres arabes	1° ou 1, 2° ou 2
	Lettres minuscules	a), b)
	Chiffres romains en minuscules	i), ii)
	Tirets	—

L'adverbe numérique n'est suivi d'aucun signe de ponctuation (1°); pour les autres chiffres ou lettres, on peut utiliser les signes suivants :

A., A —, A. —, A)

Notons également la possibilité d'employer la numérotation décimale, comme nous l'avons fait pour les chapitres du présent ouvrage.

1.3.6   La signature

Le rapport doit porter la signature de l'auteur, sous sa qualité.

Ex. : Le Chef du contentieux,
    (Signature)
    A. DUBOIS

Nota — La formule «Le tout respectueusement soumis» est un calque de l'anglais.

1.3.7   Les annexes

Le rapport peut comprendre, selon les cas, plusieurs annexes :

— Le document sur lequel porte le rapport.

— Les pièces jointes par l'auteur à l'appui de son rapport (études connexes, états financiers, tableaux statistiques).

— Plans, graphiques, photographies, croquis. (Si ces documents sont nécessaires à la compréhension du texte, on les intercale sur feuille séparée ou bien on les fait figurer dans le corps du rapport.)

Les annexes sont numérotées en chiffres romains : Annexe I, II. Elles doivent appuyer le texte du rapport et non y suppléer.

1.3.8   Les graphiques

On se sert de graphiques ou diagrammes pour illustrer les données statistiques ou faciliter la compréhension d'un phénomène décrit dans le rapport. Il existe de nombreuses formes de représentations graphiques; nous n'indiquerons que celles qui figurent fréquemment dans un rapport à caractère commercial.

Graphique à images

Dans un graphique à images, les quantités sont représentées par des figures symboliques dont les proportions n'indiquent qu'un ordre de grandeur.

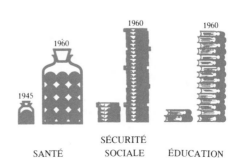

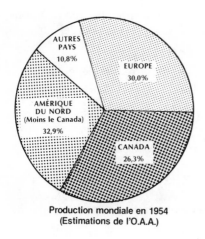

Production mondiale en 1954
(Estimations de l'O.A.A.)

Graphique circulaire

Le graphique circulaire, ou graphique à secteurs, permet de représenter la répartition en pourcentages d'une quantité mesurable. Le cercle est divisé en secteurs qui montrent l'importance relative des éléments constituants.

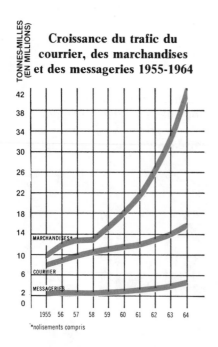

Graphique linéaire

Représentation graphique, au moyen d'une courbe, de l'évolution d'un phénomène au cours d'une période donnée. On indique le temps sur l'axe horizontal (abscisse) et les variations sur l'axe vertical (ordonnée).

Histogramme

L'histogramme est un graphique constitué par des rectangles de même base, placés côte à côte. Les variations sont indiquées par la hauteur de chaque rectangle.

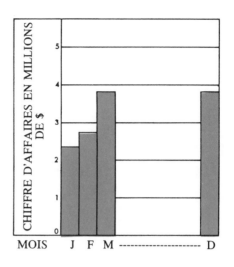

Graphique à colonnes

Le graphique à colonnes, encore appelé graphique à barres ou en bâtons, est similaire à l'histogramme, sauf que les rectangles ne sont pas juxtaposés. En outre, on peut indiquer les composants d'une même quantité.

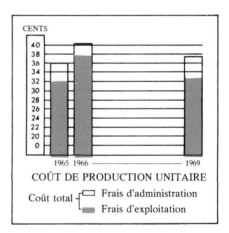

Cartogramme

Les cartogrammes sont des cartes géographiques sur lesquelles on indique par des symboles, hachures ou couleurs les faits ou données statistiques que l'on désire mettre en évidence. La signification des signes conventionnels utilisés doit figurer dans la légende.

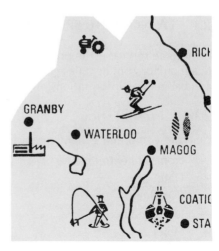

SECTION 2

Notes, bordereaux et messages téléphoniques

Nous avons vu que l'objet du rapport est généralement de transmettre des informations de l'échelon des exécutants à celui de la direction. Mais il existe évidemment un circuit inverse par lequel la direction communique ses instructions et directives aux cadres ou à l'ensemble du personnel. En outre, des échanges d'informations et d'instructions ont aussi lieu sur le plan horizontal, d'une part entre la maison mère et ses succursales ou agents, d'autre part entre les différents services internes de l'entreprise. Ces communications se font généralement sous forme de notes.

Les notes n'ont pas la rigueur des lettres d'affaires; leurs expéditeurs et destinataires se connaissent, travaillent ensemble pour la même entreprise. Les formules de politesse, qui sont de mise dans la correspondance avec clients et fournisseurs, seraient ici déplacées. Pour cette raison, et aussi par souci d'économie de temps, on utilise le plus souvent des formules standardisées et strictement fonctionnelles.

2.1 LA NOTE DE SERVICE

La note de service est le principal document de communication interne, verticale ou horizontale. Elle sert à communiquer des directives au personnel ou à échanger des informations entre services.

2.1.1 Présentation

L'en-tête comprend généralement les indications suivantes :

— Nom de l'entreprise
— Date
— Expéditeur
— Destinataire
— Objet

Voici un exemple de présentation :

IMPRIMERIE DE L'OUEST

NOTE DE SERVICE

DESTINATAIRE ‖ DATE

EXPÉDITEUR ‖ OBJET

2.1.2 Style

Le message transmis par la note de service doit être clair et concis. On supprime les formules d'appel et de salutation. Lorsqu'on s'adresse à un groupe de personnes (personnel d'un service, d'une succursale, de toute l'entreprise), le style est impersonnel. Dans les communications entre services, on peut employer le style télégraphique.

Ex. : Le congé de Noël a été fixé cette année du 23 décembre à 17 heures au 26 décembre à 9 heures. Les employés qui devront assurer leur service pendant ce congé seront rémunérés à 200% de leur salaire horaire.

Confirmons l'expédition de 3 moteurs 220V et 2 compresseurs Modèle 520-D aux Ateliers de montage MÉCANO de Rimouski, selon vos instructions.

2.1.3 Formules de demande-réponse

Les communications inter-services sont souvent un échange de demandes de renseignements et de réponses. Pour simplifier ce genre de communication, certaines maisons de commerce se servent de formules de demande-réponse, du type manifold. Ces formules sont composées de trois feuilles, généralement de couleur différente, et divisées en deux parties. L'expéditeur tape la question sur la partie supérieure, détache un exemplaire qu'il garde et envoie les deux autres au destinataire. Celui-ci tape la réponse sur la partie inférieure et renvoie l'un des deux exemplaires au service ayant demandé les renseignements. Le circuit terminé, on détruit le feuillet conservé au moment de l'envoi et on classe celui qui contient la demande et la réponse. On trouvera un exemple de ce type de formule à la page suivante.

EXPÉDITEUR	DESTINATAIRE	DATE	Nᵒ

OBJET:

RÉPONSE

2.2   LA NOTE

On pourrait définir la note comme étant une lettre réduite au minimum nécessaire à l'information. Elle sert pour toutes les communications au sein de l'entreprise et les relations avec les succursales. On désigne aussi ce type de document sous le nom de *mémorandum*, en abrégé *mémo*[1].

2.2.1   Présentation et style

Visant avant tout à permettre une économie de temps en simplifiant la correspondance, la note ne comprend ni vedette, ni appel, ni salutation finale. On retrouve dans l'en-tête les mêmes indications que pour la note de service : nom de l'entreprise, date, nom de l'expéditeur et nom du destinataire précédé de la préposition «pour». La présentation de ces indications varie avec chaque maison, mais se caractérise toujours par sa simplicité et sa sobriété.

Le style de la note peut être personnel ou impersonnel, selon les usages de la maison, la personne à qui l'on s'adresse et la nature du message. Il suffit de retenir qu'en règle générale la note est moins conventionnelle que la lettre.

2.2.2   Modèles de notes *(Voir page suivante)*

2.3   LE BORDEREAU DE TRANSMISSION

Comme les notes, les bordereaux de transmission, ou bordereaux d'envoi, ont pour rôle de simplifier la correspondance; ils remplacent en effet les lettres d'accompagnement. Ce sont de simples feuillets récapitulatifs que l'on utilise pour transmettre des pièces d'un service à un autre. Outre l'économie de temps, ils ont l'avantage de laisser au service expéditeur, qui en conserve un double, une trace écrite des différentes pièces transmises.

2.3.1   Présentation

On indique sur le bordereau les renseignements suivants :
— Service expéditeur
— Service destinataire (en ajoutant au besoin la mention «À l'attention de M. Untel»)
— Date de transmission
— Désignation des pièces transmises

---

1. Condamné par certains, cet emploi semble attesté par les dictionnaires : «Spécialt. *Comm.* Feuille de papier à en-tête imprimé qui sert à transmettre des ordres, des commandes . . .» (Robert, *Dictionnaire alphabétique et analogique de la langue française)* et par l'usage : «Le mémorandum est une lettre commerciale d'un format réduit.» (Godaert, *La lettre d'affaires*).

2.2.2 Modèles de notes

NOTE INTER-SERVICES　　　　　　　　　　　A P E X

DESTINATAIRE M.J.Boucher EXPÉDITEUR J.-P. Royer

BUREAU 512　　　　　　　　BUREAU 1215

OBJET Majoration　　　　　DATE 16 mai 19_
　　　 de tarif

　　　　　　　　　　　　　　　　　　　NOTE

LA SÉCURITÉ
compagnie d'assurance

SERVICE EXPÉDITEUR Règlements DATE 2 févr. 19_

AGENT DESTINATAIRE M. Pierre Beaulieu

OBJET Contrat n° 125832

　　　　　　　JEAN LAVERDURE & FILS
　　　　　　　　　Entrepreneurs

　　　　　　　　　　DATE 8 mars 19_

NOTE DE Michel Laverdure POUR M.A. Champagne
　　　　　　　　　　　　　　　　　 Contremaître
OBJET Transport du personnel

— Nombre de pièces
— Raison de la transmission (À titre de renseignement, Pour avis avec prière de retour, Pour éléments de réponse, À toutes fins utiles, Pour suite à donner).

On trouvera un modèle de bordereau de transmission à la page suivante.

2.4 LE MESSAGE TÉLÉPHONIQUE

MESSAGE TÉLÉPHONIQUE

Date _____

Heure _____

Pour _____

De la part de _____

_____

N° de téléphone _____

Veuillez rappeler	Aucun message
Rappellera	Suite à votre appel

Message: _____

_____

_____

Reçu par _____

LALONDE & Cie — 527-1245

Si une personne appelée au téléphone est absente ou occupée, la standardiste ou secrétaire qui prend la communication doit noter l'appel pour en aviser la personne intéressée. La plupart des entreprises utilisent à cette fin des blocs de formules imprimées qui portent généralement les indications suivantes :

— Date et heure de l'appel
— Nom de la personne appelée

BORDEREAU DE TRANSMISSION

SERVICE EXPÉDITEUR   Direction commerciale   **DATE** 6 janvier 19__

SERVICE DESTINATAIRE   Publicité   A l'attention de M.P. Brisson

Désignation des pièces	Nombre	Instructions
Dépliants de concurrents	6	A titre de renseignement
Lettre de Publicitex	1	Pour éléments de réponse
Projet de brochure publicitaire	1	Pour avis avec prière de retour avant le 9 janvier.

— Nom, raison sociale et numéro de téléphone de celui qui a demandé la communication
— Message à transmettre
— Initiales de la personne qui a noté le message

On doit écrire soigneusement le nom (au besoin, faire épeler) et le numéro de téléphone du demandeur de la communication.

SECTION 3

Communications diverses

Au terme de notre étude des différents types de communications commerciales, il nous reste à dire quelques mots sur certains écrits que l'on peut vous demander de rédiger : les convocations, procès-verbaux, communiqués et télégrammes. Rappelez-vous que les principes de rédaction que nous avons énoncés dans les chapitres précédents s'appliquent à toutes les communications écrites, quelle qu'en soit la forme.

Vous pouvez avoir l'occasion d'envoyer des avis ou lettres de convocation aux membres d'une association ou d'un comité dont vous êtes le secrétaire ou aux actionnaires de la compagnie qui vous emploie. Les convocations doivent contenir les renseignements essentiels suivants :
— Lieu, date et heure de la réunion ou de l'assemblée
— Objet de la réunion ou ordre du jour de l'assemblée

3.1 CONVOCATIONS

3.1.1 Convocation à une réunion

Monsieur et cher collègue,

Vous êtes prié d'assister à la prochaine réunion du Comité de la formation professionnelle, qui aura lieu le 25 mars dans la salle du Conseil, à 17 heures précises.

L'objet de la réunion est de procéder à l'étude du nouveau programme de formation des cadres administratifs.

Agréez, Monsieur et cher collègue, l'expression de mes sentiments cordiaux et dévoués.

Le Secrétaire,

3.1.2   Convocation à une assemblée

Les actionnaires d'une société commerciale peuvent être convoqués en assemblée générale annuelle ou en assemblée extraordinaire. C'est le Secrétaire qui envoie la convocation par ordre du Conseil d'administration.

COMPAGNIE DES TRANSPORTS FLUVIAUX
Convocation en assemblée générale annuelle

Messieurs les actionnaires sont convoqués à l'assemblée générale annuelle qui se tiendra au siège de la Compagnie, 1210, boulevard Dorchester à Montréal, le mardi 8 avril 19— à 14h 30.

Au cours de cette assemblée, il sera procédé :

1^O à la lecture du rapport financier et à l'approbation des comptes de l'exercice clos le 31 décembre 19—;

2^O au renouvellement du Conseil d'administration;

3° à la nomination des commissaires aux comptes;

4° à l'examen des questions portées à l'ordre du jour.

Par ordre du Conseil d'administration

Le Secrétaire

3.2   PROCÈS-VERBAUX ET COMPTES RENDUS

Il existe au sein de toutes les grandes entreprises de nombreux comités dont les membres se réunissent pour étudier différentes questions et faire rapport à la direction. D'autre part, les sociétés commerciales sont tenues de consigner les délibérations des assemblées d'actionnaires. Dans chaque cas, on confie au Secrétaire la tâche de rédiger un résumé des débats.

Le compte rendu et le procès-verbal ayant la même fin, on peut considérer ces deux termes comme synonymes. D'une façon plus précise, le compte rendu est établi par une personne ayant assisté et participé à une réunion, tandis que le procès-verbal est rédigé par un secrétaire qui n'intervient pas dans les débats. Signalons que c'est un anglicisme de dire «minutes» au lieu de procès-verbal.

3.2.1   Présentation

La forme des procès-verbaux et comptes rendus varie selon la nature de la réunion ou de l'assemblée. Très simple dans le cas d'une réunion de comité, elle est plus stricte s'il s'agit d'une assemblée tenue selon la procédure des assemblées délibérantes. Néanmoins, la présentation comprend presque toujours les éléments suivants :

— Nom du comité ou désignation de l'assemblée

— Lieu, date et heure de la réunion
— Nom du président et du secrétaire (s'ils ne signent pas)
— Liste des personnes présentes (et souvent des personnes absentes et excusées)
— Résumé des débats
— Heure à laquelle la séance a été levée
— Signature du président et du secrétaire

3.2.2   Rédaction

La rédaction des comptes rendus et procès-verbaux fait appel à l'esprit de synthèse. Le rédacteur doit en effet, tout en étant clair et concis, ne rien oublier d'essentiel. Il faut certes résumer les débats et non en faire une transcription, mais en prenant soin d'indiquer les principales interventions (et le nom de leur auteur) de même que les conclusions et les décisions prises. Il est donc nécessaire que le secrétaire prenne des notes au cours de la réunion ou de l'assemblée. Dans certains cas, on présente une première rédaction à l'approbation des participants avant d'établir le texte définitif.

3.2.3   Modèle de procès-verbal

PROCÈS-VERBAL
de la réunion mensuelle du
COMITÉ DES LOISIRS
tenue le 3 mai 19— à 14 heures.

Étaient présents :   Absent: M. Pierre Laverdure
Mlle Lise Labelle   Excusés : Mme M. Deschamps
MM. Jean Dubois   M. Jean Gagné
    Marcel Grandpré
    Louis Patenaude
    Jacques Roy

Après lecture et approbation du procès-verbal de la réunion précédente, les membres du Comité passent à l'étude de l'ordre du jour.

1º Le trésorier présente le rapport suivant pour le mois d'avril :

Solde au 31 mars			$1 235,15
Recettes:	Cotisations	$125,00	
	Abonnements	17,50	142,50
			1 377,65
Dépenses :	Don de charité	25,00	
	Bulletin	58,60	83,60
Solde au 30 avril			1 294,05

Le rapport est approuvé.

2⁰ Le président fait ressortir qu'il est difficile de s'assurer la participation des employés pendant l'été et propose de suspendre les activités du Comité de juin à septembre, à l'exception du tournoi de golf et de la publication du bulletin. Les employés seront invités à donner leur avis sur cette question. Après discussion, la proposition est approuvée à l'unanimité.

3⁰ M. Roy fait observer qu'il a retenu trois films touristiques pour projection en juin. Il demande s'il doit annuler. Il est décidé que la projection de films sera maintenue pendant les mois d'été.

4⁰ Mˡˡᵉ Labelle propose que le Bulletin consacre un article à la sécurité en vacances. M. Patenaude, rédacteur du Bulletin, exprime un avis favorable. La proposition est acceptée.

5⁰ Sur proposition de M. Grandpré, il est décidé de porter à l'ordre du jour de la prochaine réunion l'étude d'un projet de colonie de vacances pour les enfants du personnel.

La séance est levée à 15 h 30.

>   Le Président,
>   Jean Dubois

>   La Secrétaire,
>   Lise Labelle

3.3   COMMUNIQUÉS

Outre la publicité payée, les entreprises disposent d'un bon moyen de rappeler leur existence au public et de faire connaître leurs produits : le *communiqué*. À la différence toutefois de certaines actrices de cinéma pour qui toute publicité est bonne, les hommes d'affaires préfèrent généralement que l'on cite le nom de leur entreprise dans un contexte favorable.

Le communiqué est une nouvelle que l'on adresse aux médias d'information dans l'espoir qu'ils la publieront ou la diffuseront. Tout sujet qui présente un intérêt pour le public et contribue à faire connaître favorablement l'entreprise peut faire l'objet d'un communiqué : ouverture d'une nouvelle usine ou succursale, lancement d'un nouveau produit, nomination de personnel, distinction reçue par un directeur, anniversaire de fondation, etc.

3.3.1   Présentation

Les rédacteurs et chefs des nouvelles sont des gens pressés. Ils n'ont pas le temps de lire des lettres avec les formules de politesse traditionnelles. Ce qu'ils recherchent, c'est l'information. Pour cette raison, la plupart des entreprises commerciales ont un papier à en-tête réservé aux communiqués. Dans le cas contraire, on rédige une *brève* lettre d'accompagnement que l'on joint au communiqué; celui-ci doit *toujours* être dactylographié sur une feuille distincte.

L'en-tête du communiqué porte les indications suivantes :
— Nom de l'entreprise
— Adresse et numéro de téléphone (on peut aussi les faire figurer en bas de page)
— Nom de l'envoyeur
— Autorisation de publier (À publier dès réception, avant le . . . , après le . . .)

Il est toujours préférable d'indiquer un titre, en lettres majuscules, et des sous-titres si le communiqué est long. Dans la plupart des cas, le rédacteur ou chef de rubrique y apportera des changements pour des raisons de protocole ou de composition, mais vos indications lui seront néanmoins utiles.

Ex. : «Nomination à la Compagnie SIGMA», «Nouvelle succursale de la Banque Nationale», «Inauguration de l'usine SOMACO».

Le communiqué doit être dactylographié à interligne double, en laissant des marges suffisamment larges pour permettre au rédacteur du journal de faire des corrections ou de noter des instructions typographiques.

Enfin, il est d'usage d'indiquer la fin du communiqué par le signe 30/ ou -XXX-. Cette indication n'est pas absolument nécessaire; elle date de l'époque où les télégraphistes signalaient de cette façon la fin du message transmis.

3.3.2   Rédaction

Les médias reçoivent chaque jour des dizaines ou des centaines de communiqués provenant d'organismes et de sociétés de tout genre. Comme la lettre de vente, le communiqué est donc exposé à une forte concurrence dont l'enjeu est la salle de nouvelles . . . ou la corbeille à papier.

Dans leur choix, les rédacteurs appliquent deux critères : intérêt de la nouvelle pour le public (d'où l'importance du principe de substitution) et qualité de la rédaction (le destinataire n'a généralement pas le temps ni l'envie de réécrire le communiqué). Il s'ensuit que les principales qualités d'un communiqué sont : la brièveté, l'intérêt, l'exactitude des renseignements et la correction du style.

Le premier paragraphe du communiqué est particulièrement important; il doit capter l'intérêt du chef de rubrique dont le verdict est sans appel. C'est pourquoi on y indique en résumé l'essentiel du message, les informations qui constituent la nouvelle.

Ex. : On annonce la nomination de M. Jacques Lemoyne au poste de directeur général des Établissements Michaud & Fils de Montréal.

Les paragraphes suivants complètent l'information donnée dans le premier paragraphe, par ordre d'intérêt décroissant. Dans notre exem-

3.3.3 Modèle

VULCANO
COMPAGNIE LIMITÉE

110, RUE SAINT-LAURENT — MONTRÉAL   H2Y 1L6 / TÉL. 322-1296

COMMUNIQUÉ

À PUBLIER le 15 septembre

Jacques Mongeau

Relations extérieures

VULCANO S'INSTALLE AU QUEBEC

La Compagnie Vulcano, troisième fabricant de pneus au monde, va construire une usine de $15 millions à Verchères. Les travaux de construction commenceront le 15 avril et l'usine entrera en production au printemps prochain.

Au cours d'une conférence de presse à laquelle participait le ministre québécois de l'Industrie, le président de la compagnie, M. J. Paoli, a précisé que la capacité de production serait de 500 pneus par jour et qu'elle pourrait être doublée au bout d'un an. L'usine de Verchères emploiera 150 personnes, créant ainsi de nouveaux emplois dans la région.

Vulcano a déjà des usines dans les principales parties du monde, notamment aux Etats-Unis, au Brésil, en Angleterre et en Italie. Le siège social de la compagnie est à Turin. La filiale canadienne a son propre conseil d'administration, et ses actions sont cotées à la Bourse.

Au terme de sa conférence, M. Paoli a déclaré: "En s'implantant au Québec, la société Vulcano entend participer au développement économique du Canada, pays jeune, dynamique et tourné vers l'avenir."

ple, le communiqué pourrait contenir les renseignements supplémentaires suivants :

— Nom du prédécesseur
— Résumé de la carrière du nouveau directeur
— Renseignements sur sa vie familiale et ses activités sociales
— Déclaration du président à son sujet

Si le destinataire du communiqué trouve que celui-ci est trop long, il commencera par supprimer les derniers paragraphes; c'est pourquoi il est important d'indiquer en premier la partie essentielle du message.

3.4 TÉLÉGRAMMES

Le télégramme est employé pour les communications commerciales urgentes. Il est rapide et généralement plus économique qu'un appel téléphonique interurbain; en outre, il permet de conserver un document écrit pouvant servir de pièce témoin. On utilise aussi les télégrammes pour attirer l'attention du destinataire et l'inciter à l'action, par exemple dans le cas de la dernière relance d'une chaîne de lettres de vente ou du dernier rappel envoyé à un mauvais payeur.

3.4.1 Catégories et tarif

Il existe au Canada deux catégories de télégrammes : la *dépêche plein tarif* et la *lettre de nuit.*

La dépêche est transmise immédiatement; c'est le moyen de communication télégraphique le plus rapide. Le tarif varie selon la distance et le nombre de mots: la taxe minimale donne droit à 15 mots, et chaque groupe additionnel de 15 mots est compté à un tarif réduit.

La lettre de nuit est moins rapide et son tarif est de 25 pour cent inférieur à celui de la dépêche. Une lettre de nuit envoyée avant minuit parvient à son destinataire le lendemain dans la matinée. Le tarif de base s'applique aux 35 premiers mots, et il y a un supplément à payer pour chaque groupe de 25 mots additionnels.

Dans les deux cas, l'adresse est comprise dans le nombre de mots comptés, mais non la signature.

Rappelons enfin que le Canada et les États-Unis sont divisés en fuseaux horaires (voir carte page suivante). Avant de télégraphier, il est prudent de vérifier le décalage d'heures: si le télégramme ne peut être transmis avant l'heure de fermeture des bureaux de destination, il est plus économique d'envoyer une lettre de nuit.

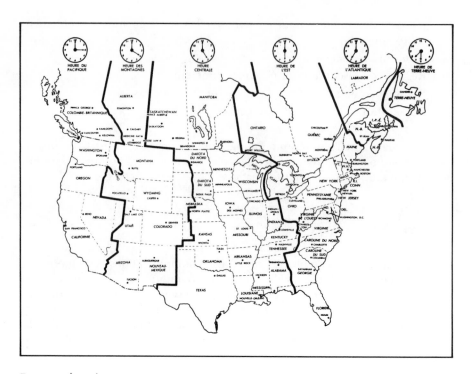

Fuseaux horaires

3.4.2   Rédaction

Les deux grandes qualités d'un télégramme sont la clarté et la brièveté, mais c'est toujours la clarté du message qui prime: mieux vaut payer un léger supplément que d'avoir à envoyer un deuxième télégramme pour corriger ou compléter le premier.

Voici quelques règles particulières à la rédaction des télégrammes :

Style télégraphique — On supprime dans un télégramme tous les mots qui ne sont pas indispensables à la compréhension du message, ce qui revient à employer surtout des substantifs, des verbes et des adjectifs.

Ex. : Nous avons bien recu (4 mots)   AVONS REÇU (2 mots)
       Nous vous confirmons   CONFIRMONS ARRIVÉE
          l'arrivée du colis (6 mots)   COLIS (3 mots)

Économie de mots — Il est souvent possible de remplacer des locutions ou groupes de mots par un seul terme.

Ex. : Pouvons pas   IMPOSSIBLE
       Sommes obligés   DEVONS
       Par la suite, plus tard   ULTÉRIEUREMENT

Il est même permis d'employer des mots qui n'appartiennent pas au niveau de la langue tenue :

Prendre contact avec   CONTACTER

Abréviations et sigles — Ne comptent que pour un mot si les lettres sont réunies.

Ex. : FOB, CNR, SGF (1 mot)
J. P. Duval, C.A.D. (3 mots)

On admet au Canada l'abréviation «RETEL» (en réponse à votre télégramme); dans certains pays, cette abréviation est considérée comme «réunion abusive» et comptée pour deux mots.

Chiffres et signes — Chaque chiffre ou signe compte pour un mot. Il y a donc parfois avantage à écrire les nombres en toutes lettres.

Ex. : $13 (3 mots)   TREIZE DOLLARS (2 mots)
12e (3 mots)   DOUZIÈME (1 mot)

Accents — Les télégrammes étant imprimés en majuscules, il ne faut pas oublier que l'absence d'accent peut parfois prêter à équivoque. On doit alors modifier la rédaction.

Ex. : Le message ACHÈTE AU PRIX FIXÉ sera transmis ACHETE AU PRIX FIXE et pourra être interprété ACHETÉ AU PRIX FIXE.
On écrira donc ACHETONS AU PRIX CONVENU.

Ponctuation — Les signes de ponctuation sont transmis gratuitement. L'emploi du mot STOP (remplaçant un point) est désuet.

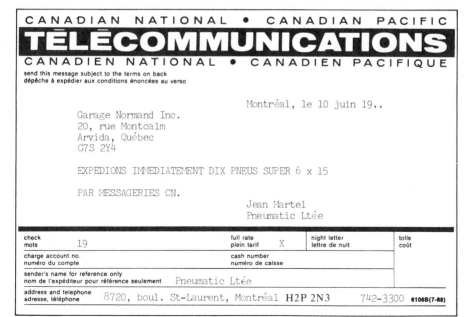

3.4.3   Câblogrammes

Pour les communications outre-mer, on utilise le *câblogramme* ou câble, c'est-à-dire une dépêche transmise par câble sous-marin. Il y a trois catégories de câblogrammes :

1.   Le câble plein tarif (minimum de 7 mots), qui peut être envoyé en langage clair ou en langage chiffré.
2.   Le câble urgent (minimum de 7 mots), qui a priorité sur les autres messages et coûte deux fois plus cher que le câble plein tarif.
3.   La lettre-télégramme (minimum de 22 mots), qui est livrée le lendemain de son envoi et coûte la moitié du plein tarif.

L'adresse et la signature comptent dans le nombre de mots. Les maisons de commerce qui envoient fréquemment des câbles (commerce d'exportation-importation, par exemple) utilisent une adresse télégraphique et rédigent leurs câbles en code. Depuis peu, un mot ne doit pas dépasser 10 caractères, et certains pays n'acceptent plus de lettres de nuit par câble.

EXERCICES DE RÉVISION ET DE COMPRÉHENSION

Rapport

1.   Donnez une brève définition des termes suivants (en vous aidant du dictionnaire) : rapport, note, compte rendu, procès-verbal.
2.   Quel rôle jouent les rapports dans une entreprise?
3.   Pourquoi est-il nécessaire d'établir un plan de rédaction?
4.   Qu'est-ce qu'un «intitulé»?
5.   Quel système de numérotation pouvez-vous employer dans le cas de trois énumérations?
6.   Quelle forme de graphique utiliseriez-vous pour représenter l'importance relative (en pourcentages) des différentes exportations canadiennes?

Notes et bordereaux

1.   Quelles sont les communications pour lesquelles on utilise des notes?
2.   Quelle différence essentielle y a-t-il entre la lettre et la note?
3.   Quels sont les avantages de la formule de demande-réponse?
4.   À quoi servent les bordereaux de transmission?

Communications diverses

1.   Quels sont les renseignements essentiels que l'on doit indiquer dans une convocation?

2. Quelle distinction peut-on faire entre un procès-verbal et un compte rendu?

3. Quel document désigne-t-on en français sous le nom de «minutes»?

4. Au paragraphe 3.3, on vous donne des exemples de sujets de communiqués. Essayez d'en découvrir d'autres dans les pages financières d'un journal.

5. Pourquoi le premier paragraphe d'un communiqué est-il important?

6. Quelles sont les deux catégories de télégrammes que l'on peut envoyer au Canada?

7. Qu'est-ce qu'un fuseau horaire?

8. Que signifie l'abréviation RETEL?

9. Pourquoi est-il parfois plus économique d'écrire les nombres en toutes lettres dans un télégramme? Donnez un exemple.

10. Qu'est-ce qu'une adresse télégraphique?

BIBLIOGRAPHIE

BLACKBURN, Marc et col., *Comment rédiger un rapport de recherche*, Montréal, Leméac, 1974.

BOUSQUIÉ, Georges, *Comment rédiger vos rapports*, Paris, Éd. de l'entreprise moderne, 1957.

CATHERINE, Robert, *Le style administratif*, Paris, Albin Michel, 1961.

DELORME, J. et R. LANTHIER, *Rédaction de rapports*, Québec, ministère de l'Éducation, n° 395, 1959.

DESSEAUX, Pierre, *Rapports et comptes rendus*, Paris, Éd. Hommes et techniques, 1959.

GANDOUIN, Jacques, *Correspondance et rédaction administratives*, Paris, Armand Colin, 1966.

GENEST, Françoise, *Le travail de bureau*, Montréal, McGraw-Hill, 1971.

GEORGIN, Charles, *Cours de rédaction des rapports*, Paris, Eyrolles, 1962.

IDATTE, P., *Sachez rédiger pour réussir dans votre profession*, Paris, Éd. d'organisation, 1967.

OFFICE DE LA LANGUE FRANCAISE, *Vocabulaire des imprimés administratifs*, Québec, 1974.

ROUMAGNAC, J., *Rédaction de rapports, comptes rendus, procès-verbaux*, Paris, Foucher, 1956.

WACKERMANN, Gabriel et A. WILHELM, *Initiation à la technique du rapport*, Paris, Dunod, 1965.

Chapitre

X

Savoir dire

C'est une grande misère que de ne pas avoir assez d'esprit pour bien parler ni assez de jugement pour se taire.

La BRUYÈRE

Il y a des gens qui parlent, qui parlent — jusqu'à ce qu'ils aient enfin trouvé quelque chose à dire.

Sacha GUITRY

SECTION 1

Généralités

La communication orale est un des éléments fondamentaux de la vie sociale. On peut avoir une certaine idée des problèmes que comporterait un monde sans communication verbale si l'on pense aux nombreux gestes, signaux et contorsions qu'il faut faire lorsqu'on se trouve dans un pays dont on ne connaît pas la langue ou même dans sa patrie quand on a une extinction de voix. Les messages les plus simples deviennent une gymnastique exténuante. L'aptitude à exprimer ses pensées, ses idées et ses sentiments par voie orale est d'une importance primordiale dans la vie. Mais cela n'est pas suffisant, car il s'agit non pas simplement de communiquer avec autrui, mais de *bien* communiquer. Bien parler, c'est d'abord bien prononcer, écrivait Albert Dauzat. La façon de dire une chose peut parfois être aussi importante que la chose elle-même. Votre voix est le miroir de votre personnalité. Elle reflète une image de vous-même, et votre auditeur vous prêtera, à tort ou à raison, tel ou tel caractère, tel ou tel degré d'éducation. Il devient par conséquent nécessaire de faire de sa voix un atout.

SECTION 2

La voix

La qualité d'une voix dépend de nombreux facteurs, notamment de la respiration, des cordes vocales, des cavités de résonance et de la prononciation.

2.1 LA RESPIRATION

Indispensable à la vie, la respiration assure les échanges chimiques nécessaires entre l'air et le sang. Quand la cage thoracique augmente de volume, grâce à l'élasticité des tissus et à la différence de pression, l'air extérieur pénètre dans les poumons : c'est l'inspiration. L'expiration est le processus inverse : la pression interne est supérieure à la pression de l'air ambiant et la contraction des muscles permet à l'air de s'échapper des poumons. Cet air qui sort des poumons assure la phonation, l'appareil respiratoire étant en même temps un appareil phonateur. Une bonne hygiène respiratoire permet un bon fonctionnement de l'appareil phonateur.

L'inspiration doit rester silencieuse et se faire principalement par le nez. Avant d'émettre un son, il faut avoir la poitrine bien remplie d'air pour obtenir la pression nécessaire à une émission vocalique normale et pour donner un débit régulier. Rappelons que l'on distingue plusieurs types de respiration, notamment la respiration costo-abdominale et la respiration costale. Les hommes utilisent plus aisément le type costo-abdominal, c'est-à-dire participation de la cage thoracique et de l'abdomen à l'inspiration et à l'expiration. Le type costal se trouve surtout chez la femme qui a tendance à élever la cage thoracique pour augmenter sa capacité pulmonaire. Ces deux types de respiration sont parfaitement normaux. Cependant, la respiration costale ne doit pas se faire par une simple élévation des épaules, car un tel mouvement contracte les muscles du larynx et gêne la phonation.

2.2. LES CORDES VOCALES

L'air expiré passe par les bronches, la trachée, le larynx et les cavités buccales ou nasales.

C'est dans le larynx que se trouvent les cordes vocales qui donnent naissance à la phonation. L'espace entre les deux cordes vocales ou glotte doit être fermé pour la phonation. Grâce à la pression d'air sous-glottique et à l'excitation nerveuse, les cordes vocales peuvent entrer en vibration. La contraction des cordes vocales détermine le registre de voix. Ainsi, pour le registre grave, les cordes vocales sont épaisses; pour le registre aigu, elles sont minces.

L'air qui sort vibre à une fréquence déterminée par la vitesse de fermeture et d'ouverture successives de la glotte. C'est ce ton laryngien qui constitue le son fondamental de la voix humaine.

2.3 LES CAVITÉS DE RÉSONANCE

2.3.1 Le larynx

Le larynx est un organe mobile qui, grâce à ses muscles, peut se déplacer de haut en bas et d'arrière en avant. Dans l'émission de sons graves, il descend, et il monte dans celle de notes élevées. Les positions du larynx sont liées aux mouvements de la tête, du maxillaire inférieur, de la langue et du voile du palais. L'élévation de la tête repousse le larynx en arrière, le mouvement d'ouverture de la mâchoire provoque son abaissement, la montée du voile du palais le tire en avant, la langue projetée le recule. On voit ainsi que des mouvements exagérés peuvent amener des difficultés phoniques. Le larynx sert aussi de cavité de résonance. À la sortie des cordes vocales, l'onde sonore se propage dans le larynx dont les divers mouvements, en modifiant le volume, créent un son différent.

2.3.2   Le pharynx

Le pharynx est une cavité qui s'étend du larynx jusqu'à la base du crâne. Comme ses dimensions peuvent varier, son volume change et le son laryngien est modifié en conséquence. Le pharynx joue un rôle important comme résonateur dans la phonation.

2.3.3 La bouche

L'ouverture de la bouche varie selon le degré d'abaissement de la mâchoire inférieure. Les mouvements de la langue modifient le volume de la cavité buccale. Ainsi, une langue élevée vers le palais détermine un résonateur de faible volume et l'émission d'un son aigu. Grâce aux mouvements de la mâchoire inférieure et de la langue, la cavité buccale change de volume et modifie par conséquent le son fondamental. Il est possible de changer ce résonateur par le jeu des lèvres. La projection et l'arrondissement des lèvres altèrent le volume de la cavité buccale et, par conséquent, la fréquence du son, ce qui permet de former une variété presque infinie de sons.

2.3.4   Les fosses nasales

Le palais qui forme le plafond de la voûte palatine se divise en deux parties, le palais dur en avant et le palais mou ou voile du palais en arrière. La mobilité du palais mou permet l'ouverture ou l'obstruction de l'entrée des fosses nasales. Grâce à l'abaissement du voile du palais, l'air s'introduit dans le nez et produit un son nasal.

2.4   LA PRONONCIATION

Tous les facteurs physiologiques décrits ci-dessus sont communs à tous les hommes. La prononciation, c'est-à-dire l'articulation de tel ou tel son, est déterminée pour chaque langue. Ainsi, dans la multitude des sons possibles, le français en a sélectionné environ trente-six. Ces sons ou phonèmes suffisent, par la variété de leurs combinaisons, à constituer la multitude des mots de notre langue.

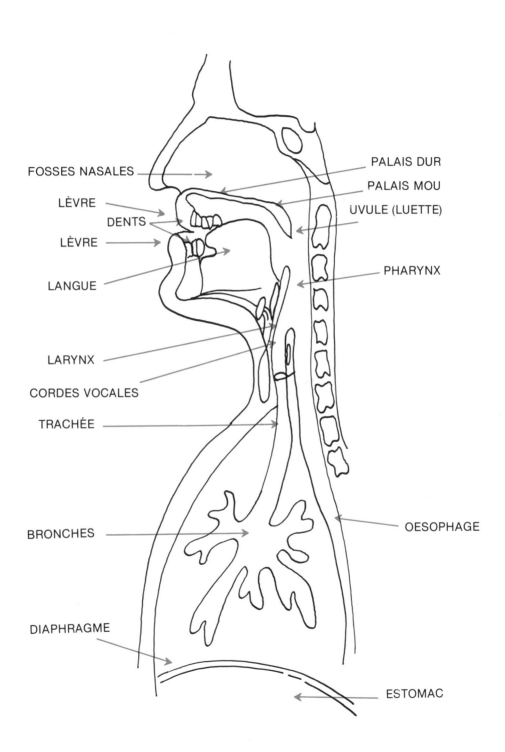

FOSSES NASALES

PALAIS DUR

PALAIS MOU

LÈVRE

UVULE (LUETTE)

DENTS

LÈVRE

PHARYNX

LANGUE

LARYNX

CORDES VOCALES

TRACHÉE

OESOPHAGE

BRONCHES

DIAPHRAGME

ESTOMAC

2.4.1   Les phonèmes du français international

SYMBOLES PHONÉTIQUES (1)	EXEMPLES	TRANSCRIPTION
Voyelles orales		
[i]	lit	[li]
[e]	clé	[kle]
[ɛ]	mer	[mɛːR]
[a]	table	[tabl]
[ɑ]	mât	[mɑ]
[ɔ]	bol	[bɔl]
[o]	peau	[po]
[u]	bout	[bu]
[y]	lune	[lyn]
[φ]	feu	[fφ]
[œ]	oeuf	[œf]
[ə]	le	[lə]
Voyelles nasales		
[ɛ̃]	pain	[pɛ̃]
[ɑ̃]	banc	[bɑ̃]
[ɔ̃]	pont	[pɔ̃]
[œ̃]	un	[œ̃]
Semi-voyelles		
[j]	pied	[pje]
[ɥ]	huit	[ɥit]
[w]	toit	[twa]
Consonnes		
[p]	pipe	[pip]
[t]	tête	[tɛt]
[k]	cou	[ku]
[b]	bol	[bɔl]
[d]	doigt	[dwa]
[g]	gant	[gɑ̃]
[m]	main	[mɛ̃]
[n]	nez	[ne]
[ɲ]	agneau	[aɲo]
[f]	feu	[fφ]
[v]	ville	[vil]
[s]	seau	[so]
[z]	zéro	[zeRo]
[ʃ]	chat	[ʃa]
[ʒ]	juge	[ʒyːʒ]
[l]	lit	[li]
[R] grasseyé, [r] roulé	rat	[Ra]
[ː] marque la durée ou l'allonge-ment	châle	[ʃɑːl]

(1) Cette notation est celle de l'API (Alphabet phonétique international).

2.4.2 Les voyelles

Nous avons vu que le degré d'élévation de la langue vers le palais détermine le volume du résonateur buccal et modifie le son fondamental laryngien pour produire un son caractérisé par un timbre unique.

Si les muscles phonateurs ne sont pas assez tendus ou si les organes phonateurs ne gardent pas leur position précise lors de l'articulation, le timbre de la voyelle est à ce moment différent et la voyelle est relâchée ou même diphtonguée. Il existe au Québec une tendance à relâcher les voyelles [i], [u] et [y] en syllabes fermées, c'est-à-dire terminées par une consonne prononcée, et à diphtonguer toutes les voyelles dans une syllabe longue. En A.P.I., les voyelles relâchées sont notées [I], [U] et [Y], les voyelles diphtonguées par deux voyelles liées par un arc [a͜u].

Ex. : pipe   [pip]   — prononciation relâchée   [pIp]
pipe poule   [pul]   — prononciation relâchée   [pUl]
pipe lune   [lyn]   — prononciation relâchée   [lYn]
pipe père   [pɛ:r]   — prononciation diphtonguée [pa͜ɛr]
pipe garage   [gaʀa:ʒ]   — prononciation diphtonguée [gaʀa͜uʒ]
pipe malheur [malœ:r]   — prononciation diphtonguée [mala͜œr]

Il faut éviter aussi de substituer certains sons à d'autres, notamment de remplacer [ɛ] en position finale par [a], ou [ɑ] par [ɔ].

Ex. : épais   [epɛ]   — prononciation substituée   [epa]
pipe pas   [pɑ]   — prononciation substituée   [pɔ]

Les voyelles nasales donnent aussi lieu à des articulations qui manquent de netteté parce que leur ouverture est trop faible ou parce qu'il y a diphtongaison.

Ex. : linge   [lɛ̃:ʒ]   — prononciation trop fermée   [le̅:ʒ]
pipe banque   [bɑ̃:k]   — prononciation diphtonguée   [ba͜ãk]

Signalons en passant que, contrairement à la France, la voyelle [œ̃] est encore vivante au Québec.

Ex. : lundi —   [lœ̃di]   au Québec,
pipe   —   [lɛ̃di]   en France.

2.4.3 Les consonnes

Les consonnes doivent aussi être articulées avec netteté. Il faut donc éviter de trop pousser la langue contre le palais et de faire entendre un bruit de sifflement (consonnes assibilées) lors de la prononciation d'un [t] ou d'un [d] suivis d'une voyelle fermée antérieure.

Ex. : petit   [pəti]   — consonne assibilée   [pət͜si]
pipe lundi   [lœ̃di]   — consonne assibilée   [lœ̃d͜zi]

La demi-plosion, c'est-à-dire la prononciation incomplète d'une consonne finale, doit être évitée, si l'on veut garder une prononciation soignée; de même la disparition de [l] ou de [r] en position finale précédés d'une autre consonne est à corriger.

Ex. : pâte   [pɑːt]   — prononciation incomplète   [pɑːᵗ]
       possible   [pɔsibl]   — prononciation tronquée   [pɔsIb]
       propre   [prɔpr]   — prononciation tronquée   [prɔp]

2.4.4   Les faits phonétiques

On a souvent dit que l'on pouvait déterminer le niveau d'éducation d'une personne par certains traits de prononciation. De fait, les règles qui régissent la conservation ou la disparition de l'e muet [ə] et celles qui dictent les liaisons servent souvent à juger une personne. De toute façon, une voix aux timbres vocaliques clairs et précis et à l'articulation nette est un atout dans toute communication orale.

a)   L'e muet.

Les phonéticiens préfèrent appeler instable ou caduc ce petit son, à cause de la possibilité qu'il a de disparaître ou de se maintenir en fonction de son entourage consonantique. Ainsi, en règle générale, il ne tombe jamais si sa disparition doit entraîner la rencontre de trois consonnes, dont deux au moins le précèdent, et qui sont difficiles à prononcer ensemble.

Si l'on tolère un plus grand nombre de disparitions du ə dans le langage familier, en revanche, dans une conversation au niveau tenu, on limite le plus possible ces chutes.

Si ə est toujours prononcé dans un mot comme guenon [gənɔ̃], par contre il tombe dans semelle [sməl], mais réapparaît dans «une semelle» [ynsəmɛl] en langage soutenu.

Ex. : il te dit   — niveau relâché   [Itd$_z$i]
                — niveau tenu   [il tə di]
       une fenêtre   — niveau relâché   [YnfnaIt]
                    — niveau tenu   [ynfənɛːtr]

b)   Les liaisons

Le français étant une langue liée, on rattache, dans la prononciation, la consonne finale d'un mot au mot suivant si celui-ci commence par une voyelle ou par un *h* muet.

Ex. : Les enfants   — [lezɑ̃fɑ̃]
       les hommes   — [lezɔm]

La liaison se fait régulièrement à l'intérieur d'un groupe formant une unité rythmique. Ainsi on lie

—   un adjectif à un nom
    Ex. : bons amis
—   un article à un nom
    Ex. : des habits

— un article à un adjectif
   Ex. : les aimables personnes
— un adverbe au mot qu'il modifie
   Ex. : très heureux
— une préposition au mot qu'elle introduit
   Ex. : sous une pierre
— un pronom à un autre pronom
   Ex. : vous y viendrez

Un certain nombre d'expressions ou de locutions figées ont des liaisons obligatoires.

Ex. : arts et métiers
c'est-à-dire
de mieux en mieux
de temps à autre
pas à pas
tout à coup
tout à l'heure

En règle générale, on peut dire que les mots accessoires — articles, adjectifs possessifs et démonstratifs, pronoms, prépositions, conjonctions, adverbes — se lient toujours quand ils se placent devant le mot auquel ils se rapportent. Il ne se lient pas s'ils sont placés après le mot auquel ils sont rattachés.

Ex. : Avec liaison : vous avez eu raison
Sans liaison : avez-vous eu raison?

Dans un certain nombre de cas, la présence d'une liaison est la seule indication du pluriel de la phrase.

Ex. : il arrive   → [il ariv]
ils arrivent → [ilzariv]

La présence ou l'absence de liaison permet encore des distinctions sémantiques intéressantes.

Ex. : un savant aveugle
Sans liaison : c'est le savant qui est aveugle.
Avec liaison : c'est l'aveugle qui est savant.

On comprend donc que la liaison soit un des principaux facteurs de la bonne prononciation et qu'il importe d'en bien connaître les règles.

c)   **L'accentuation**

Nous ne prononçons pas toutes les syllabes d'un groupe de sons avec la même intensité, ni sur la même mélodie. La syllabe accentuée est marquée par une variation de la hauteur du ton laryngien. Cette syllabe est donc prononcée sur une note plus élevée ou plus basse.

En français, l'accent se place normalement sur la dernière syllabe *prononcée* d'un *groupe*.

Ex. : C'est mon bur*eau*.
Je vais au spec*ta*cle.

À côté de cet accent normal, il existe un accent d'insistance qui est pro-
voqué en général par un fait d'ordre affectif. Il frappera alors la première
syllabe qui commence par une consonne.

Ex. : Mais, c'est in*cro*yable!
Faut-il donc *tou*jours *ré*péter les choses!

d)   Le rythme et l'intonation

Le retour de l'accent à intervalles sensiblement réguliers constitue le rythme
de la phrase. Les éléments rythmiques se répartissent normalement en deux
groupes formant la partie montante et la partie descendante de la phrase.

La phrase française ordinaire se compose toujours de ces deux parties.
La partie montante marque le début de l'énoncé; elle crée une tension, une
attente. La partie descendante libère cette tension; elle conclut la phrase.

Ex. : Je suis allé à Montréal.
Je suis allé = partie montante
à Montréal = partie descendante

Naturellement, cette montée ne se fait pas de façon brusque, mais par
une ondulation plus ou moins marquée. La partie descendante est plus brusque et finit sur une note basse. Dans la phrase interrogative, il n'y a pas de
partie descendante : la voix reste suspendue sur une note haute.

e)   Mots à prononciation fautive

Les mots ci-dessous donnent souvent lieu à des prononciations fautives. Prononcer en respectant soigneusement la transcription phonétique.

abbaye	[abei]
alcool	[alkɔl]
almanach	[almana]
août	[u]
archéologue	[arkeɔlɔg]
aspect	[aspɛ]
asthme	[asm]
automne	[otɔn]
auxiliaire	[ɔksiljɛːr]
baptême	[batɛːm]
cobaye	[kɔbaj]
condamné	[kɔ̃dane]
dompter	[dɔ̃te]
enivrer	[ɑ̃nivre]
ennoblir	[ɑ̃nɔbliːr]
encoignure	[ɑ̃kɔɲyːr]
et caetera (etc.)	[ɛtsetera]
entrelacs	[ɑ̃trəlɑ]

équateur	[ekwatœːr]
exempt	[egzɑ̃]
faon	[fɑ̃]
féérie	[feri]
gageure	[gaʒyːr]
geôle	[ʒoːl]
hais (je)	[ɛ]
isthme	[ism]
joailler	[ʒɔaje]
linguiste	[lɛ̃gɥist]
loquace	[lɔkwas]
mazout	[mazut]
moelle	[mwal]
nombril	[nɔ̃bri]
oignon	[ɔɲɔ̃]
paon	[pɑ̃]
pneumonie	[pnɸmɔni]
poêle	[pwɑl]
pouls	[pu]
prompt	[prɔ̃]
saoul	[su]
solennel	[sɔlanɛl]
succinct	[syksɛ̃]
taon	[tɑ̃]
varech	[varɛk]
wagon	[vagɔ̃]
yacht	[jɔt]
zoo	[zoo] ou [zo]

SECTION 3

La communication orale

3.1 COMMENT AFFRONTER LE PUBLIC

Une prononciation parfaite n'est pas suffisante, sauf au téléphone, pour donner une impression favorable à vos auditeurs. Ceux qui vous écoutent voient aussi votre façon de vous habiller, vos attitudes et les expressions de votre visage. En plus de modifier le jugement que l'on portera sur vous, tous ces éléments peuvent distraire l'attention et donc rendre votre communication moins efficace.

3.1.1   Vêtements

Même si la mode change d'année en année ou même de saison en saison, une constante demeure cependant : la propreté et la convenance. Les vêtements que vous porterez seront donc propres et adaptés aux circonstances.

3.1.2   Attitude et comportement

Votre attitude sera empreinte de simplicité et de gentillesse. Vos manières seront aisées et vos gestes, modérés. Rappelez-vous qu'il n'y a rien de plus disgracieux qu'une personne qui s'affale sur une chaise ou se couche sur un bureau.

Toutes les expressions de votre visage doivent être le reflet de votre personnalité. Faites preuve d'une attention courtoise et intelligente; soyez vif tout en vous montrant réservé; évitez l'enthousiasme excessif et les tics.

Les principes de base régissant les rencontres avec le public sont la courtoisie et l'amabilité. Les règles importantes à observer peuvent se résumer de la façon suivante :

— Accueillir les gens aimablement
— Éviter, autant que possible, de les faire attendre
— Les traiter avec considération.

3.2 AU TÉLÉPHONE

Le téléphone fait désormais partie de notre vie quotidienne. Sa maniabilité et sa rapidité en font un moyen de communication particulièrement efficace. Il n'est donc pas inutile de rappeler que l'usage du téléphone est soumis à un certain nombre de règles dont la plus importante est la courtoisie. Elle exige de parler clairement, distinctement et avec un débit naturel où la voix ne trahit aucune impatience ou agressivité. Même s'il faut être bref, il convient d'être précis dans les réponses comme dans les questions.

Lorsque le téléphone sonne, répondez promptement et identifiez-vous correctement. Un simple «allô!»» ne sert à rien; dites qui vous êtes et, si la situation l'exige, ce que vous faites.

Ex. : Bureau de M. Untel, Pierrette Sauvage à l'appareil.
Compagnie XYZ, ici Paul Cadorette.

Au moment d'engager la conversation avec votre interlocuteur, demandez-lui son nom s'il ne s'est pas présenté. Faites-le avec courtoisie et tact. Ne dites jamais «Qui parle?», mais plutôt «À qui ai-je l'honneur de parler?» ou encore «Puis-je dire à M. Untel qui l'appelle, s'il vous plaît?».

Comme votre interlocuteur ne peut pas vous voir, il est important de lui signaler que vous le comprenez et que vous suivez le déroulement de sa pensée. Vous pouvez le faire sans interrompre l'interlocuteur en plaçant de temps à autre un «oui», un «entendu», etc. Vous signalez ainsi à votre interlocuteur que vous êtes toujours au bout du fil et que vous communiquez avec lui.

Si la communication avec telle ou telle personne ne peut pas être immédiate ou si le renseignement demandé exige un certain délai, excusez-vous auprès de votre interlocuteur et demandez-lui s'il veut attendre ou s'il préfère que vous le rappeliez. N'oubliez pas d'avoir à votre disposition du papier et un crayon pour noter les messages que l'on vous transmet.

Enfin, rappelez-vous que la politesse exige de ne pas couper la parole à votre interlocuteur et de ne pas raccrocher avant lui. Toute conversation se termine naturellement par une formule de politesse.

Pour donner un exemple, voici certaines formules qu'utilisera une téléphoniste :

Jocelyne Dupont :	Bureau de M. Demers, Jocelyne Dupont à l'appareil.
Interlocuteur :	Puis-je parler à M. Demers?
Jocelyne Dupont :	De la part de qui, s'il vous plaît?
Interlocuteur :	Pierre Joly.
Jocelyne Dupont :	Merci, M. Joly. Un moment, s'il vous plaît.

*   *   *

Ginette Lachapelle :	Compagnie XYZ, ici Ginette Lachapelle,
Interlocuteur :	Pierre Santerre à l'appareil. Puis-je parler à M. Laferrière, s'il vous plaît?
Ginette Lachapelle :	Je regrette, M. Santerre, mais on ne peut rejoindre M. Laferrière pour l'instant. Puis-je vous être utile?

3.3   L'ENTREVUE

L'entrevue a comme but principal de vérifier si un futur employé a toutes les qualités requises pour répondre aux besoins de l'emploi vacant. La personne qui conduit l'entrevue pose donc une série de questions dans un but bien précis. Elle cherche à savoir si vous avez les aptitudes et la compétence nécessaires pour occuper l'emploi, si votre personnalité et votre tempérament sont équilibrés, vos manières agréables, etc.

On a souvent dit que l'exactitude est la politesse des rois, soyez donc ponctuel. Présentez-vous poliment et gardez votre sang-froid. Même si certaines questions peuvent vous sembler sans rapport avec le but de l'entrevue, répondez néanmoins de bonne grâce. Fournissez les renseignements et les éclaircissements que l'on vous demande. Au fond, ce n'est pas bien compliqué puisqu'il s'agit de vos goûts, de vos aptitudes, de vous.

«En sténo, je peux prendre 60 mots à la minute, avec des pointes jusqu'à 80.»

3.4 LES RÉUNIONS ET LES CONFÉRENCES

Chacun d'entre nous participe un jour ou l'autre à un comité ou à une réunion. Il est donc important de connaître un certain nombre de principes qui règlent la participation des membres lors de ces rencontres.

3.4.1 Respecter l'opinion d'autrui

S'il est facile de respecter les opinions des personnes qui ont des idées similaires ou identiques aux nôtres, il est par contre plus difficile de s'entendre avec des gens qui expriment des vues opposées. Il faut garder l'esprit ouvert, écouter attentivement et faire les remarques qui s'imposent sans jamais oublier que la courtoisie doit guider les débats.

3.4.2 Limiter les interventions

Un comité n'est utile que si chacun participe à ses activités. Il ne faut donc pas que ce soit toujours la même personne qui fasse toutes les interventions. Participez, mais donnez aussi aux autres l'occasion de s'exprimer.

3.4.3   Contribuer à aplanir les divergences d'opinion

C'est une marque d'intelligence que de pouvoir dégager les points d'un exposé qui permettent d'en arriver à un compromis satisfaisant pour toutes les personnes en cause.

3.4.4   Maintenir la discussion sur la bonne voie

Certaines personnes ont la manie, dans les discussions, de faire intervenir des considérations étrangères au sujet. Il faut alors avec beaucoup de tact ramener la discussion aux questions pertinentes. Une bonne façon d'y arriver est de faire la synthèse des opinions exprimées.

3.5   LE DISCOURS

Parler en public n'est plus de nos jours un fait extraordinaire. Si l'on vous invite à prendre la parole en public, soyez flatté, car on ne le demande qu'aux personnes qui ont des idées ou une expérience d'un certain intérêt. Avoir quelque chose à dire n'est cependant pas suffisant, il faut encore savoir comment préparer un discours et comment établir un contact direct avec ses auditeurs.

3.5.1   Préparer le discours

Tous les bons discours sont soigneusement préparés. Avant de prendre la parole, il est utile de vous laisser guider par les principes suivants :

a)   **Déterminer le but et le sujet**

Avant de vous adresser à votre auditoire, vous devez savoir dans quel but vous le faites. Est-ce pour donner des informations? Pour expliquer une chose? Pour rallier des partisans à un groupement ou à une idéologie? Pour divertir?

Lorsque votre but est clairement défini, vous pouvez choisir le thème de votre discours. Au moment de fixer un sujet, posez-vous toute une série de questions; elles vous aideront à préciser vos idées. Pourquoi m'a-t-on demandé de prendre la parole? Quelle est la durée de mon discours? Que puis-je apporter à mes auditeurs?

b)   **Penser aux auditeurs**

Avant de s'adresser à un public, il est bon de le connaître. Renseignez-vous sur la moyenne d'âge de vos auditeurs, sur leur niveau d'instruction, sur leur situation sociale et économique, sur leur domaine d'activité et leurs intérêts. On ne s'adresse pas de la même façon à un groupe de secrétaires et à une association de plombiers. Si vous méjugez vos auditeurs, votre discours s'en ressentira.

c)   Délimiter le sujet

En fonction du temps dont vous disposez pour votre discours, délimitez le sujet. Il est inutile de choisir un thème trop vaste, si vous n'avez que quinze à vingt minutes. Limitez donc avec précision le sujet de votre discours et rappelez-vous qu'il est préférable de traiter à fond deux ou trois points que d'accumuler pendant des heures des banalités et des généralités.

d)   Choisir les idées

Il est fort commode d'inscrire sur une fiche les idées qui vous trottent dans la tête. Documentez-vous en lisant les journaux, les revues et les livres qui se rapportent à votre sujet. Prenez des notes, beaucoup de notes, et de sources différentes.

e)   Préparer le plan

Dès que votre documentation est suffisante, classez-la, puis choisissez les idées principales et agencez-les par ordre d'importance : votre plan est prêt.

f)   Éveiller la curiosité

Votre discours sera un succès si vous réussissez à «accrocher» vos auditeurs. Assurez-vous de votre intonation, de votre rythme, de votre accentuation en répétant votre discours devant un auditoire imaginaire. N'oubliez pas aussi de donner de temps en temps un exemple bien choisi et de raconter une anecdote si le sujet s'y prête. Votre discours doit se dérouler comme un film et maintenir chez vos auditeurs une attention constante. Calculez vos mouvements et vos gestes, mais n'oubliez pas qu'ils doivent paraître naturels.

Rappelez-vous aussi qu'on ne lit pas un discours. Même si votre texte est entièrement rédigé, vous devez le raconter et non le réciter comme une leçon.

3.5.2   Conseils pratiques

Au moment de commencer à parler et pour chasser votre trac, respirez profondément, cela diminuera votre tension nerveuse.

a)   Surveiller le volume de la voix

Ne chuchotez pas mais ne hurlez pas non plus. Parlez clairement et suffisamment fort pour que tous vos auditeurs puissent vous entendre.

b)   Regarder l'auditoire

Au moment de parler, gardez la tête droite de façon à projeter votre voix au fond de la salle. Regardez vos auditeurs. Promenez votre regard sur toutes les personnes présentes : droit devant vous, à gauche, à droite.

Apprenez aussi à évaluer les réactions de vos auditeurs. Ont-ils l'air de suivre le déroulement de vos idées? Sont-ils fatigués? Se posent-ils des questions?

Il est parfois préférable de raccourcir un discours que de parler dans le vide.

c)   Cacher la nervosité

Si vous êtes très nerveux, cachez votre nervosité en vous tenant fermement debout, votre poids également réparti sur les pieds. Ne tenez pas de feuilles de papier à la main, car leur tremblotement trahirait votre anxiété. Dissimulez plutôt vos mains derrière le dos.

d)   Éviter les tics

Il n'y a rien de plus désagréable qu'un conférencier qui a des tics. Surveillez-vous et évitez de répéter constamment «n'est-ce pas», d'émettre des «euh» embarrassés ou encore de vous racler la gorge.

e)   Surveiller la conclusion

La conclusion de votre discours est extrêmement importante. Il ne faut pas l'expédier le plus rapidement possible pour en avoir fini. Ne précipitez pas votre débit, mais conservez le même rythme jusqu'à la fin.

EXERCICES DE RÉVISION ET DE COMPRÉHENSION

La voix

1.   Faites tous les matins des exercices respiratoires. Habituez-vous à respirer en vous servant du diaphragme.

2.   Dans une grande salle, faites des exercices de projection de voix. Commencez par la voyelle [a]. Augmentez au fur et à mesure la durée d'émission des voyelles.

3.   Quelles sont les voyelles du français? Trouvez, pour chaque son, trois ou quatre mots clefs.

4.   Pouvez-vous trouver trois ou quatre façons différentes d'orthographier le son [lɛ]?

5.   Savez-vous prononcer les mots suivants : aéroport, alcool, pneumonie, bonshommes, gageure, psychologie? Vérifiez leur prononciation dans un dictionnaire.

6.   Quelle est la règle de prononciation du e muet? Faut-il prononcer l'e muet dans les mots suivants : amèrement, empereur, cafetière, empaqueter, au revoir, justement?

7.   Quelles sont les règles qui obligent à faire une liaison?

8.   Qu'est-ce que l'accent d'insistance? Quelle syllabe met-il généralement en relief? Donnez un ou deux exemples.

9.   Quel est le type intonatoire d'une phrase interrogative?

La communication orale

1. Au téléphone, votre interlocuteur est mécontent. Comment réussirez-vous à l'apaiser? Donnez divers cas possibles et les solutions appropriées à la situation.

2. Prouvez, en quelques lignes, l'importance de l'entrevue. Pourquoi faut-il répondre avec franchise et simplicité aux questions posées?

3. Quelles sont les règles qu'il faut observer lorsqu'on participe à une réunion ou à une discussion?

4. Quelles sont les principales étapes de la préparation d'un discours?

5. Quels conseils donneriez-vous à quelqu'un qui doit prendre la parole en public

    — sans microphone?

    — avec un microphone?

6. Expliquez pourquoi il faut regarder l'auditoire lorsqu'on s'adresse à lui.

BIBLIOGRAPHIE

CLAS, A., J. DEMERS et R. CHARBONNEAU, *Phonétique appliquée,* Montréal, Beauchemin, 1968.

GENDRON, J.-D., *Tendances phonétiques du français parlé au Canada,* Paris, Librairie C. Klincksieck, Québec, Les Presses de l'Université Laval, 1966.

HOUGARDY, Maurice, *La parole en public,* Bruxelles, Baude, s.d.

LÉON, P., *Prononciation du français standard,* Paris, Didier, 1966.

WARNANT, L., *Dictionnaire de la prononciation française,* Gembloux, J. Duculot, 1962.

Annexe

I

Présentation des manuscrits et corrections typographiques

SECTION 1

Préparation de la copie

On appelle *copie* tout texte, dactylographié ou non, remis à la composition. Alors que la plupart des communications commerciales que nous avons étudiées étaient des «produits finis», la copie n'est qu'une matière première : parvenue chez l'imprimeur, elle sera lue et annotée par le réviseur, composée par le typographe, passera ensuite au correcteur d'épreuves avant d'être finalement imprimée. La qualité du texte imprimé et le coût de l'impression dépendent donc, dans une large mesure, de la préparation de la copie.

1.1 DACTYLOGRAPHIE

De nos jours, toute copie remise à un éditeur ou à un imprimeur doit être dactylographiée. On facilite ainsi la tâche du réviseur (lecture et calcul du nombre de lignes) et du typographe (composition).

La copie est dactylographiée sur du papier de format lettre[1]. Le papier pelure ou le format «ministre» n'est pas pratique, car il est difficile de le placer sur le pupitre de la machine à composer. On dactylographie toujours à double interligne et en laissant des marges suffisamment larges pour permettre la notation d'indications typographiques. La marge de gauche en particulier doit avoir au moins 4 cm.

Il est toujours prudent de taper la copie en deux exemplaires : l'original est remis à l'imprimeur et le texte au carbone sert de double en cas de perte. N'utiliser qu'un côté de la feuille et commencer chaque chapitre sur une nouvelle page.

Toutes les pages doivent être numérotées dans le coin supérieur droit. Si l'on supprime ou ajoute une page, on doit l'indiquer sur la feuille précédente. Le numéro des pages ajoutées après la pagination est suivi de l'indication *bis, ter* ou d'une lettre minuscule : 10a, 10b. On doit éviter, dans la mesure du possible, de coller ou d'agrafer des papillons, c'est-à-dire des feuillets comportant une addition de texte.

La copie dactylographiée doit être soigneusement revisée, en portant une attention particulière à l'orthographe, à la ponctuation, aux majuscules et abréviations, aux citations, notes et références. Ne pas oublier que les corrections typographiques augmentent le coût de l'impression.

---

1. $8^1/2''$ x11''; en mesures métriques, le nouveau format lettre est de 21 x 30 cm.

1.2   ILLUSTRATIONS, NOTES ET RÉFÉRENCES

Les illustrations peuvent figurer dans le corps du texte (graphiques, schémas, figures géométriques, etc.) ou être annexées sur une feuille séparée. Dans ce cas, il faut les numéroter ou indiquer l'endroit où elles doivent apparaître dans le texte.

On peut dactylographier les notes sur une feuille à part, en prenant soin de les numéroter, ou en bas de la page où elles doivent figurer, en les séparant du texte par une ligne continue. La façon d'indiquer l'appel de note varie selon les auteurs et les maisons d'édition (on peut employer un astérisque, une lettre minuscule ou un chiffre). L'appel de note se place avant tout signe de ponctuation.

Ex. : Voir à ce sujet les règles du Code typographique (1).

Il écrivit: «J'ai agi pour le mieux[3]».

La façon la plus courante d'indiquer les références bibliographiques est la suivante :

Livre   —   Beauchamp, Pierre, *L'Entreprise moderne,* Montréal, Éditions commerciales, 1968, p. 230.

Revue   —   *La Revue d'informatique,* Québec, vol. III, n° 8.

Article   —   Daveluy, Gérard, «Comment lire un rapport d'exercice», in *Finance et commerce,* vol. X, n° 5, 1969, p. 39-45.

1.3   INDICATIONS TYPOGRAPHIQUES

Il est préférable, lorsqu'on n'est pas expert en la matière, de laisser à l'éditeur ou à l'imprimeur le choix des caractères (style, famille, corps et type) et du papier. Si la nature de la copie le justifie, on peut lui demander de présenter une épreuve d'essai ou une maquette.

Par contre, il est toujours utile de donner des indications sur la mise en page et les procédés que l'on désire utiliser pour faire ressortir certains mots, titres ou passages du texte. La plupart de ces indications se notent par des moyens conventionnels que nous reproduisons ci-dessous; dans les autres cas, on entoure les instructions données pour qu'elles ne soient pas confondues avec la copie à composer.

CARACTÈRES	INDICATIONS TYPOGRAPHIQUES	TEXTE IMPRIMÉ
Italiques	La composition	*La composition*
Gras	La composition	**La composition**

Petites capitales	LA COMPOSITION	LA COMPOSITION
Grandes capitales	LA COMPOSITION	LA COMPOSITION
Capitales italiques	LA COMPOSITION	*LA COMPOSITION*
Capitales en gras	LA COMPOSITION	**LA COMPOSITION**
Capitales ital. gras	LA COMPOSITION	***LA COMPOSITION***
Caractères supérieurs	B eau 10 E	B^{eau} 10^E
Caractères inférieurs	H 2 O	H$_2$O
Soulignement	La composition	La composition

SECTION 2

Corrections typographiques

2.1 RÈGLES GÉNÉRALES

Lorsque le texte est composé, l'imprimeur en tire une première épreuve appelée *placard*. Cette épreuve est généralement lue par un correcteur et renvoyée au corrigeur, typographe chargé de faire les corrections typographiques. Le placard remis au client ne contient donc habituellement que peu d'erreurs. C'est la tâche de l'auteur de corriger les coquilles oubliées et d'indiquer en même temps les changements (aussi peu nombreux que possible) qu'il souhaite apporter à la copie originale.

Si l'auteur ne désire pas d'autres épreuves, il inscrit la mention «Bon à tirer» ou «Bon à tirer après correction», selon le cas. Pour un livre ou un travail soigné, on demande généralement une deuxième épreuve, appelée *épreuve en pages,* en indiquant sur les placards la mention «Bon à mettre en pages».

Voici quelques règles concernant la correction des épreuves:

1. Les signes conventionnels simplifient le travail de correction, à condition que le correcteur et le corrigeur utilisent le même code. Lorsqu'on n'est pas sûr du signe à employer, il est donc préférable de faire une annotation dans la marge, de façon à être compris.

2. On ne doit pas se contenter de corriger les fautes dans le texte, par exemple en ajoutant un accent ou un s. La correction pourrait en effet passer inaperçue. Toute correction doit être rappelée dans la marge.

3. Il est recommandé d'utiliser la marge droite pour indiquer les corrections; on utilise la marge gauche lorsque le texte est imprimé sur deux colonnes ou lorsqu'il y a un grand nombre de corrections.

4. Les corrections d'une même ligne doivent être indiquées dans l'ordre suivant:

   $3^e, 2^e, 1^{re}$ TEXTE $1^{re}, 2^e, 3^e$

5. Si un mot nécessite plusieurs corrections, on l'écrit en entier et correctement dans la marge.

2.2 MODÈLE DE CORRECTIONS TYPOGRAPHIQUES

L'IMPRIMERIE

Lettres à changer	*Hist.* — Les livres écrits à sa main, longs à	ℓ| à|
Mot " "	copier, coûtaient trop cher; la découverte de	/très/
Lettre à ajouter	l'imprimrie permit d'en faire davantage, plus	eλ
Mot " "	vite λ à meilleur marché. Il est difficile de	etλ
Lettre ou mot à supprimer	dire qui a inventée l'imprimerie. Les Chinois	e/
Lettre supérieure	l'auraient connue dès le début du Xe/ siècle de	$\langle e$
Lettre à retourner	notre ère, mais ce sout pas eux qui nous	∂/
Caractère différent	l'apprirent.	
	En Hollande, on fabriquait beaucoup d'images	
Lettre défectueuse	de piéfé; on imagina de dessiner la figure sur	⊙ou X
Lettre à transposer	bois dur, mais en rebuors. Le tailleur d'images	ᴜ /
Mot à transposer	creusait ensuite la planche sans |laisser| rien |en	⊓ /
Point à ajouter	relief que les lignes du dessin λ Il enduisait	⊙λ
Virgule à ajouter	celui-ci d'une encre épaisse λ appliquait du par-	,λ

Virgule à enlever	chemin ou du papier, et obtenait autant d'images
Apostrophe à ajouter	qu il en voulait.
Supprimer alinéa	Tant que les caractères étaient creusés sur
Interligne à diminuer	la planche, il était impossible de corriger cer-
Rapprocher	taines erreurs; il fal lait recommencer la planche.
Espacer	Laurent Coster de Harlem substitua à la planche
Point virgule	des caractères mobiles en bois, on eut alors la
Trait d'union	typographie, c.àà d. l'impression avec des carac-
Faire alinéa	tères mobiles. Les caractères de bois présentaient
Majuscule	de sérieux inconvénients. Jean gensfleisch, dit
Minuscule	Gutenberg, De Mayence, où il était né vers 1400,
Correction à annuler	les remplaça par des caractères d'alliage métal-
Rentrer	lique plus résistants (alliage de plomb et d'anti-
Sortir	moine). Il remplaça d'autre part la brosse ou
Italiques	frotton avec laquelle on appliquait le papier
Caractère romain	contre les caractères par un instrument semblable
Bourdon (mots oubliés)	au pressoir des vignerons, la *presse.* Il fit ses
Espacer régulièrement	premiers essais vers 1436 à Strasbourg, où des
Supprimer chevauchement	troubles politiques l'avaient obligé à se réfugier.

BIBLIOGRAPHIE

GOURIOU, Charles, *Mémento typographique*, Paris, Hachette, 1963.

POIRIER, Léandre, *Au service de nos écrivains*, Montréal, Fides, 1966.

SYNDICAT NATIONAL DES CADRES ET MAÎTRISES DU LIVRE, DE LA PRESSE ET DES INDUSTRIES GRAPHIQUES, *Code typographique*, 10e éd., Paris, 1974.

UNESCO, *Guide de présentation des manuscrits — Projet de guide bibliographique*, Paris, 1956.

Annexe

II

Abréviations usuelles

A

ac.	acompte
Acq^t	acquit
act.	action
A.E.L.E.	Association européenne de libre échange
AFNOR	Association française de normalisation
A.I.D.	Association internationale de développement
A.I.T.A.	Association internationale des transports aériens
Alb.	Alberta
anc.	ancien
app. ou appt.	appartement
à pr. f.	à prix fixe
apr. J.-C.	après Jésus-Christ
A/R	avis de réception
art.	article
a/s de	aux soins de
au comp^t	au comptant
av. J.-C.	avant Jésus-Christ
av.	avenue
a/v	à vue

B

b., b^{le}	balle
b., b^t	billet
B/, b. à o.	billet à ordre
B/B	billet de banque
b. à p.	billet à payer
b. à r.	billet à recevoir
b^{eau}	bordereau
B.I.R.D.	Banque internationale pour la reconstruction et le développement
B.I.T.	Bureau international du travail
b^l	baril
B^{lle}	bouteille
B^{ot}	ballot
boul. ou b^d	boulevard
B.P.	boîte postale
B.P.F.	bon pour francs
Bque	banque
b^{que}	barrique
B^t, b^t	brut

C

¢	cent (monnaie)
c/	contre
C	Celsius (auparavant centigrade)
C/ ou C^{pte}	compte
c.-à-d.	c'est-à-dire
C.A.F. ou caf	coût, assurance, fret
can.	canadien
C. & A.	coût et assurance
C. & F.	coût et fret

C.-B.	Colombie-Britannique
c.c.	copie conforme
C/c	compte courant
C^{de}	commande
C.E.E.	Communauté économique européenne
C.E.Q.	Centrale de l'enseignement du Québec
Cf.	*confer* (reportez-vous à)
chap.	chapitre
ch.	chèque
ch. de f.	chemin de fer
ch; CV	cheval-vapeur
Cie	compagnie
cm	centimètre
c/o	compte ouvert
com., c^{ion}	commission
conn^{t}	connaissement
C.P.	case postale; colis postal
Cpt ou comp^{t}	comptant
C.R.	contre remboursement
C^{se}	caisse
C.S.N.	Confédération des Syndicats nationaux
Ct	crédit
c^{t}	courant
cwt	quintal (hundredweight)

D

D., Dt, d^{t}	doit; débit
dép. ou dép^{t}	département
Dest.	destinataire
dir.	directeur, direction
div.	dividende
d^{o}	*dito* (comme ci-dessus)
DM	Deutsche Mark
$	dollar
D^{r}	docteur
D.T.S.	Droits de tirage spéciaux
dz ou douz.	douzaine

E

E. à P.	effet à payer
E. à R.	effet à recevoir
Ech^{ce}	échéance
éch^{on}	échantillon
éd.	éditeur, édition
Enr.	(entreprise) enregistrée
env.	environ
esc., es^{cte}	escompte
&	et
Établ^{t}, É^{ts}	établissement(s)
etc.	*et caetera*
Esp.	espèces
É.-U., U.S.A.	États-Unis d'Amérique

E.V.	en ville
ex.	exemple; exercice
excl.	exclu, exclusivement
exempl.	exemplaire
ex-c.	ex-coupon
ex-d.	ex-dividende
ex-dr.	ex-droits
Exp.	expéditeur
Exp^n	expédition

F

F	franc
F	Fahrenheit
FOB	franco à bord
F.A.S.	franco à quai
f^{co}	franco
FF	franc français
F.F.A.	franco sous palan
F.G.	frais généraux
fl.	florin
fig.	figure
F.M.I.	Fonds monétaire international
f^o	folio
f^{re}	facture
F.S.	faire suivre
F.T.Q.	Fédération des travailleurs du Québec

G

g	gramme
G.-B.	Grande-Bretagne
G.L.	grand livre

H

h	heure
HP, hp	horse-power
hyp.	hypothèque

I

id.	*idem* (le même)
Î.-du-P.-É.	Île-du-Prince-Édouard
imp.	impayé
Inc.	(entreprise) «incorporée»
incl.	inclus, inclusivement
int.	intérêt
inv.	inventaire

J

j/d.	jour de date
j^{al}	journal
jr	jour
j/v.	jour de vue

K

kg	kilogramme
km/h	kilomètre/heure
kW	kilowatt
kWh	kilowatt/heure

L

l	litre
lb	livre (poids)
L/C	lettre de crédit
lib.	libéré
liq.	liquidation
L.T.A.	Lettre de transport aérien
Ltée	(compagnie à responsabilité) limitée
£	livre sterling

M

M., MM.	Monsieur, Messieurs
m	mètre
m.	mois
m. à b.	mise à bord
Man.	Manitoba
max.	maximum
m/d.	mois de date
M^d, M^{de}	marchand, marchande
M^e	Maître
Mgr	Monseigneur
mém.	mémoire, mémorandum
min.	minimum
min.	minute
m^{ise}, m^{se}	marchandise
Mlle, Mlles	Mademoiselle, Mesdemoiselles
Mme, Mmes	Madame, Mesdames
mm	millimètre
M^{on}	maison (de commerce)
ms, mss	manuscrit(s)
m^t	montant
m/v.	mois de vue
mx	au mieux (Bourse)

N

n/	nous, notre, nos
N.B.	*Nota bene*
N.-B.	Nouveau-Brunswick

n.c.	non coté
n/c.	notre compte
N.-D.	Notre-Dame
N.D.L.R.	note de la rédaction
N. du T.	note du traducteur
N.-É.	Nouvelle-Écosse
nég.	négociable
N^{gt}, N^t	négociant
N°, n°	numéro
N^{os}, n^{os}	numéros
nom.	nominatif
nouv.	nouveau

O

o/	à l'ordre de
O.A.C.I.	Organisation de l'aviation civile internationale
obl., oblig.	obligation
O.C.D.E.	Organisation de coopération et de développement économique
O.E.C.E.	Organisation européenne de coopération économique
off.	offert
O.I.C.	Organisation internationale de commerce
O.I.T.	Organisation internationale du travail
O.N.F.	Office national du film
Ont.	Ontario
ord.	ordinaire
o.s.	ouvrier spécialisé
ouv.	ouverture

P

p., pp.	page, pages
par., §	paragraphe
p.c., p. cent, %	pour cent
p. 1000, ^0/_{00}	pour mille
p/c.	pour compte
P.C., p. c^t	prix courant
P.D., p.d.	port dû
P.D.G.	Président directeur général
p^{ds}	poids
p. ex.	par exemple
p. ext.	par extension
p.j.	pièces jointes
pl.	place
P.M.E.	petites et moyennes entreprises
p.p., p.p^{on}	par procuration
P.P., p.p.	port payé
P. & P.	profits et pertes
1°	*primo* (premièrement)
p^r	pour
P.R.	prix de revient; poste restante
priv.	privilégié
prov.	province

prox.	*proximo* (mois prochain)
P.-S.	post-scriptum
P.V.	prix de vente

Q

q, q^l, q^{al}	quintal
qual.	qualité
Qué., QC.	Québec
qch.	quelque chose
qq., q.q.	quelques
qqn	quelqu'un

R

R., r.	recommandé
r^o	recto
réf.	référence
règl^t	règlement
Relex	Relations extérieures
remb.	remboursable, remboursement
Rexfor	Société de récupération, d'exploitation et de développement forestiers
r^{se}, rem.	remise
R.S.V.P.	Réponse, s'il vous plaît

S

s	seconde
s.	sac
s/	son, sa, ses; sur, sous
S., s^t	saint
S.A.	Société anonyme
S.A R.L.	Société à responsabilité limitée
Sask.	Saskatchewan
s.b.f.	sauf bonne fin, sous les réserves d'usage
S/C.	son compte
s.d.	sans date
S^{de}	solde
sect.	section
S.E.O., s.e. & o., s.e. ou o.	sauf erreur et (ou) omission
s.e.d.d.	sans engagement de date
S.f., S.F.	sans frais
S.G.D.G.	sans garantie du gouvernement
S.G.F.	Société générale de financement
s.i.	sauf imprévu
SIDBEC	Sidérurgie du Québec
s^{le}	succursale
s/lest	sur lest
s.l.n.d.	sans lieu ni date
S.M.I.G.	salaire minimum interprofessionnel garanti
S.N.C.F.	Société nationale des chemins de fer français
s.o.	sauf omission
s. obl.	sans obligation
SOQUEM	Société québécoise d'exploitation minière

SOQUIP	Société québécoise d'initiatives pétrolières
s/s, nav.	steamer, navire
S^{té}	société
Succ^r	successeur
suiv., suiv^t	suivant
suppl.	supplément, supplémentaire
s.v.	sans valeur
s.v.p., S.V.P.	s'il vous plaît

T

T.	tare
T/, tr., t^{te}	traite
t	tonne
tél.	téléphone
t.j.b.	tonneaux de jauge brute
T.-N.	Terre-Neuve
T. du N.-O.	Territoires du Nord-Ouest
trim.	trimestre
T.S.V.P.	Tournez, s'il vous plaît
T.V.A.	Taxe à la valeur ajoutée
Tx	tonneaux de jauge

U

U.I.T.	Union internationale des télécommunications
U.P.U.	Union postale universelle

V

V., v.	voir
v/	vous, votre, vos
V/, val., v^r	valeur
V	Volt
v/c.	votre compte
vers^t	versement
v^o	verso
V/O	votre ordre
vir^t	virement
vol.	volume
Vte	vente
v/v.	votre ville
Vve	veuve
Vx	vieux

W

W	Watt

Annexe

III

Expressions et symboles métriques usuels

grandeur	unité	symbole	relation		
longueur	kilomètre	km	1 km	=	1 000 m
	mètre	m	1 m	=	10 dm
	décimètre	dm	1 dm	=	10 cm
	centimètre	cm	1 cm	=	10 mm
	millimètre	mm			
superficie	kilomètre carré	km²	1 km²	=	100 ha²
	hectare	ha	1 ha	=	10 000 m²
	mètre carré	m²	1 m²	=	100 dm²
	décimètre carré	dm²	1 dm²	=	100 cm²
	centimètre carré	cm²			
volume	mètre cube	m³	1 m³	=	1 000 dm³
	décimètre cube	dm³	1 dm³	=	1 000 cm³
	centimètre cube	cm³			
	kilolitre	kl	1 kl	=	1 000 L
	litre	L	1 L	=	1 000 ml
	millilitre	ml			
masse	tonne (métrique)	t	1 t	=	1 000 kg
	kilogramme	kg	1 kg	=	1 000 g
	gramme	g	1 g	=	1 000 mg
	milligramme	mg			
temps	année	a			
	heure	h	1 h	=	60 min
	minute	min	1 min	=	60 s
	seconde	s			

température	degré Celsius	°C	pour l'eau pure,
			point de congélation: 0°C
			point d'ébullition: 100°C

Préfixes métriques usuels

préfixe	symbole	valeur numérique
giga	g	1 000 000 000
méga	M	1 000 000
kilo	k	1 000
hecto	h	100
déca	da	10
		1
déci	d	0,1
centi	c	0,01
milli	m	0,001
micro	μ	0,000 001
nano	n	0,000 000 001

INDEX